Uterine Leiomyoma

자궁근종

자궁근종연구회

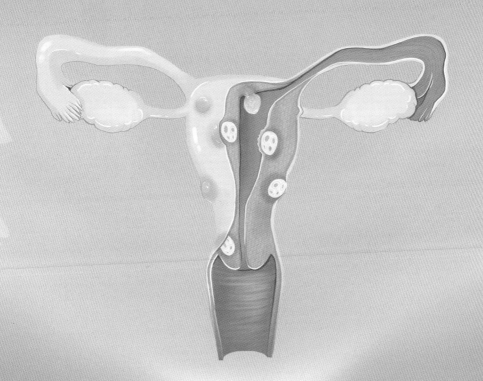

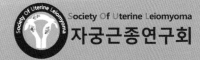

Society Of Uterine Leiomyoma
자궁근종연구회

Uterine Leiomyoma

자궁근종

첫째판 1쇄 인쇄 | 2019년 1월 2일
첫째판 1쇄 발행 | 2019년 1월 12일
첫째판 2쇄 발행 | 2020년 3월 5일

지 은 이 자궁근종연구회
발 행 인 장주연
출 판 기 획 이성재
책 임 편 집 박미애
편집디자인 조원배
표지디자인 김재욱
일 러 스 트 김경렬
제 작 담 당 신상현
발 행 처 군자출판사(주)
　　　　　등록 제4-139호(1991. 6. 24)
　　　　　본사 (10881) **파주출판단지** 경기도 파주시 회동길 338(서패동 474-1)
　　　　　전화 (031) 943-1888　　　팩스 (031) 955-9545
　　　　　홈페이지 | www.koonja.co.kr
후　　　원 한국여성암재단

ISBN 979-11-5955-396-7

정가 60,000원

Uterine Leiomyoma

자궁근종

자궁근종연구회

자 궁 근 종
UTERINE LEIOMYOMA

발간사

[자궁근종] 교과서 발간에 부쳐

자궁근종 관련 연구를 통해 임상의학의 발전을 도모하고 연구업적의 발표, 지식의 교환, 정보의 제공 등을 통한 학술의 발전에 기여함을 목적으로 자궁근종연구회(society of uterine leiomyoma, SOUL)가 2015년 5월 29일 총 5인의 발기인으로 창립됐습니다.

　김용만 초대 회장님, 조치흠 부회장님, 이정재 기획위원장님을 모시고 학술위원장으로서 자궁근종 연구회를 시작한 것이 벌써 3년 반이라는 시간이 지났습니다. 그 동안 뜻을 같이 하는 국내 유수대학 의 교수님들이 모여 자궁근종 연구회가 점차 확대되었습니다. 매년 근종연구회 세미나 개최를 통해 최신지견을 공유하는 활발한 토론의 장도 정례화했습니다.

　2016년 12월에는 대한산부인과학회로부터 유관학회 인증을 받았습니다. Obstetrics and Gynecologic Science 학술지에 자궁근종의 약물치료와 관련된 종설을 게재했고 자궁근종의 올바른 치료 가이드라인 마련, 자궁근종에 대한 홍보와 빅 데이터 분석을 통해 국내 자궁근종 유병률 연구를 진행 해왔습니다.

　가임기 여성에서 가장 흔한 생식기 종양으로 수많은 여성들이 고통을 당하는 자궁근종에 관한 교 과서 집필에 나서기로 한 것은 비단 산부인과전문의뿐만 아니라 다른 과 의료진 및 일반인들에게도 자궁근종에 대한 명확한 근거를 바탕으로 한 정확한 지식을 전달해야겠다는 의지의 표현입니다.

　본 자궁근종연구회 책을 출판하기 위해, 진료와 교육 그리고 연구에 가장 바쁘신 교수님들께서 노 고를 아끼지 않으면서 집필해 주신 저자분들, 감수 총괄을 흔쾌히 맡아 주신 박형무 교수님, 김장흡

교수님, 이병익 교수님, 김종현 교수님, 신소진 교수님께 깊은 감사의 뜻을 표합니다.

책 발간을 기획하고 추진해 교과서 발간을 가능하게 해주신 김용만 명예회장님과 계명대학교 출판부의 자궁근종 초창기의 교과서를 흔쾌히 공유해 주신 조치흠 부회장님과 이정재 부회장님, 이사라 학술 위원장님과 상임이사진께도 진심으로 감사의 말씀을 드립니다. 발간을 위해 애써주신 정윤지 사무총장님과 군자출판사 관계자 분들께도 깊은 감사를 드립니다. 초판이라 아직 부족한 점이 많지만, 앞으로도 계속 다듬고 업데이트해 나감으로써 많은 분들께 도움이 되는 교과서가 되기를 간절히 희망하는 바 입니다.

2019년 1월
자궁근종연구회 회장 김 미 란

축사

[자궁근종] 책 발간에 부쳐

가임기 여성에서 가장 흔한 종양이며, 최근 만혼이 증가하면서 자궁근종에 대한 관심은 더욱 증가하고 있습니다. 그런데도 국내에는 아직 자궁근종을 전문으로 연구하는 모임이 없어 이에 대한 체계적인 연구와 토론이 충분치 않다고 생각되어 뜻을 같이 한 산부인과 교수들이 2015년 5월에 자궁근종연구회를 창립하게 되었습니다.

제가 초대 회장을 맡아 연구회의 체계를 잡고 여러 사업들을 추진해 가는데 그동안 많은 산부인과 교수님들께서 도와주신 덕분에 이제는 명실공히 대한산부인과학회의 유관학회로써 많은 역할을 할 수 있게 된 것을 보니 감회가 새롭습니다.

바쁘신 와중에도 이 책의 집필을 부탁드렸을 때 기꺼이 집필을 맡아주신 교수님들께 이 자리를 빌어 깊은 감사의 말씀을 드립니다. 자궁근종에 대해 오랜 세월 연구하신 자료들을 공유해주셔서 이 책의 토대를 만들어주신 조치흠 부회장님께도 특히 감사의 말씀을 드립니다. 산부인과와 영상의학과, 그리고 병리학에서 자궁근종과 관련된 가장 최신의 지식들을 총 정리해주셨을 뿐 아니라 많은 임상자료와 소중한 임상경험들을 아낌없이 공유해 주신 저자분들의 노고가 있었기에 이렇게 훌륭한 책이 완성될 수 있었다고 생각합니다. 저의 숙원사업이던 <자궁근종> 책 발간을 추진해서 마무리 해주신 김미란 회장님과 상임이사진께 다시 한번 진심으로 감사의 말씀을 드리며, 그동안 산부인과학의 발전에 많은 도움을 주신 군자출판사 사장님께도 감사드립니다.

아무쪼록 이 책이 자궁근종에 대한 많은 분들의 궁금증을 해결해드렸기를 바라며 앞으로도 더욱 발전하는 자궁근종연구회가 되기를 기원합니다.

모든 분들의 가내 평안하시고 하시는 일이 모두 잘 되시길 바랍니다.

2019년 1월

자궁근종연구회 초대회장 김 용 만

자 궁 근 종
UTERINE LEIOMYOMA

편찬 위원회

편찬 위원장

박 형 무　그레이스병원 산부인과

편찬 간사

정 윤 지　가톨릭대학교 의과대학 산부인과

집필진 (가나다 순)

권 상 훈	계명대학교 의과대학 산부인과	**김 시 형**	계명대학교 의과대학 영상의학과
권 선 영	계명대학교 의과대학 병리과	**김 영 선**	민트영상의학과 영상의학과
김 대 연	울산대학교 의과대학 산부인과	**김 용 만**	울산대학교 의과대학 산부인과
김 미 란	가톨릭대학교 의과대학 산부인과	**김 태 중**	성균관대학교 의과대학 산부인과

박 현 태	고려대학교 의과대학 산부인과	**조 문 경**	전남대학교 의과대학 산부인과
이 민 경	가톨릭대학교 의과대학 산부인과	**조 시 현**	연세대학교 의과대학 산부인과
이 사 라	이화여자대학교 의과대학 산부인과	**조 치 흠**	계명대학교 의과대학 산부인과
이 정 재	순천향대학교 의과대학 산부인과	**조 현 희**	가톨릭대학교 의과대학 산부인과
정 윤 지	가톨릭대학교 의과대학 산부인과		

감수위원 (가나다 순)

김 장 흡	가톨릭관동대학교 의과대학 산부인과	**이 은 실**	순천향대학교 의과대학 산부인과
김 탁	고려대학교 의과대학 산부인과	**이 철 민**	인제대학교 의과대학 산부인과
박 형 무	그레이스병원 산부인과	**한 승 수**	중앙대학교 의과대학 산부인과
이 병 익	인하대학교 의과대학 산부인과		

자 궁 근 종
UTERINE LEIOMYOMA

목차

CHAPTER 01 역학(Epidemiology)

역학(Epidemiology) ·· 3
　　1. 서론 ··· 3
　　2. 자궁근종의 빈도 및 인구통계학적 패턴 ··············· 3
　　3. 위험 인자 ··· 4
　　4. 향후 역학 연구 ·· 8

CHAPTER 02 분자생물학 및 유전학(Molecular biology and Genetics)

분자생물학(Molecular biology) ························ 13
　　1. 서론 ··· 13
　　2. 자궁근종의 발달에 영향을 미치는 유전적 역할에 대한 근거 ········· 13
　　3. 분자생물학적 신호 경로 ··· 15
　　4. 결론 ··· 26
유전학(Genetics) ··· 33
　　1. 서론 ··· 33
　　2. 본론 ··· 33
　　3. 결론 ··· 35

CHAPTER 03 병리(Pathology)

병리(Pathology) ·· 39

1. 자궁근종의 병태생리학 ································ 39

2. 일반적인 자궁근종의 병리소견 ················· 40

3. 자궁근종의 변형 ······································· 42

4. 불확실한 악성 잠재평활근종양 ················ 44

5. 평활근육종 ··· 45

CHAPTER **04** 증상(Symptoms)

증상(Symptoms) ·· 51

1. 서론 ··· 51

2. 월경과다 ··· 52

3. 월경통 ·· 52

4. 골반통증 ··· 53

5. 비정상 질출혈 ·· 53

6. 비뇨기계 증상 ·· 53

7. 위장관계 증상 ·· 53

8. 그 외 다양한 증상 ···································· 54

CHAPTER **05** 자궁근종과 불임(Uterine leiomyoma and Infertility)

자궁근종과 불임(Uterine leiomyoma and Infertility) ············ 57

1. 서론 ··· 57

2. 자궁근종이 임신에 미치는 영향 ··············· 57

자 궁 근 종
UTERINE LEIOMYOMA

3. 자궁근종의 치료와 임신율 ……………………………… 60

4. 결론 …………………………………………………………… 62

CHAPTER 06 자궁근종과 임신(Uterine leiomyoma and Pregnancy)

자궁근종과 임신(Uterine leiomyoma and Pregnancy) ……………… 67

1. 서론 …………………………………………………………… 67

2. 임신 중 자궁근종으로 인한 증상 …………………………… 68

3. 임신 중 자궁근종으로 인한 합병증 ………………………… 68

4. 임신 전 또는 임신 중 자궁근종 처치 ……………………… 74

5. 과거 자궁근종절제술 임신부의 처치 ……………………… 76

CHAPTER 07 영상학적 진단(Imaging Diagnosis)

영상학적 진단(Imaging Diagnosis) ………………………………… 81

1. 초음파검사 …………………………………………………… 81

2. 전산화단층촬영 ……………………………………………… 82

3. 자기공명영상 ………………………………………………… 84

4. 자궁근종변성의 영상소견 …………………………………… 85

5. 자궁근종의 드문 영상소견 ………………………………… 88

6. 자궁근종과의 감별진단 ……………………………………… 90

CHAPTER 08 감별해야 하는 질환(Differential Diagnosis)

감별해야 하는 질환(Differential Diagnosis) …………………… 93

1. 서론 …………………………………………………………… 93

2. 자궁선근증 ·· 93

3. 자궁 육종 ·· 97

4. 자궁내막 용종 ·· 99

5. 자궁부속기의 고형 종양 ·· 99

6. 위장관기질종양 (Gastrointestinal stromal tumor, GIST) ············ 100

7. 가성-메이그스 증후군 (pseudo-Meigs' syndrome) ··············· 101

8. 드문 위치의 자궁근종(평활근종증) ····································· 101

9. 결론 ·· 101

CHAPTER **09** 내과적 치료(Medical management)

내과적 치료(Medical management) ······································· 107

1. 서론 ·· 107

2. 복합 경구 피임제 ·· 108

3. 프로게스틴 ·· 108

4. 레보노르게스트렐 유리 자궁 내 장치 ································· 109

5. 성선 자극 호르몬 방출 호르몬 작용제 ······························· 110

6. 성선 자극 호르몬 분비 호르몬 길항제 ······························· 111

7. 선택적 프로게스디론 수용체 조절제 ······························· 111

8. 선택적 에스트로겐 수용체 조절제 ······························· 113

9. 방향화효소 억제제 ·· 114

10. 결론 ·· 115

CHAPTER **10** 수술적 접근(Surgical Approach)

전자궁절제술, 자궁근종절제술(Hysterectomy, Myomectomy) ················ 123

1. 서론 ·· 123

2. 전자궁절제술 ······························· 123

3. 자궁근종절제술 ···························· 127

4. 자궁내막절제 ······························· 148

단일공 복강경 수술(Single-port access laparoscopy) ············· 153

1. 서론 ·· 153

2. 환자 선택 ·································· 156

3. 수술기구 선택 및 수술자의 자세 ············ 157

4. 배꼽 열기 및 닫기 ························· 159

5. 싱글포트복강경 자궁근종절제술의 실제 ······· 160

6. 자궁동맥결찰술(Uterine artery ligation) ······· 162

7. 자궁절제술(Hysterectomy) ··············· 162

8. 결론 ·· 163

로봇 수술(Robotic surgery) ················· 165

CHAPTER 11 중재적 치료(Interventional management)

고주파 자궁근종용해술(Radiofrequency myolysis) ············ 173

1. 서론 ·· 173

2. 자궁근종용해술의 방법 ···················· 173

3. 자궁근종용해술 환자의 선택 ·············· 175

4. 자궁근종용해술의 결과 ···················· 175

5. 합병증 ······································· 175

고강도초음파집속술(High-intensity focused ultrasound) ············ 177

1. 서론 ·· 177

2. 개요 ·· 177

3. 환자 선택 ··· 181

4. 치료 및 치료 후 평가 ·· 183

5. 시술 후 증상 및 합병증 ····································· 185

6. 예후 ··· 187

7. GnRH 길항제 전처치 ·· 187

8. 결론 ··· 188

자궁동맥색전술(Uterine artery embolization) ······················ 191

1. 서론 ··· 191

2. 자궁동맥색전술의 적응증 및 금기증 ················· 191

3. 환자 선택 및 준비 ·· 192

4. 자궁동맥색전술 술기 ·· 192

5. 자궁동맥색전술 시술 전, 후 관리 ······················ 193

6. 자궁동맥색전술 시술 후 관리 및 합병증 ············ 194

7. 자궁동맥색전술의 효과 ····································· 194

8. 조기난소부전 ··· 195

9. 자궁동맥색전술 후 생식력과 임신 ····················· 195

10. 결론 ·· 195

CHAPTER 12 미래의 치료(Future treatment)

미래의 치료(Future treatment) ······································· 201

1. 자궁근종의 현재 치료 ······································· 201

2. 자궁근종과 유전자 치료 ···································· 204

3. 미래의 자궁근종 치료에 대한 고찰 ····················· 210

INDEX ··· 215

역학

Epidemiology

자 궁 근 종
UTERINE LEIOMYOMA

역학

Epidemiology

| 가톨릭의대 산부인과 정윤지, 김미란 |

1. 서론

자궁 근종은 여성 생식기에 발생하는 가장 흔한 양성 종양으로, 가임기 여성의 25%에서 발생하고, 40세 이상의 여성에서는 30-40%에서 발생하는 것으로 알려져 있다. 증상이 없는 경우도 많지만, 월경 과다, 압박 증상, 골반통과 같은 증상을 호소하여 치료를 위해 병원을 찾는 경우도 많다. 대부분은 증상이 없기 때문에 많은 경우 진단되지 않은 상태로 남아 있게 된다. 그렇기 때문에 실제 유병률은 과소평가되어 있을 가능성이 있고, 조직검사에서의 발생률은 임상에서의 발생률보다 훨씬 높아지게 된다. 자궁근종은 전자궁절제술의 가장 흔한 이유이지만, 만혼 및 늦은 첫 출산과 같은 최근의 사회적 경향과 더불어 요즘은 많은 여성들이 자궁을 보존하기를 원하는 경우가 증가하고 있다. 자궁근종의 발생 및 성장의 병인론을 밝혀내는 것은 일차 예방 및 이차 예방에 필수적이다. 그러므로 자궁근종의 원인과 위험인자에 대한 역학 연구에 대한 중요도가 높아지고 있다.

2. 자궁근종의 빈도 및 인구통계학적 패턴

1) 자궁근종의 유병률 및 발생률

자궁근종의 인구당 발생률, 유병률에 대해서는 거의 알려져 있지 않다. 대부분의 연구들이 병원을 찾는 여성을 대상으로 하였기 때문이다. 임상적 진단이나 검사를 통한 진단 역시 실제 발생률에 비해 과소평가되어 있는데, 이것은 증상이 있는 환자들만 병원을 찾게 되기 때문이다. 반면, 약물 치료에 실패하여 수술적 치료로 전자궁절제술을 시행한 환자에서 조직학적 진단에만 의한 자궁근종 발생률은 실제 발생률에 비해 과대평가되어 있다. 한 연구에서는, 전자궁절제술을 시행한 조직 표본을 분석한 결과, 자궁근종의 임상적 진단에 의한 발생률은 33%, 영상학적 검사에 의한 발생률은 50%, 조직검사에 의한 진단률은 77%로 나타났다.

2) 연령

여러 역학 연구에서 연령이 증가할수록 자궁근종 발생 빈도가 높아진다는 것은 이미 잘 알려져 있다. 가임기 동안 자궁근종은 연령이 증가할수록 증가하는 경향을 보이며 폐경 후에는 감소한다. 입원환자를 대상으로 한 미국에서의 연구에 의하면, 자궁근종은 1000인년당 6.3명으로 45-49세에서 가장 많고, 50-54세에는 1000인년당 3.2명으로 감소한다고 보고하였다.

3) 인종

흑인 여성에서 백인 여성보다 자궁근종 발생 위험도가 높은 것은 잘 알려져 있는 사실이다. 초음파 검사를 받은 73%의 흑인 여성에서 자궁근종이 발견된 반면, 백인 여성에서는 48%에서 자궁근종이 발견되었다. 또한, 흑인 여성의 경우 자궁근종의 크기가 더 컸고, 개수도 더 많았으며, 더 젊은 나이에 발생하는 경우가 많았다. 흑인 여성에서 자궁근종 위험도가 높은 이유는 아직 명확히 밝혀지지는 않았으나, 인종에 따라 혈중 에스트로겐 농도가 다르고, 에스트로겐 대사 역시 다르기 때문으로 추측해볼 수 있다. 흑인 여성은 백인 여성보다 혈중 에스트로겐 농도가 더 높고, 소변 에스트로겐 대사물질 농도는 낮다. 또한 유전적인 요인과 환경적인 요인이 관여할 것으로 예상되지만 아직 연구된 바는 없다. 또한 히스패닉과 아시아인에서의 자궁근종 유병율에 대해서는 연구가 거의 없지만 백인 여성과 유사한 빈도를 보인다는 한 연구가 있다.

3. 위험 인자

1) 내인성 호르몬 수치의 지표

(1) 월경력
초경이 이르고 폐경이 늦은 여성의 경우, 평균적으로, 배란기에 노출되는 시간이 증가한다. 자궁근육층에서의 유사분열은 황체기에 가장 활발하기 때문에, 월경 주기가 반복되는 기간이 길수록 자궁근종의 발생 위험도가 증가하게 된다. 많은 연구에서 초경이 빠른 경우 자궁근종의 발생 위험도가 증가한다고 보고하고 있다. 12세에 초경이 있었던 경우와 비교했을 때, 10세 이하에 초경이 있었던 경우는 자궁근종 발생의 비교위험도가 1.24였으나, 16세 이후에 초경이 있었던 경우는 비교위험도가 0.68로 자궁근종 발생 위험도가 낮아진다는 보고가 있다. 일찍 규칙적인 생리 주기를 나타내는 경우, 자궁근육층에서의 세포 분열 횟수가 증가하면서 자궁근육층의 증식을 조절하는 유전자의 변이가 생길 가능성이 높아지므로 자궁근종 발생 위험도가 높아진다. 늦은 폐경 나이와 자궁근종 발생 위험도의 상관관계를 살펴본 연구는 없다. 폐경 후에는 여성 호르몬에 의한 자극이 없어지므로 자궁근종의 크기가 줄어들고, 그로 인해 수술을 요하는 자궁근종은 폐경 후 여성에서는 감소하게 된다. 월경 주기와 자궁근종 발생 위험도와의 관련성도 명확하지는 않다.

(2) 산과력

출산력과 자궁근종의 위험도는 반비례한다는 보고가 대부분이다. 미산부에 비해 출산력이 있는 여성에서의 자궁근종 발생의 위험도는 20-50% 정도 감소하는 것으로 보고하고 있으며, 출산 횟수가 증가할수록 자궁근종의 위험도는 급격하게 낮아진다고 보고하고 있다. 자연 유산이나 인공 유산은 자궁근종의 발생과는 상관관계가 없는 것으로 보고되고 있다. 첫아이 출산 연령이 높을수록 자궁근종 위험도는 낮아지며, 마지막 출산시기로부터 멀어질수록 자궁근종의 위험도가 증가한다고 알려져 있다. 임신 중에는 unopposed estrogen에 노출되는 시간이 줄어들지만, 미산부나 가임력이 저하되는 경우, 무배란 주기의 특징인 장기적 unopposed estrogen에 노출되는 환경과 관련이 많다는 사실로 설명 가능하다.

(3) 비만

여러 연구에서 비만하면 자궁근종의 발생 빈도가 증가한다고 보고되었다. 한 연구에서는 몸무게가 10kg 증가하면 자궁근종발생 위험도가 21% 증가한다고 히였고, 몸무게뿐만 아니라 비민도가 증가해도 역시 비슷한 결과를 보였다. 또 다른 연구에서는 비만도가 1 증가함에 따라 자궁근종발생 위험도가 6% 증가하였다. 또, 체질량지수는 정상범위에 있지만 체지방율이 30% 이상인 경우에는 자궁근종 위험도가 높았다. 이러한 보고들은 비만과 연관된 호르몬 요인과 자궁근종 위험도가 관련이 있기 때문으로 생각된다. 지방세포가 과다하면 부신에서 분비하는 남성호르몬을 여성호르몬으로 전환시키는 비율이 높아진다. 또한 간에서 생성하는 성호르몬 결합 글로불린의 생성이 감소하여 혈중 활성화된 여성호르몬의 농도가 증가하게 된다. 이 두 가지 기전은 특히 폐경 후 비만 여성에서 중요한 기전이다. 폐경 전 비만 여성에서는 에스트로겐이 비활성 물질로 전환되는 비율이 줄어들어 상대적으로 여성호르몬 농도가 높은 상태가 된다.

(4) 운동

운동과 자궁근종 위험도에 대한 연구 결과는 모호한 경우가 많으나, 운동이 예방적인 효과를 보이는 쪽으로 결과가 나타난 경우가 더 많았다. 규칙적인 운동은 자궁근종 예방효과가 있으며, 운동은 특히 자궁근종의 성장보다 발병과 연관성이 더 크다는 보고도 있다. 과거 운동선수였던 여성과 그렇지 않은 여성을 비교했을 때, 운동선수가 아니었던 여성에서 자궁근종 발생 위험도가 1.4배 높았다는 보고가 있다. 이것은 운동량에 직접적인 영향 뿐만 아니라, 운동선수의 경우 상대적으로 마른 체형인 경우가 많고, 그로 인해 지방세포에서 남성호르몬이 여성호르몬으로 변환되는 비율이 낮기 때문인 것도 영향이 있을 것으로 생각된다.

(5) 흡연

초기의 연구에서는 흡연이 자궁근종 위험도를 낮춘다는 보고가 있었으나, 최근의 연구에서는 상관관계가 없는 것으로 밝혀졌다. 흡연 여성에서는 니코틴이 방향화 효소(aromatase)를 억제하며, 성호르몬 결합 글로불린의 혈중농도가 높아 결국은 활성화 상태의 에스트로겐 농도가 낮아지게 된다. 이것이 초기의 연구에서 흡연이 자궁근종 위험도를 낮추는 결과를 설명할 수 있겠다.

(6) 알콜과 카페인

알콜 섭취와 자궁근종 위험도의 상관관계를 연구한 결과, 중등도의 양의 상관관계를 보였다. 알코올 섭취량은 높은 내인성 에스트로겐의 농도와 관련이 있다. 환자-대조군 연구에서는 카페인이 자궁근종과 관련이 없다고 보고되었으나, 전향적 연구에서는 35세 미만의 여성에서 하루에 3잔 이상의 커피를 마시거나 하루 500mg 이상의 카페인을 섭취하는 경우 자궁근종의 위험도가 올라가는 결과를 보였다. 커피와 카페인의 섭취는 초기 난포기의 에스트라디올 농도를 증가시키고 성호르몬 생산의 증가를 촉진시키는 것과 관련이 있다.

(7) 식이

식습관과 자궁근종 발생 위험도에 관련된 연구는 그리 많지 않다. 육류, 특히 붉은 육류나 햄 섭취는 자궁근종 발생 위험도를 높이지만, 녹색 채소는 예방 효과를 가진다는 보고가 있다. 전향적으로 자궁근종과 식이와의 관련성을 본 연구에서는, 유제품을 많이 섭취할수록 자궁근종 위험도를 감소시킨다는 결과를 보여주었다. 총 칼로리나 지방 비율이나 양에 대한 정확한 보고는 거의 없다. 다만, 붉은 육류를 많이 섭취하면 지방 섭취량이 많아질 것으로 추정하고 있다.

2) 외인성 호르몬의 사용

(1) 경구 피임약
경구 피임약과 자궁근종의 성장에 관련해서는 연구 결과들이 일관성이 없다. 경구 피임약과 자궁근종의 성장과는 관련이 없다는 연구도 있으나, 어떤 연구에서는 경구용 피임약을 5년 사용한 경우와 10년 사용한 경우, 각각 17%와 31% 정도 자궁근종 발생 위험도가 감소한다고 보고하기도 하였다. 그 이유는 unopposed estrogen에 노출되는 것을 막아서 위험도가 감소할 수 있다고 설명하고 있다. 최근의 전향적 연구에서는 경구 피임약과 자궁근종 발생 위험도 사이에 관련성은 없다고 보고되었다.

(2) 주사용 depot medroxyprogesterone acetate
주사용 depot medroxyprogesterone acetate는 자궁근종의 발생률을 60% 정도 감소시킬 수 있다는 보고가 있었으며, 특히 5년 이상 사용했을 경우 자궁근종 발생 위험도를 90% 정도 낮출 수 있다고 하였다. 최근의 전향적 연구에서도 40% 정도 자궁근종 발생 위험도를 낮출 수 있다고 보고하였다.

(3) 폐경 호르몬 요법
폐경 후 자궁근종은 크기가 줄어드는 경우가 많다. 그러나, 폐경 후 호르몬 치료는 이러한 크기 감소를 막고 어떤 경우는 성장을 자극하는 경우도 있다. 여러 연구 결과를 보면, 몇몇 연구에서는 폐경 후 호르몬 치료를 한 경우 자궁근종으로 인한 수술이나 입원이 증가했다는 결과를 보였던 반면, 호르몬 치료가 자궁근종 크기 변화에 영향을 미치지 않았다는 경우도 있었다. 대부분의 연구에서 자궁근종을 가진 폐경 후 여성에서 호르몬 치료를 하지 않았던 대조군 없이 연구가 진행되어 호르몬 치료의 자궁근종에 대한 영향을 정확히 결론 내리기 어려웠다. 대조군이 있었던 연구에서는 폐경 후 호르몬 치료가 자궁근종 크기 증가를 초래하지 않는다고 보고하였다.

(4) 레보노르게스트렐 유리 자궁 내 장치(Levonoregestrel-releasing intrauterine system, LNG-IUS)
레보노르게스트렐 유리 자궁 내 장치가 자궁근종 발생 위험에 미치는 영향은 알려져 있지 않다. LNG-IUS는 자궁근종과 관련된 월경과다의 치료에 매우 효과적이고, 자궁근종을 가진 여성에서 자궁의 부피를 감소시키는 역할을 한다고 보고되고 있다.

4. 향후 역학 연구

지금까지 살펴본 대부분의 연구는 단면연구이거나 후향적 연구들이었다. 일반 여성 인구에서의 자궁근종의 유병률, 발생률과 같은 역학을 정확히 규명하기 위해서는 임상적으로 증상이 있어 진단된 자궁근종 환자뿐만 아니라 증상이 없이 발견된 자궁근종의 유병률을 다 포함하여야만 진정한 위험 인자를 판단할 수 있으리라 생각된다. 향후 이러한 대규모 역학 연구는 자궁근종의 일차 및 이차 예방을 위하여 필수적일 것이라 생각된다.

■■■ 참고문헌

1. Azziz R. Reproductive endocrinologic alterations in female asymptomatic obesity. Fertility and sterility 1989;52:703-25.

2. Baird DD, Dunson DB, Hill MC, et al. Association of physical activity with development of uterine leiomyoma Am J Epidemiol 2007;165:157-63.

3. Barbieri RL, McShane PM, Ryan KJ. Constituents of cigarette smoke inhibit human granulosa cell aromatase. Fertility and sterility 1986;46:232-6.

4. Chen CR, Buck GM, Courey NG, et al. Risk factors for uterine fibroids among women undergoing tubal sterilization. Am J Epidemiol 2001;153:20-6.

5. Chiaffarino F, Parazzini F, La Vecchia C, et al. Diet and uterine myomas. Obstetrics and gynecology 1999;94:395-8.

6. Cramer SF, Patel A. The frequency of uterine leiomyomas. American journal of clinical pathology 1990;94:435-8. 3. Whiteman MK, Kuklina E, Jamieson DJ, Hillis SD, Marchbanks PA. Inpatient hospitalization for gynecologic disorders in the United States. American journal of obstetrics and gynecology 2010;202:541-6.

7. Faerstein E, Szklo M, Rosenshein N. Risk factors for uterine leiomyoma: a practice-based case-control study. I. African-American heritage, reproductive history, body size, and smoking. Am J Epidemiol 2001;153:1-10.

8. Lucero J, Harlow BL, Barbieri RL, et al. Early follicular phase hormone levels in relation to patterns of alcohol, tobacco, and coffee use. Fertility and sterility 2001;76:723-9.

9. Lumbiganon P, Rugpao S, Phandhu-fung S, et al. Protective effect of depot-medroxyprogesterone acetate on surgically treated uterine leiomyomas: a multicentre case--control study. British journal of obstetrics and gynaecology 1996;103:909-14.

10. Magalhaes J, Aldrighi JM, de Lima GR. Uterine volume and menstrual patterns in users of the levonorgestrel-releasing intrauterine system with idiopathic menorrhagia or menorrhagia due to leiomyomas. Contraception 2007;75:193-8.

11. Marshall LM, Spiegelman D, Barbieri RL, et al. Variation in the incidence of uterine leiomyoma among premenopausal women by age and race. Obstetrics and gynecology 1997;90:967-73.

12. Marshall LM, Spiegelman D, Manson JE, et al. Risk of uterine leiomyomata among premenopausal women in relation to body size and cigarette smoking. Epidemiology.

13. Nagata C, Nakamura K, Oba S, et al. Association of intakes of fat, dietary fibre, soya isoflavones and alcohol with uterine fibroids in Japanese women. The British journal of nutrition 2009;101:1427-31.

14. Okolo S. Incidence, aetiology and epidemiology of uterine fibroids. Best Practice & Research Clinical Obstetrics & Gynaecology 2008;22:571-88.

15. Othman EE, Al-Hendy A. Molecular genetics and racial disparities of uterine leiomyomas. Best practice & research Clinical obstetrics & gynaecology 2008;22:589-601.

16. Parazzini F, Negri E, La Vecchia C, et al. Reproductive factors and risk of uterine fibroids. Epidemiology 1996;7:440-2.

17. Parazzini F. Risk factors for clinically diagnosed uterine fibroids in women around menopause. Maturitas 2006;55:174-9.

18. Polatti F, Viazzo F, Colleoni R, et al. Uterine myoma in postmenopause: a comparison between two therapeutic schedules of HRT. Maturitas 2000;37:27-32.

19. Reed SD, Cushing-Haugen KL, Daling JR, et al. Postmenopausal estrogen and progestogen therapy and the risk of uterine leio-myomas. Menopause (New York, NY) 2004;11:214-22.

20. Reichman ME, Judd JT, Longcope C, et al. Effects of alcohol consumption on plasma and urinary hormone concentrations in premenopausal women. Journal of the National Cancer Institute 1993;85:722-7.

21. Ross RK, Pike MC, Vessey MP, et al. Risk factors for uterine fibroids: reduced risk associated with oral contraceptives. British medical journal (Clinical research ed) 1986;293:359-62.

22. Sato F, Nishi M, Kudo R, et al. Body fat distribution and uterine leiomyomas. Journal of epidemiology 1998;8:176-80.

23. Templeman C, Marshall SF, Clarke CA, et al. Risk factors for surgically removed fibroids in a large cohort of teachers. Fertility and sterility 2009;92:1436-46.

24. Terry KL, De Vivo I, Hankinson SE, et al. Reproductive characteristics and risk of uterine leiomyomata. Fertility and sterility 2010;94:2703-7.

25. Whiteman MK, Kuklina E, Jamieson DJ, et al. Inpatient hospitalization for gynecologic disorders in the nited States. American journal of obstetrics and gynecology 2010;202:541-6.

26. Wise LA, Palmer JR, Harlow BL, et al. Reproductive factors, hormonal contraception, and risk of uterine leiomyomata in Afri-can-American women: a prospective study. Am J Epidemiol 2004;159:113-23.

27. Wise LA, Palmer JR, Harlow BL, et al. Risk of uterine leiomyomata in relation to tobacco, alcohol and caffeine consumption in the Black Women's Health Study. Human reproduction (Oxford, England) 2004;19:1746-54.

28. Wise LA, Radin RG, Palmer JR, et al. A prospective study of dairy intake and risk of uterine leiomyomata. Am J Epidemiol 2010;171:221-32.

29. Wyshak G, Frisch RE, Albright NL, et al. Lower prevalence of benign diseases of the breast and benign tumours of the reproduc-tive system among former college athletes compared to non-athletes. British journal of cancer 1986;54:841-5.

분자생물학 및 유전학

Molecular biology and Genetics

CHAPTER

02

분자생물학

Molecular biology

| 계명의대 산부인과 조치흠 |

1. 서론

자궁근종은 양성 종양으로 자궁의 평활근에서 발생하며, 가임기 여성의 3분의 1에서 발생하는 흔한 질병이다. 자궁근종은 여성 생식 기관에서 가장 흔한 종양으로 1793년 Matthew에 의해 처음으로 보고되었다. 일생 동안 자궁근종에 대한 유병률은 50-80%로 자궁근종의 20-50%에서 증상을 유발하는데, 부정 출혈, 골반통, 압통, 불임과 자연유산과 같은 중요한 증상을 유발시키며 이로 인한 사회 경제적 비용은 자궁근종을 가진 여성들에게 큰 부담이 되고 있다. 자궁근종의 전 세계적인 유병율과 그로 인한 사회 경제적인 비용들을 고려할 때, 부인과 영역에서 가장 활발히 다루어지고 있는 질환이지만 막대한 영향에도 불구하고 자궁근종의 유전적, 분자생물학적 병인은 아직도 불명확한 실정이다. 병인에 대한 불확실함은 자궁근종의 치료에 만족할 만한 약물적 치료제 개발의 어려움으로 이어지고 있는 실정이다. 자궁근종이 단일의 평활근 세포에서 성장하였을지라도 여러 가지의 복잡한 분자 생물학적 신호 경로의 역할이 자궁근종의 발달에 영향을 미칠 것으로 생각된다. 그래서 이런 복잡한 신호경로의 이상 및 그로 인한 상호 작용을 이해하는 것이 앞으로 치료 개발에 주된 표적이 되겠다. 밑에서 다룰 내용에서는 자궁근종의 유전적, 분자생물학적 관점에서 현재까지 알려진 배경을 이해하고 향후의 치료 표적이 될 만한 것들을 살펴보겠다.

2. 자궁근종의 발달에 영향을 미치는 유전적 역할에 대한 근거

자궁근종의 발달에 유전적 혹은 염색체 변이가 중요한 역할을 한다는 점을 지지하는 임상적, 역학적 보고들이 있다. 예를 들어 자궁근종으로 진단된 1촌 이내의 가족을 가진 여성은 그렇지 않은 여성보다 자궁근종 발달의 위험성이 크며 일란성 쌍태아에서 이란성 쌍태아와 비교하여 자궁근종의 발생 가능성이 높다.

더욱이 인종 간에도 자궁근종의 발달 및 임상적 증상의 차이가 존재한다. 흑인 여성들은 코카시안 여성들에 비해 증상이 있는 자궁근종이 발생할 가능성이 2-3배 높았으며 이러한 연구들은 흑인 여성에서 이른 나이에 큰 크기의 자궁근종이 생기고 심각한 임상 증상들을 가질 수 있음을 증명하는 것이다. 이러한 인종 간의 차이는 사회 경제적 혹은 환경적 요인들로는 충분히 설명되지 않기 때문에 최근 유전적 영향에 대한 연구로 자궁근종을 가진 흑인 여성을 대상으로 코호트 연구가 진행되었다. 하지만 그 연구는 자궁근종의 높은 유병률과 연관된 특징적인 요인을 확인하지 못해 실패하였다.

자궁근종과 여러 다른 장기(organ)의 평활근 종양의 발달과 관련된 여러 가지 유전적 증후군들이 있으며 기저 막의 구조의 이상으로 발생하는 Alport 증후군, mTOR 신호 경로의 상향조절로 인한 세포 성장, 대사의 이상을 보이는 Proteus 증후군, 상염색체 우성 질환으로 fumarate hydratase 유전자의 생식계 변이로 인해 발생하는 Reed's 증후군과 p53과 같은 종양 억제 유전자의 변이로 인해 발생하는 Cowden 증후군이 그 일례가 되겠다. 우선, Alport 증후군의 특징적인 증상들은 난치성 신장 질환, 청력 및 시력 손상이다. 이런 증상들은 하나 또는 여러 개의 특징적 콜라겐 사슬의 부족으로 인하여 기저막의 구조적인 결핍으로 인한 결과이다. Alport 증후군의 대부분은 콜라겐 type IV α 5 사슬 유전자(COL4A5)의 변이가 원인이 되는데 이 증후군을 가진 소수의 여성에서 자궁 외에 셀 수 없이 많은 자궁근종 덩어리를 형성하게 한다. Alport 증후군을 가진 신장 환자에서 사구체 여과막의 구조적 손상에 영향을 미치는 생물역학적 스트레스는 국소적 염증 반응으로 인한 손상을 가하게 된다. 이러한 과정에서 중요하게 생각되는 형질전환생장인자β(TGF-β) 및 페록시솜증식체활성화수용체(PPAR)을 포함한 여러 인자들이 자궁근종의 형성과도 연관이 있다.

Proteus 증후군은 매우 드문 질환이며 피부, 지방조직, 혈관과 사지의 일부분을 포함하여 많은 조직과 기관의 과도하고 비대칭적인 성장을 특징으로 한다. 기저 원인으로 v-akt murine thymoma viral oncogene homolog 1 (AKT1)의 활성화된 변이이며 자궁근종의 성장은 이 증후군을 가진 환자에서도 확인된다. 흥미로운 것은 AKT1은 세포 성장 신호 경로인 mTOR에서 상향 조절하는 조절제로서 자궁근종의 병인에 중요한 역할을 하는 것으로 생각된다.

Reed's 증후군은 유전성 자궁근종다발 및 신장암으로 불리며 피부 및 자궁에 평활근 종양 그리고 신장암을 특징으로 하는 상염색체우성 질환이다. 자궁 및 신장 모두 태생기적 비뇨생식능선(urogenital ridge)에서 발생이 되며 이 질환에 유사한 유전적 조절제의 영향이 있을 것으로 생각된다. 기저 원인으로 fumarate hydratase 유전자의 생식계 변이이며 fumarate의 축적은 저산소성 유도 인자 1 (Hypoxia inducible factor 1)의 유도와 연관되어 자궁근종의 여러 특징 중 하나인 가성 저산소증 상태로 만든다. Fumarate의 축적 혹은 fumarate hydratase활성의 손실이 이러한 평활근의 종양을 유도하게 되는 정확한 기전은 아직 분명하지 않다.

Cowden 증후군은 전형적인 피부점막 병변, 다발성 과오종의 성장, 유방암, 갑상선암, 자궁내막암과 신장암의 위험성 증가를 특징으로 한다. 종양 억제 유전자 및 phospatase and tensin homolog (PTEN)의 변이가 이 증후군의 주된 기저원인이다. 자궁근종의 성장은 이 증후군의 중요하지 않은 기준으로 PTEN 변이가 확인된 18세 이상의 69명의 코호트 연구에서 26%에서 자궁근종의 성장이 확인되었으며 일반 인구에서 확인되는 정도의 범위이다. AKT1의 변이는 생식계 PTEN 변이가 아닌 Cowden 증후군 환자의 10%에서 발견되며 이 변이의 공통분모는 mTOR 신호 경로의 억제 조절로 보고되었다.

3. 분자생물학적 신호 경로

1) 스테로이드 신호경로(Steroid signaling)

(1) 에스트로겐 및 에스트로겐 수용체(estrogen & receptor)와 신호경로

자궁근종은 전통적으로 에스트로겐 의존적 종양으로 가임기 동안에는 크기가 증가하지만 폐경이 된 후에는 퇴화하는 것으로 보고된다. 사춘기 전에는 자궁근종과 관련된 어떠한 사례도 보고된 바가 없다. 이런 모든 관찰들을 통해 자궁근종의 형성에 에스트로겐이 결정적 역할을 하는 것으로 생각된다. 이 에스트로겐의 역할은 성선자극호르몬방출호르몬 효능제(gonadotropin-releasing hormone agonist, GnRHa) 치료 시에 난소의 에스트로겐 생성은 억제하여 자궁근종의 크기는 감소하게 되는 것에서도 확인이 된다.

에스트로겐은 표적 세포에서 에스트로겐 수용체의 활성화를 통해 그 효과가 나타난다. 1973년에 Jensen 등은 쥐 실험에서 에스트로겐 수용체가 여러 조직과 기관에서 발현이 된다는 것을 확인하였고 핵과 원형질막(nuclear and plasm membrane)으로 구분되고 있다. 전형적인 에스트로겐 수용체(ERs)는 5가지 도메인(domain)으로 이루어진 조절화 단백질이다. 이것들은 ERα(처음에 ERs으로 발견된)와 ERβ(1996년도 확인된)으로 세분화되며 ERα 와 ERβ는 DNA와 리간드(ligand) 결합하는 도메인을 표현한다. 또한 다른 염색체에서 2가지 구분된 유전자(ESR1, ERR2)로 코딩된다. ERα는 주로 자궁과 유방에서 표현되는 반면에 ERβ는 광범위하게 존재하며 난소, 뇌, 뼈 그리고 다른 장기에서 표현되는 것으로 보고되지만 두 수용체 모두 여러 장기에서 동시에 표현된다. 막 결합 에스트로겐 수용체들은 원형질막(mERs)에 국한된 동일한 핵 에스트로겐 수용체와 최근에 확인된 G 단백질 연결 수용체(G-protein coupled receptor 30, GPR30)를 포함한다.

에스트로겐 신호 경로는 전사활성과 빠른 신호 경로라는 2가지 주요 경로를 통해 신호 경로 활성화가 이루어진다. 전형적인 전사 활성 조절에서 17β-에스트라디올(E2)은 에스트로겐 수용체(ERs)와 결합하여 에스트라디올-에스트로겐 수용체 복합체(E2-ER complex)는 전사 활성을 조절한다. 결합하지 않은 에스트로겐 수용체는 처음에 대부분 세포액(cytosole) 내에 존재하며 리간드(ligand) 결합 후에 핵 안으로 이동하며 이후에는 핵 안 있을 것으로 생각된다.

반면에 빠른 신호경로는 성장인자 수용체(growth factor receptor)와 유사한 방식으로 작동한다. 리간드(ligand) 결합하에 막 에스트로겐 수용체들은 호모다이머(homodimer)를 형성하여 여러 kinase를 활성화하게 되며 PI3K 와 ERK 와 같은 신호경로를 활성화하게 된다. 게다가, 활성화된 막 에스트로겐 수용체들은 epidermal growth factor와 같은 성장 인자 수용체들을 활성화시킨다. 일반적으로 핵 수용체들은 전사 활성에 포함되어 있는 반면, 막 수용체들은 빠른 신호경로에 포함되어 있다. 하지만 양쪽 수용체 모두에서 전사 활성 및 빠른 신호경로를 조절하는 인자를 가지고 있다.

(2) 자궁근종의 병리생물학에 영향을 미치는 에스트로겐 경로의 역할

에스트로겐 수용체 신호경로의 변화가 자궁근종의 성잘 및 발달에 영향을 준다는 것은 분명하다. 예를 들어, 자궁근종은 주변의 정상 자궁 근육층에 비해 mRNA를 포함하는 ERα 와 ERβ를 과발현한다. 게다가 Maekawa 등은 DNA 메칠화를 통하여 ERα의 후생적 조절이 자궁근종에서 중요한 역할을 한다고 보고했다. 최근에는, 자궁근종은 주변 자궁 근육층에 비해 G 연결단백질 30 (GPR 30)을 과발현하는 것을 확인하였다.

에스트로겐 수용체 표현에 있어서 수용체 인산화(phosphorylation)는 자궁근종 발달에 중요한 요소가 될 수 있다. ERα는 주변의 정상 근육층에 비해 자궁근종에서 높은 비율로 인산화되어 있으며 에스트로겐 수용체 신호 인산화 p44/42 MAPK (mitogen-activated protein kinase) 와 동시에 자궁근종에 국한되어 있다. 그러므로 p42/44에 의해 인산화된 ERα는 자궁근종의 발달에 핵심적인 역할을 한다.

빠른 에스트라디올 신호 또한 자궁근종 병리생물학 성장에 중요한 역할을 한다는 것이 증명이 되었다. 예를 들어 Barbarisi 등은 에스트라디올 치료 1, 5, 30분 뒤 여러 에스트로겐 수용체 신호인 phosphatidylinositide 3-kinase(PI3K), moitogen-activated protein kinase(MAPK) 그리고 phosphoinositide phospholipase Cγ (PLCγ)의 빠른 활성을 유도하였다. 또한, Nierth-Simpson 등은 에스트라디올 치료 5분 뒤 인산화된 신호 경로인 MAPK가 인간 자궁근종세포에서만 증가하며 평활근 세포에서는 증가하지 않음을 확인했다. 그러므로 에스트라디올에 반응하는 빠른 MAPK 신호경로는 자궁근종의 성장에 중요한 역할을 하는 것으로 확인하였다.

마지막으로 자궁근종은 에스트라디올의 생합성에 비정상적 변화를 보인다. Bulun 등은 방향화효소(aromatase)가 주변 정상 근육층에 비해 자궁근종에서 의미있게 과발현된다는 것을 증명하였고 Kasai 등은 정상 근육층에 비해 자궁근종에서 1형 17β히드록시스테로이드 탈수효소(17β-hydroxysteroid dehydrogenase, 17β-HSD)가 과발현됨을 증명했다. 방향화 효소의 과발현과 더불어 이것이 의

미하는 바는 자궁근종 조직은 혈중에 순환하는 안드로스테네디온(androstendione)을 방향화 효소를 통해 에스트론(estrone)으로 변환하며 다음으로 17β히드록시스테로이드 탈수효소를 통하여 에스트라디올으로 변환한다는 것이다. 이 점은 자궁근종의 치료 제재로서 방향화 효소 억제제를 사용하는 분자생물학적 기초가 되겠다.

(3) 자궁근종 치료에 있어서 에스트로겐 신호의 표적화

에스트로겐 신호 수용체를 조절하는 것은 효과적인 치료적 기회를 가질 수 있다. 우선 성선자극호르몬방출호르몬 효능제(GnRHa)를 지속적으로 투여함으로써 폐경과 같은 상태를 유도하여 에스트로겐 수치를 낮추는 것은 자궁근종의 크기를 감소시킬 수 있다. 하지만 골밀도 소실과 같은 중요한 부작용으로 인해 그것은 수술 전과 같은 단기간에만 사용 가능하다. 둘째로 방향화 효소 억제제를 투여하는 것은 남성호르몬(androgen)에서 에스트로겐으로의 전환을 억제함으로써 에스트로겐 수치를 낮춘다. 성선자극호르몬 효능제와 유사하게 이 제재 또한 중요한 에스트로겐 소실과 관련된 부작용과 연관이 있다.

선택적 에스트로겐 수용체 조절자(SERMs)은 에스트로겐 수용체에 효능제와 길항제의 역할을 모두 보이는 화합물로 타목시펜(tamoxifen)과 랄록시펜(raloxifene)을 들 수 있다.

타목시펜과 관련된 연구에 의하면 자궁근종의 성장과 발달을 억제하는 작용을 나타낸다고 보고하였다. 다른 선택적 에스트로겐 수용체 조절자인 랄록시펜을 사용하는 무작위 비교연구에서, 2개의 연구에서 raloxifene의 자궁근종 세포 증식 억제 효과를 확인하였으나 나머지 1개의 연구에서는 효과가 확인되지 못했다. Cho 등이 보고한 자궁근종세포 연구에서 에스트로겐 수용체 조절자는 세포자멸사에 관계하는 유전자인 caspase3나 PARP나 세포주기회에 관계하는 cdk2, cdk4, cyclin A에 영향을 주지 않고 단순 자궁근종 세포증식 억제하는 결과를 보여줬으며 raloxifene의 억제작용이 tamoxifen보다는 우수한 것으로 보고했다.

(4) 프로게스테론 및 프로게스테론 수용체(progesterone & receptor)

초기 연구들은 대부분 자궁근종의 에스트로겐 역할을 규명하는 데 초점을 맞춘 데 반해, 최근 연구들은 프로게스테론의 역할에 초점을 맞추고 있다. Kawaguchi 등은 자궁근종의 유사분열에 있어서 생리주기의 성장기(에스트로겐 우성)보다 분비기(프로게스테론 우성)에서 더 높게 나타난다고 보고하였다. 이종이식 동물 실험에서 자궁근종의 성장에 프로게스테론의 필요성을 설명하였는데 Ishikawa 등은 면역 결핍된 신장 피막아래에 자궁근종을 이식하였고 에스트로겐 단독으로는 자궁근종의 성장이 가능하지 않으며 프로게스테론과 에스트로겐의 병합투여가 자궁근종의 성장을 가능함을 보고하였다. 흥미롭게도, 프로게스테론 투여 중단은 자궁근종의 크기 감소와 연관이 있었으며 에스트라디올은 자궁근종 세포에서 프로게스테론 수용체의 표현을 유도함을 확인하였다. 이 점은 에스트로겐과 프로게스테론의 상호작용을 설명해주고 있으며 프로게스테론은 자궁근종의 성장에 있어서 에스트로겐만큼 중요함을 설명하는 바이다.

프로게스테론 수용체는 에스트로겐 수용체와 유사하며 프로게스테론 수용체는 핵과 막 결합 (nuclear and membrane bound)의 2가지 주요한 형태로 존재한다. 핵 프로게스테론 수용체는 핵 에스트로겐 수용체와 같은 방식으로 리간드(ligand) 결합하여 활성화되는 전사 요소로서 작용한다. 인간에서 프로게스테론의 2가지 두드러진 동형 단백질(isoform)이 있는데, PR-A와 PR-B으로 이후 인간에서 mPRα, mPRβ 그리고 mPRγ의 3가지 동형 단백질로 확인이 되었다.

(5) 자궁근종의 병리생물학에 영향을 미치는 프로게스테론 경로의 역할

리간드 결합 프로게스테론은 프로게스테론 반응 요소에서 DNA와 결합하며 SP-1과 같은 전사 요소의 존재하에 여러 표적 유전자들을 조절한다. 이러한 전사 경로에서 프로게스테론은 빠른 신호경로를 활성화한다. 리간드 결합 프로게스테론은 MEK, MAPK와 같은 성장 요소 신호에 포함된 여러 단백질 키나아제를 활성화하게 된다.

자궁근종의 성장에대한 프로게스테론의 역할은 복합적이다. 첫째, 자궁근종 세포에서 에스트로겐과 프로게스테론의 교차작용을 지지하는 연구가 있었는데 Ishikawa 등은 에스트라디올이 자궁근종 세포에서 프로게스테론 수용체의 발현을 유도한다고 보고하였다. 둘째, 프로게스테론과 성장 인자 신호 사이에서 상호작용을 보인다는 연구가 있었다. 일본에서의 Maruo 연구진은 프로게스테론은 인간 자궁근종세포에서 인슐린 성장인자-I (insulin growth factor-I)의 발현을 억제함을 확인하였다. 반대로 증식세포핵 항원(proliferating cell nuclear antigen, PCNA)과 표피생장인자(epidermal growth factor, EGF)의 발현을 촉진함도 확인하였다. 이 2가지 요소는 자궁근종 세포의 성장을 조절하는 것으로 알려져 있다. Hoekstra 등은 생체 외 실험에서 프로게스테론 수용체에 효능제로 작용하는 합성 프로게스틴인 R5020이 자궁근종의 성장을 유도하는 것으로 보고했고 Yin 등은 전사 인자인 KLF11이 프로게스테론 신호경로와 자궁근종 세포에서 성장을 통합한다고 보고했다. 이러한 사실로 볼 때, 프로게스테론 신호경로는 자궁근종에서 복잡한 신호 네트워크를 구성한다고 보여진다.

(6) 자궁근종 치료에 있어서 프로게스테론 신호의 표적화

Fiscella 등은 증상을 가지고 있는 42명의 자궁근종을 가진 여성을 대상으로 프로게스테론 길항제인 미페프리스톤(mifepristone) 혹은 위약을 이용하여 26주간의 무작위 비교연구를 시행하였다. 미페프리스톤 치료를 받은 여성에서 자궁근종의 크기가 유의하게 감소하며, 빈혈의 호전, 삶의 질과 관련된 주관적인 증상이 호전됨을 확인하였다. 미페프리스톤으로 치료한 여성들을 12개월 동안 추적관찰하였고, 자궁근종의 크기는 감소하였지만 자궁내막증식증이 중등도로 증가하였음을 확인하였다.

이러한 단점을 보완하여 선택적 프로게스테론 수용체 조절제(selective progesterone receptor modulator, SPRM)인 Ulipristal acetate가 순수한 프로게스테론 수용체 길항제 작용과 함께 최소한의 항 스테로이드 작용을 보이며 개발되었다. 2010년도에 응급 피임약으로 FDA에 승인받았으며 유럽과 캐나다에서는 자궁근종 수술 전에 증상을 조절하는 목적으로 승인받았다. 3달 주기로 복용하는 Ulipristal acetate는 세포자멸사를 유도하였고 자궁근종 세포의 성장을 감소시키며 크기 또한 감소하는 효과를 보였다. 그리고 에스트로겐, 안드로겐, 프로게스테론 수용체에 어떤 영향도 끼치지 않는 것으로 확인되었다. Rodriguez 등은 Ulipristal acetate가 성선자극호르몬 효능제(GnRHa)의 호르몬 수치에 영향을 끼치지 않으며 혈청 에스트로겐 수치를 50pg/dl 이하로 감소시키지 않음을 확인하였다.

또한, 최근에 Cho 등이 발표한 ulipristal acetate로 처치 받은 자궁근종 세포의 생체 외 실험에서 G1 단계에서 S 단계로 세포의 분화를 유도하는 cyclin E/ CDK 복합체의 단백 표현은 감소된 반면, 이의 억제 인자인 p21, p27은 증가된 것으로 확인되었다. 그리고 자궁근종 세포를 구성하는 중요한 성분인 세포외 기질(extracellular matrix)의 수축을 유도하여 자궁근종의 부피를 감소시키는 결과를 확인하였다.

Donnez 등은 증상을 가지고 있는 자궁근종을 가진 여성을 대상으로 무작위 비교연구를 시행하였는데 선택적 프로게스테론 수용체 조절제(SPRM)인 Ulipristal acetate 10mg, 5mg을 매일 경구 투여하는 방법으로 각각 96명의 환자에게 투여하였고, 대조군으로 48명에게 위약을 투여하였다. 치료 13주 후에 치료받은 군에서는 전체적인 자궁근종의 크기 감소와 함께 생리양이 감소하는 증상의 호전을 확인하였다. 이 연구는 프로게스테론 신호경로를 조절하는 것이 자궁근종의 치료에서 가능성 있는 표적 치료가 될 수 있음을 보여주었다. 부작용으로는 두통, 유방통증 및 불편감이 있었으나 장기간 자료가 자궁근종의 치료에서 선택적 프로게스테론 수용체 조절제의 전 세계적 사용 전에 필요하다.

선택적 프로게스테론 수용체 조절제를 포함한 신호경로를 연구한 논문에서 Ohara 등은 우선적으로 배양된 자궁근종세포를 이용하였다. 그들은 선택적 프로게스테론 수용체 조절제인 asoprisnil이 자궁근종의 성장과 연관된 인자인 증식세포핵 항원(proliferating cell nuclear antigen, PCNA)의 표현과 항 세포자멸사 인자인 Bcl-2 단백질을 감소시키는 반면에 caspase 3의 활성 및 TUNEL 분석에 의한 세포자멸사 표지자는 증가시켰다. 이러한 변화들이 자궁근종 세포에서만 확인되었고 정상 근육층에서는 특별한 변화를 보이시 않는 점은 매주 중요한 결과라 하겠다. 더욱이 asoprisnil이 성장 인자 및 성장 인자 수용체의 표현을 감소시킨 점으로 보아 자궁근종에서 스테로이드 신호경로와 성장 인자 신호경로 사이에 또 다른 상호작용을 함이 분명하다.

선택적 프로게스테론 수용체 조절제의 가임력 보존에대한 연구 또한 보고되었는데, 최근 Ulipristal acetate치료 이후 임신한 사례에 관한 논문이 보고가 되었다. 이 치료제를 중단한 이후 임신을 시도한 21명의 여성 중에서 18명에서 임신을 하였고 이중 15명에서 임신 기간 동안 자궁근종의 성장은 보이지 않았다. 12명의 여성은 정상적인 태아를 분만하였고 6명에서 자연유산을 보였다. 향후 더 많은 환자군을 대상으로 임신에 대한 장기간의 효용성 및 치료 결과를 확인해야 할 필요성이 있겠다. 또 다른 선택적 프로게스테론 조절제인 proellex는 경구 투여 가능한 형태이며 현재 임상 시험 중에 있다.

2) 성장 인자 신호 경로(Growth factor signaling)

성장 인자들은 비교적 작은 단백질로 세포외 공간에서 분비되며 표적 세포의 막 수용체에 결합을 한다. 이후 세포 내에 전사 신호 경로를 활성화하며 세포 성장의 여러 과정들을 조절하는 기능을 가진다. 성장 인자의 변화가 자궁근종의 성장과 발달에 중요한 역할을 한다는 것이 보고되었다. 이러한 것에는 인슐린유사성장인자(insulin-like growth factor, IGF-1), 혈소판유래성장인자(platelet-derived growth factor, PDGF), 혈관내피세포 성장인자(vascular endothelial growth factor, VEGF), 표피생장인자(epithelial growth factor, EGF) 그리고 섬유아세포 증식인자(fibroblast growth factor, FGF)이 포함된다.

(1) 수용체 타이로신 키나제(Receptor tyrosine kinase)

수용체 타이로신 키나제(RTKs)는 세포 표면의 성장인자 수용체로서 인간에서 20개의 아형으로 분류되는 58개의 구성성분이다. 그것들은 세포 외 리간드(ligand) 결합 도메인(domain), 막 관통나선(transmembrane helix) 그리고 세포 내 도메인(domain)의 3가지 부분으로 구성된 유사한 구조를 공유한다. 일반적으로 수용체 타이로신 키나제와 결합하는 성장 인자는 수용체 이합체화 반응과 자기인산화 반응으로 유도하게 된다. 이는 Grb2-Sos-Ras-Raf-MEK-ERK와 PI3K-PIP3-Akt를 포함하는 여러 신호 경로를 활성화하게 된다. 그러므로 수용체 타이로신 키나제는 성장, 분화, 생존을 포함하는 중요한 세포 내 과정의 조절제이다. 수용체 타이로신 키나제의 이상 반응은 암, 당뇨 및 염증을 포함하는 여러 질병과 연관되어 있다.

수용체 타이로신 키나제가 자궁근종의 성장과 발달에 중요한 역할을 한다는 여러 증거가 있다. Yu 등은 여러 수용체 타이로신 키나제들이 자궁근종에서 과발현됨을 확인하였는데, 수용체 타이로신 키나제 분석법을 사용한 연구에서 정상 근육층과 비교해서 자궁근종에서 42개 중에 39개의 수용체 타이로신 키나제가 과인산화되어 있었다고 보고하였다. 또한, Swartz 등은 에스트라디올 치료를 시행한 군의 자궁근종 세포에서 인슐린 유사성장인자 mRNA가 증가해 있음을 확인했다. 그래서 에스트라디올이 자궁근종에서 성장 인자들과 수용체 타이로신 키나제를 상향 조절하기 때문에 성장 인자들과 수용체 타이로신 키나제는 자궁근종에서 스테로이드 효과에 대한 중간 전달자와 같은 역할을 한다고 결론지었다.

(2) 자궁근종의 병리생물학에 영향을 미치는 각각의 성장 인자 경로의 역할

① 인슐린유사성장인자(insulin-like growth factors, IGFs)

여러 연구들이 자궁근종의 병리생물학에 인슐린유사성장인자의 역할을 보고하였다. Peng 등은 자궁근종의 1/3에서 인슐린유사성장인자의 조절이상이 보인다고 하였으며 Burrough 등은 쥐를 이용한 동물 실험에서 IGF-1 수치가 정상 근육층에 비해 7.5배 이상 높게 표현됨을 보고하였고 IGF-1 신호경로의 형질도입 단백질인 insulin receptor substrate-1(IRS-1)의 타이로신 인산화(tyrosine phosphorylation)가 정상 근육층에 비해 4배 이상 증가해 있음을 확인했다. 중요한 것은 IGF-1 신호경로는 에스트로겐에 의해 조절되는 것으로 보여진다.

② 혈소판유래성장인자(platelet-derived growth factor, PDGF), 표피생장인자(epithelial growth factor, EGF)

Fayed 등은 자궁근종과 정상 근육층에 혈소판유래성장인자, 표피생장인자, 인슐린유사성장인자의 특별한 결합에 대해 연구하였다. 이 3가지 성장인자는 자궁근종과 정상 근육층 세포들에 단백질 합성을 자극함을 확인하였다. 최근에는, Liang 등이 인간 자궁근종 세포에서 주변 정상 근육층보다 혈소판유래성장인자를 더 표현하며 혈소판유래성장인자는 자궁근종에서 증식세포핵 항원(PCNA)과 collagen α1의 표현을 증가시킨다고 보고하였다. 그러므로 혈소판유래성장인자 신호경로는 자궁근종에서 더 활성을 보이며 자궁근종의 성장뿐 아니라 세포외 기질(extracellular matrix)의 성장에도 기여한다고 생각된다.

Ren등은 표피생장인자가 자궁근종에서 DNA합성을 유도함을 증명하였으며 표피생장인자로 유도된 효과는 표피생장인자 수용체 억제재인 AG1478 그리고 MEK1/2 억제재인 PD98059에 의해 가로막힐 수 있음을 확인했다. 그러나 자궁근종과 정상 근육층에서 모두 표피생장인자 수용체를 똑같이 표현하는 데 반해 표피생장인자 자극으로 유도된 신호경로는 자궁근종과 정상 근육층에서 달랐다. 이러한 사실로 볼 때 자궁근종에서 표피생장인자 신호경로는 구조적으로 다를 것으로 생각된다.

③ 혈관내피세포 성장인자(vascular endothelial growth factor, VEGF)

혈관내피세포 성장인자와 그 수용체들(VEGFR-1 and VEGFR-2)은 자궁근종과 정상 근육층모두에서 표현됨을 확인하였다. 면역화학염색법을 사용한 연구에서 Gentry 등은 혈관내피세포 성장인자 A가 주변 정상 근육층에 비해 자궁근종에서 유의하게 과발현되며 혈관내피세포 성장인자는 이종이식을 통한 생채 내 연구에서 자궁근종의 성장에 필요하다는 점을 증명하였다. 혈관내피세포 성장인자는 자궁근종의 잠재적 치료 가능한 표적이 될 수 있는데 Xu 등은 선택적 프로게스테론 수용체 조절제에 의해 하향 조절됨을 증명하였다.

④ 형질전환생장인자

형질전환생장인자β (transforming growth factors-β, TGF-β)는 세포 성장과 분화, 생존의 과정에 관여하는 흔하게 관찰되는 작은 펩타이드(peptide)이다. 형질전환생장인자β의 변화에 의해 전달된 세포 내 신호경로는 인간의 종양 형성 및 성장에 기여하게 된다.

형질전환생장인자β 신호경로의 변화가 자궁근종의 성장과 발달에 영향을 미치게 되는 여러 증거들이 있다. Lee, Nowak 등은 형질전환생장인자β3 mRNA가 정상 근육층에 비해 자궁근종에서 5배 이상 증가하고 있음을 확인하였으며, 게다가, 자궁근종은 정상 근육층에서 보이는 형질전환생장인자β1, 3의 성장 억제 효과들을 가로막고 있음을 확인하였다. 그리고 형질전환생장인자β의 중화항체가 자궁근종 및 근육층에서 1형 및 3형 콜라겐 mRNA 표현을 감소한다고 보고하였다. 그러므로 자궁근종 세포는 비정상적 형질전환생장인자β 신호경로가 형질전환생장인자β의 성장 억제 효과들을 방해한다는 결론을 지었다.

Arici 등은 자궁근종 조직은 정상 근육층에 비해 형질전환생장인자β3가 과발현됨을 되며 형질전환생장인자β3는 자궁근종 세포에 의해 피브로넥틴(fibronectin)을 유도하게 된다고 보고하였다. 하지만 Lee, Nowak 등이 보고한 결과와 다르게 형질전환생장인자β3이 자궁근종과 정상 근육층의 세포 성장을 자극한다고 보고하였다. 이런 상반된 결과는 자궁근종의 성장에 형질전환생장인자β3 신호경로의 복잡하고 난해한 점을 보여주는 것으로 더 많은 연구가 필요하겠다.

(3) 자궁근종 치료에 있어서 성장 인자 신호의 표적화

자궁근종 치료에 있어서 성장 인자 신호경로를 표적으로 하는 것은 현재 진행 중인 연구의 결과로 볼 때 향후 치료제로서 잠재적인 가능성을 보여 주고 있다. 예를 들어 Di Lieto 등은 성선자극호르몬방출호르몬 효능제 치료 이후 자궁근종 크기의 감소는 섬유아세포 증식인자(FGF)와 혈류의 감소와 연관이 있다고 보고하였고 Ohara 등은 세포 정상을 억제하며 세포자멸사를 유도하는 선택적 프로게스테론 수용체 조절제(SPRM), asoprisnil이 표피생장인자(EGF), 인슐린유사성장인자(IGF-1), 형질전환생장인자β mRNA의 표현을 억제한다고 보고하였다. 그리고 이와 관련된 수용체들 또한 정상 근육층에서는 변화가 없었으나 자궁근종에서만 표현이 감소했다. 그러므로 asoprisnil의 치료제로서 가능성은 자궁근종 세포에서의 수용체와 성장 인자들의 표현을 감소시킴으로써 조절된다고 제안하였다.

다른 연구들로 Borahay 등은 지질생성 억제재인 simvastatin (HMG-CoA 환원효소억제제)이 자궁근종의 성장 신호와 연관된 ERK 인산화 작용을 억제하며 이러한 작용으로 자궁근종의 성장을 억제하며 세포자멸사 또한 유도한다고 보고하였다. 형질전환생장인자β의 신호경로와 연관된 연구들로는 Chegini 등은 성선자극호르몬방출호르몬 효능제 치료 이후 형질전환생장인자β와 여러 세포막 수용체에서 핵으로의 전달 신호 기전인 Smad의 표현이 억제됨을 보고하였으며 Salama 등은 종양억제 성질을 가진 에스트로겐 대사물질인 2-메톡시에스트라디올(2-methoxyestradiol)이 Smad 연관 신호경로를 통해 자궁근종 세포에서 형질전환생장인자β3의 성장효과들을 억제한다고 보고하였다. 형질전환생장인자β3의 성장 인자 신호경로는 자궁근종의 성장 및 발달에 중요한 역할을 하며 향후 치료제 개발에 표적이 될 수 있음을 보여준다. 앞서 언급한 이러한 결과들은 성장 신호 신호경로의 조절이 향후 자궁근종 치료제로서 가능성을 보여주는 연구들로 앞으로 주목할 만한 표적이 될 수 있겠다.

3) 기타 신호 경로(Other pathways)

(1) Wnt/β-Catenin 신호경로 및 자궁근종에의 영향

Wnt/β-Catenin신호 경로는 형질도입 신호경로의 군의 일종으로 Wnt단백질 리간드(ligand)는 Frizzled군 수용체 세포표면에 결합을 하게 되며 이후에 수용체 활성화 및 세포 내에 단백질을 인산화 시키는 과정을 거친다. Wnt신호 경로는 세포질 내에 β-Catenin을 축적시키는 역할을 하게 되어 점차 핵 안으로 이동하여 전사 인자들을 활성화시키게 된다. 최근에는 Ono 등은 Wnt/β-Catenin신호 경로가 자궁근종 줄기세포(자궁근종의 1%)와 성숙한 자궁근종 세포 사이에서 상호작용을 조절한다고 보고하였다. 에스트로겐과 프로게스테론은 성숙한 자궁근종에서 Wnt11, Wnt16의 표현을 유도하며 이는 측분비 효과(paracrine effect)를 보여서 자궁근종 줄기 세포에서 β-Catenin을 핵 안으로 이동시킨 다음 표적 유전자들의 전사를 활성화시킨다고 보고하였다. 결론적으로 에스트로겐과 프로게스테론은 자궁근종의 성장을 유도하며 성숙 자궁근종세포의 Wnt의 표현을 유도하여 자궁근종 줄기세포에서 측분비 효과를 나타나게 함을 보고하였다. Wnt/β-Catenin신호 경로는 정확한 기전에 대한 연구가 추가적으로 필요하며 그에 따라 치료제 개발도 가능할 것으로 생각된다.

(2) 비타민 D 신호경로 및 자궁근종에의 영향

전형적인 비타민 D의 역할은 미네랄을 포함하여 칼슘 대사와 연관이 있다고 알려져 왔지만 최근의 연구 결과를 볼 때 종양형성을 포함한 여러 생물학적 과정이 있음을 보고하고 있다. $1\alpha,25$ $(OH)_2D3$ (비타민 D의 활성 대사물)는 전형적인 핵 신호 경로 및 빠른 경로의 2가지 주요한 세포 내 신호 경로를 가진다. 전형적인 핵 신호 경로에서 $1\alpha,25$ $(OH)_2D_3$는 표적 유전자의 표현을 조절하기 위해 비타민 D 반응요소와 비타민 D 수용체와 결합하여 복합체를 구성한다. 빠른 경로에서는 $1\alpha,25$ $(OH)_2D_3$는 막 결합 비타민 D 수용체(mVDRs)와 결합을 하여 여러 신호 경로(Ras-Raf-MEK-ERK 혹은 AC-cAMP-PKA)를 활성화하게 된다.

비타민 D 신호 경로는 G0/G1 과정을 포함하여 세포자멸사, 분화 및 혈관 생성 등 다양한 과정들을 조절한다. 최근 북아프리카, 유럽의 인구들을 대상으로 한 연구군에서 혈청 비타민 D 결핍과 자궁근종의 증가가 연관이 있다는 보고를 하였다. Al-Hendy 등은 2012년 북아프리카 흑인 및 백인을 대상으로 시행한 코호트 연구에서 혈청 비타민 D 결핍과 자궁근종의 증가의 연관에 대해 첫 보고를 하였다. Halder 등은 정상 근육층에 비해 자궁근종의 60%에서 비타민 D 수용체 표현이 낮아져 있음을 확인하였고 쥐를 이용한 동물 실험에서 비타민 D로 치료를 한 군에서 자궁근종 크기가 감소하였으며 생체 외 실험에서 자궁근종 세포가 억제됨을 보고하였다. 그리고 Halder의 추가 논문에서 비타민 D는 자궁근종 세포에서 피브로넥틱, 1혈 콜라겐을 포함하는 형질전환생장인자β3로 유도된 단백질의 표현을 감소하게 한다고 보고하였다. 이 단백질들은 자궁근종의 섬유화 증식에 연관이 있으므로 비타민 D는 형질전환생장인자β3의 조절을 통해 자궁근종의 성장을 억제하는 역할을 한다고 보고하였다. 현재 다른 비타민 D제재와 비타민 D 수용체 효능제를 이용한 연구들이 진행 중으로 향후 증상이 있는 자궁근종을 가진 여성에서 선택가능한 치료적 대안이 될 수 있겠다.

(3) 레티노산(retinoic acid)신호 경로 및 자궁근종에의 영향

레티노산(RA)은 비타민 A(레티놀)의 활성 대사물로써 여러 기능을 담당하지만 특히 세포 성장 및 발달에 관여한다. 핵 레티노산 수용체(RARs)의 리간드 역할을 하며 레티노산 반응 요소의 DNA와 결합하여 표적 유전자의 전사 활성을 조절하는 것으로 알려져 있다. 그 중에서도 레티노산 X 수용체는 여러 핵 수용체에 헤테로다이머(heterodimer)로서 작용을 하는데 여기에는 비타민 D 수용체, 갑상선 호르몬 수용체등이 포함되어 있다.

레티노산 신호 경로의 이상이 자궁근종의 성장과 발달에 영향을 미친다는 여러 증거들이 있다. 그 중 하나로 Boettger-Tong 등은 자궁근종 세포는 레티노산 신호 경로에 포함된 수용체들을 표현하며 레티노산은 자궁근종 세포의 성장을 억제한다고 보고하였다. Gamage등은 생체 외 실험에서 레티노산 X 수용체 리간드 LGD1069(Targretin)는 자궁근종의 크기를 감소시킨다고 보고하였다. 이런 결과들을 바탕으로 향후 레티노산은 자궁근종의 성장과 발달에 중요한 역할을 하며 자궁근종의 치료에 있어서 잠재적인 가능성 있는 표적이 될 수 있겠다.

(4) 세포외 기질(extracellualr matrix)과 자궁근종과의 상관관계

자궁근종에서의 세포외 기질은 과도하게 증가해 있을 뿐 아니라 구성에도 병리적 변화가 있다. 자궁근종 세포에서 형성된 세포외 기질 단백질은 콜라겐(collagen), 프로티오글리칸(proteoglycan), 피브로넥틴(fibronectin)을 포함하며 정상 근육층과 비교하여 구조적, 발생학적 변화가 있다. 이러한 변화는 자궁근종의 성장 및 발달에 관여하여 대부분 증상의 발현에 영향을 미친다.

자궁근종에서의 세포외 기질은 기능을 하지 않는 수동적인 요소는 아니며, 반대로 직접적으로 세포내 신호 경호를 자극하는 역할을 한다고 보고된다. 비정상적 구조와 수분 함량, 종양의 강직성으로 인해 자궁근종 조직의 장력이 증가해 있다. 이러한 증가된 장력은 세포외 기질에서의 콜라겐과 섬유소로부터 전달된 기계적 신호경로를 유도하게 되어 막 수용체를 통한 세포 내로 신호를 전달하게 된다. 자궁근종에서의 기계적 신호 경로 및 세포외 기질의 변화는 자궁근종 치료제로서 이상적인 표적이 된다. 예를 들면, Islam 등은 항 알러지 치료제인 트라닐라스트(Tranilast)는 자궁근종

세포에서의 세포외 기질 형성을 억제할 수 있다고 보고하였으며 Levy 등은 류마티스관절염 대사 조절제인 리아로졸(Liarozole)은 형질전환생장인자β3의 표현을 억제함으로써 세포외 기질의 형성을 억제한다고 보고하였다. 이런 약제들은 가능성 있는 치료제가 될 수 있다.

(5) 페록시솜증식체활성화수용체(Peroxisome Proliferator-Activated Receptor γ, PPARs)

페록시솜증식체활성화수용체(PPARs)는 리간드 결합하에 활성화되어 유전자 발현을 조절하는 전사인자로써 핵에 존재하는 수용체의 집단이다.

PPAR 신호 경로가 자궁근종의 성장과 발달에 중요한 역할을 한다는 여러 보고가 있다. Jeong 등은 주변 정상 근육층에 비해 자궁근종에서 PPARγ의 발현이 증가하며 17β-에스트라디올 투여할 경우 정상 근육층은 변화가 없으나 자궁근종에서는 PPARγ발현이 증가함을 확인하였다. Houston 등은 PPARγ의 활성화는 에스트라디올 투여로 인해 유도되는 자궁근종의 성장을 억제하며 그로 인해 조절되는 유전자 표현을 억제한다고 보고하여 PPARγ 신호경로가 에스트로겐 신호경로를 통한 자궁근종의 성장을 억제한다고 보고하였다. 또한 Cho 등은 PPARγ 리간드 일종인 ciglitizone의 성장 억제효과는 정상 근육층보다 자궁근종 세포에서 더 우수함을 확인하여 PPARγ 신호 경로가 자궁근종의 성장을 조절함을 확인하였다. 향후 PPARγ 신호경로를 조절하는 것은 자궁근종 치료제로서 가능성이 있는 표적이 될 수 있겠다.

(6) 세포 주기(cell cycle) 및 사이클린 억제를 통한 자궁근종치료

세포증식이 일어나기 위해서는 유전자를 포함한 DNA의 복제와 세포분열이 정확한 순서에 의해 수행되어야 하는데, 세포분열이 일어나고, 다시 다음 세포분열이 일어나기까지의 일련의 과정을 세포주기(cell cycle)라고 한다. 분열의 신호를 받아들이기 전의 세포들은 분화된 상태에서 각자의 역할을 수행하고 있는데 이 기간을 G0라고 하며 일단 외부에서 분열을 유도하는 신호가 도달하면, 세포는 DNA 복제를 준비하는 G1단계로 들어간다. G0상태를 벗어나 세포주기가 시작되면 세포는 일상적인 작업을 중지하고 세포분열에 필요한 각종 단백질을 합성하는데, 사이클린(cyclin)이라고 불리는 단백질들이 여기에 포함된다. 사이클린 단백질들은 사이클린 의존성 키나제(Cyclin Dependent Kinase, CDK)라고 불리는 인산화 효소와 복합체를 형성하여 이들 키나제를 활성화하는 역할을 담당한다.

자궁근종의 성장과 발달의 정확한 기전은 아직 밝혀지지 않았지만 반복적인 비정상적 유전적 신호가 자궁근종에서 발생한다. Baek 등은 그 중에서 종양 억제 유전자 p53의 전사 표적인자인 사이클린 G1 단백질과 mRNA가 자궁근종 세포에서 증가해 있음을 보고하였고 이를 바탕으로 사이클린 G1은 세포 성장 억제보다는 세포의 성장을 촉진하는 단백질과 연관이 있음을 확인하였다. Cho 등은 생체 외 실험에서 사이클린 G1 antisense를 이용하여 자궁근종 세포의 성장 억제효과를 확인하였으며 이를 바탕으로 이종이식 연구에서 사이클린 의존성 키나제 억제제인 Flavopiridol을 이용한 자궁근종에서의 성장 억제 효과를 확인하였다. Flavopiridol을 이용한 자궁근종 세포에서의 성장 억제는 사이클린 의존성 키나제 억제제인 p27과 p21의 표현이 증가되며 이로 인한 G1에서 세포주기가 멈추게 되어 성장 억제하는 효과를 확인하였다. 이런 결과들은 자궁근종에 있어서 사이클린 관련 억제제가 향후 가능성 있는 치료제가 될 수 있음을 보여준다.

4. 결론

자궁근종의 분자생물학 분야의 빠른 발전에도 불구하고 자궁근종의 성장 및 재발에 관한 근본적인 기전은 현재 완전히 설명하기 어렵다. 비록 FDA 승인을 받은 Lupron과 Ulipristal acetate가 자궁근종으로 인한 골반 압박감, 생리 과다등과 같은 일차적 증상에 효과를 보이지만 그 약제들의 효과는 단기간일 뿐이며 병의 특징적인 생물학적 조절에 의한 근본적인 표적은 아니다.

분자생물학적 측면에서 자궁근종의 성장과 발달의 특징은 자궁근종 세포의 성장과 그에 따른 과도한 병적인 세포외 기질의 축적이다. 이런 2가지 과정들이 복잡한 분자생물학적 신호 경로의 상호 작용하에 발생하며 이런 신호 경로는 세포 내에만 국한되지 않고 세포 안팎으로 진행이 된다. 이런 특징은 자궁근종 세포와 세포외 기질 간에 복잡한 상호 작용이 있음을 알 수 있다. 세포외 기질은 integrin과 같은 막 수용체를 통하여 세포 내로 신호를 전달하며 동시에 자궁근종 세포들은 세포 외로 콜라겐의 생성을 증가시키는 형질변환인자들을 분비한다. 그래서 여러 복잡한 신호 경로는 마지막에 공통적인 신호경로를 가지게 되는데 막 결합 에스트라디올 수용체와 프로게스테론 및 비타민 D 신호경로를 통해 Ras/Raf/MEK/ERK등과 같은 공통의 신호경로를 활성화하게 된다. 이런 공통 신호 경로를 표적으로 하는 약제의 조합이나 각각의 신호 경로를 동시다발적 표적으로 하는 전략은 좋은 시너지 효과를 나타낼 수 있겠다. 이러한 여러 신호 경로를 조절하는 접근은 전립선암과 같은 몇몇 암에서도 시행되고 있어 자궁근종과 같은 양성 종양에서고 효과가 있을 것으로 생각된다.

또한 종양 형성과정의 중요한 요소가 세포 증식일 지라도 자궁근종의 특성을 고려할 때, 세포외 기질의 조절 이상은 주목할 만하다. 형질전환생장인자β 및 Smad 신호 경로는 세포외 기질 내의 비정상적 콜라겐 형성에 중요한 역할을 함은 알려진 사실이며 형질전환생장인자β와 mTOR 신호 경로의 증가된 발현이 쥐 실험에서 과증식된 세포에서 세포 증식의 시너지 효과를 보인 점은 비정상적 세포외 기질의 형성을 조절하는 것이 임상적으로 자궁근종의 재발을 감소시키는데 중요한 표적이 될 수 있다. 향후 자궁근종의 분자생물학적 신호 경로에 대한 더 깊은 이해를 바탕으로 다양한 표적 치료에 대한 연구가 필요하겠다.

참고문헌

1. 이민용, 조치흠, 권상훈, 등. Selective Estrogen Receptor Modulator에 의한 자궁근종의 증식억제. 대한산부회지 제47권 제6호 2004 (0,6)

2. Al-Hendy A, Lee EJ, Wang I IQ, et al. Gene therapy of uterine leiomyomas: adenovirus-mediated expression of dominant negative estrogenreceptor inhibits tumor growth in nude mice. Am J Obstet Gynecol 2004;191:1621-31.

3. Anker MC, Arnemann J, Neumann K, et al. Alport syndrome with diffuse leiomyomatosis. Am J Med Genet A 2003;119A:381-5.

4. Arici A, Sozen I. Transforming growth factor-beta3 is expressed at high levels in leiomyoma where it stimulates fibronectin expression and cell proliferation. Fertil Steril 2000;73:1006-1.

5. Baek WK, Kim D, Jung N, et al. Increased expression of cyclin G1 in leiomyoma compared with normal myometrium. Am J Obstet Gynecol 2003;188:634-9.

6. Barbarisi A, Petillo O, Di Lieto A, et al. 17-beta estradiol elicits an autocrine leiomyoma cell proliferation: evidence for a stimulation of protein kinase-dependent pathway. J. Cell. Physiol 2001;186:414-4.

7. Benassayag C, Leroy MJ, Rigourd V, et al. Estrogen receptors (ERalpha/ERbeta) in normal and pathological growth of the human myometrium: pregnancy and leiomyoma. Am. J. Physiol 1999;276:1112-8.

8. Boettger-Tong H, Shipley G, Hsu CJ, et al. Cultured human uterine smooth muscle cells are retinoid responsive. Proc. Soc. Exp. Biol. Med 1997;215:59-5.

9. Boonyaratanakornkit V, Scott MP, Ribon V, et al. Progesterone receptor contains a proline-rich motif that directly interacts with SH3 domains and activates c-Src family tyrosine kinases. Mol. Cell. 2001;8:269-0.

10. Borahay MA, et al. Simvastatin potently induces calcium-dependent apoptosis of human leiomyoma cells. J. Biol. Chem 2014;289:35075-6.

11. Britz-Cunningham SH, Adelstein SJ. Molecular targeting with radionuclides: state of the science. J Nucl Med 2003;44:1945-61.

12. Brown LF, Detmar M, Tognazzi K, et al. Uterine smooth muscle cells express functional receptors (flt-1 and KDR) for vascular permeability factor/vascular endothelial growth factor. Lab. Invest 1997;76:245-5.

13. Bulun SE, Simpson ER, Word RA. Expression of the CYP19 gene and its product aromatase cytochrome P450 in human uterine leiomyoma tissues and cells in culture. J. Clin. Endocrinol. Metab 1994;78:736-3.

14. Burroughs KD, Howe SR, Okubo Y, et al. Dysregulation of IGF-I signaling in uterine leiomyoma. J. Endocrinol 2002;172:83-3.

15. Cardozo ER, Clark AD, Banks NK, et al. The estimated annual cost of uterine leiomyomata in the United States. Am. J. Obstet. Gynecol 2012;206:211:1-9.

16. Catherino WH, Leppert PC, Stenmark MH, et al. Reduced dermatopontin expression is a molecular link between uterine leiomyomas and keloids. Genes Chromosomes Cancer 2004;40:204-17.

17. Chabbert-Buffet N, Pintiaux-Kairis A, Bouchard P. Effects of the progesterone receptor modulator VA2914 in a continuous low dose on the hypothalamicpituitary-ovarian axis and endometrium in normal women: a prospective, randomized, placebocontrolled trial. J Clin Endocrinol Metab 2007;92:3582-9.

18. Chegini N, Luo X, Ding L, et al. The expression of Smads and transforming growth factor beta receptors in leiomyoma and myometrium and the effect of gonadotropin releasing hormone analogue therapy. Mol. Cell. Endocrinol 2003;209:9-6.

19. Ciarmela P, Islam MS, Reis FM, et al. Growth factors and myometrium: biological effects in uterine fibroid and possible clinical implications. Hum Reprod Update 2011;17:772-90.

20. Cohen MM Jr, Hayden PW. A newly recognized hamartomatous syndrome. Birth Defects Orig Artic Ser 1979;15:291-6.

21. Deeb KK, Trump DL, Johnson CS. Vitamin D signalling pathways in cancer: potential for anticancer therapeutics. Nat. Rev. Cancer 2001;7:684-700.

22. Dixon D, He H, Haseman JK. Immunohistochemical localization of growth factors and their receptors in uterine leiomyomas and matched myometrium. Environ. Health Perspect. 108 Suppl 2000;5:795-02.

23. Dmitriev I, Krasnykh V, Miller CR, et al. An adenovirus vector with genetically modified fibers demonstrates expanded tropism via utilization of a coxsackievirus and adenovirus receptorindependent cell entry mechanism. J Virol 1998;72:9706-13.

24. Donnez J, Tatarchuk TF, Bouchard P, et al. Ulipristal acetate versus placebo for fibroid treatment before surgery. N. Eng. J. Med 2012;366:409-20.

25. Döohring C, Angman L, Spagnoli G, Lanzavecchia A. T-helper- and accessory-cell-independent cytotoxic responses to human tumor cells transfected with a B7 retroviral vector. Int J Cancer 1994;57:754-9.

26. Dummer R, Yue FY, Pavlovic J, et al. Immune stimulatory potential of B7.1 and B7.2 retrovirally transduced melanoma cells: suppression by interleukin 10. Br J Cancer 1998;77:1413-9.

27. Eisinger SH, Bonfiglio T, Fiscella K, et al. Twelve-month safety and efficacy of low-dose mifepristone for uterine myomas. J. Minim. Invasive Gynecol 2005;12:227-33.

28. Elliott RL, Blobe GC. Role of transforming growth factor Beta in human cancer. J. Clin. Oncol. 2005;23:2078-3.

29. Enmark E, et al. Human estrogen receptor beta-gene structure, chromosomal localization, and expression pattern. J. Clin. Endocrinol. Metab. 1997;82:4258-5.

30. Evans RM, Barish GD, Wang YX. PPARs and the complex journey to obesity. Nat. Med 2004;10:355-61.

31. Farber M, Conrad S, Heinrichs WL, et al. Estradiol binding by fibroid tumors and normal myometrium. Obstet. Gynecol 1972;40:479-6.

32. Fayed YM, Tsibris JC, Langenberg PW, et al. Human uterine leiomyoma cells: binding and growth responses to epidermal growth factor, platelet-derived growth factor, and insulin. Lab. Invest 1989;60:30-7.

33. Fujita M. Histological and biochemical studies of collagen in human uterine leiomyomas [in Japanese]. Hokkaido Igaku Zasshi 1985;60:602-15.

34. Gamage SD, Bischoff ED, Burroughs KD, et al. Efficacy of LGD1069 (Targretin), a retinoid X receptor-selective ligand, for treatment of uterine leiomyoma. J. Pharmacol. Exp. Ther 2000;295:677-1.

35. Gentry CC, Okolo SO, Fong LF, et al. Quantification of vascular endothelial growth factor-A in leiomyomas and adjacent myometrium. Clin. Sci. (Lond) 2001;101:691-5.

36. Greco O, Dachs GU. Gene directed enzyme/prodrug therapy of cancer: historical appraisal and future prospectives. J Cell Physiol. 2001;187:22-36.

37. Halder SK, Goodwin JS, Al-Hendy A. 1,25-Dihydroxyvitamin D3 reduces TGF-beta3-induced fibrosis-related gene expression in human uterine leiomyoma cells. J. Clin. Endocrinol. Metab 2011;96:754-2.

38. Halder SK, Osteen KG, Al-Hendy A. 1,25-dihydroxyvitamin d3 reduces extracellular matrix-associated protein expression in human uterine fibroid cells. Biol. Reprod. 2013;89:150.

39. Helmke BM, Markowski DN, Muller MH, et al. HMGA proteins regulate the expression of FGF2 in uterine fibroids. Mol Hum. Reprod. 2011;17:135-2.

40. Hermon TL, Moore AB, Yu L, et al. Estrogen receptor alpha (ERalpha) phospho-serine-118 is highly expressed in human uterine leiomyomas compared to matched myometrium. Virchows Arch 2008;453:557-9.

41. Hoekstra AV, Sefton EC, Berry E, et al. Progestins activate the AKT pathway in leiomyoma cells and promote survival. J. Clin. Endocrinol. Metab 2009;94:1768-74.

42. Holick MF. Vitamin D and bone health. J. Nutr. 1996;126:1159-4.

43. Houston KD, Copland JA, Broaddus RR, et al. Inhibition of proliferation and estrogen receptor signaling by peroxisome proliferator-activated receptor gamma ligands in uterine leiomyoma. Cancer Res 2003;63:1221-7.

44. Howe SR, Gottardis MM, Everitt JI, et al. Estrogen stimulation and tamoxifen inhibition of leiomyoma cell growth in vitro and in vivo. Endocrinology 1995;136:4996-003.

45. Hudson BG, Tryggvason K, Sundaramoorthy M, et al. Alport's syndrome, Goodpasture's syndrome, and type IV collagen. NEngl J Med 2003;348:2543-56.

46. Ishikawa H, Ishi K, Serna VA, et al. Progesterone is essential for maintenance and growth of uterine leiomyoma. Endocrinology 2010;151:2433-2.

47. Islam MS, Protic O, Ciavattini A, et al. Tranilast, an orally active antiallergic compound, inhibits extracellular matrix production in human uterine leiomyoma and myometrial cells. Fertil Steril 2014;102:597-06.

48. Jensen EV, DeSombre ER. Estrogen-receptor interaction. Science 1973;182:126-34.

49. Jeong YJ, Noh EM, Lee YR, et al. 17beta-estradiol induces up-regulation of PTEN and PPARgamma in leiomyoma cells, but not in normal cells. Int. J. Oncol 2010;36:921-7.

50. Kasai T, Shozu M, Murakami K, et al. Increased expression of type I 17beta-hydroxysteroid dehydrogenase enhances in situ production of estradiol in uterine leiomyoma. J. Clin. Endocrinol. Metab 2004;89:5661-8.

51. Kastner P, et al. Two distinct estrogenregulated promoters generate transcripts encoding the two functionally different human progesterone receptor forms A and B. EMBO J 1990;9:1603-4.

52. Kawaguchi K, Fujii S, Konishi I, et al. Mitotic activity in uterine leiomyomas during the menstrual cycle. Am. J. Obstet. Gynecol 1989;160:637-1.

53. Kovacs KA, Lengyel F, Kornyei JL, et al. Differential expression of Akt/protein kinase B, Bcl-2 and Bax proteins in human leiomyoma and myometrium. J Steroid Biochem Mol Biol 2003;87:233-40.

54. Kovacs KA, Oszter A, Gocze PM, et al. Comparative analysis of cyclin D1 and oestrogen receptor (alpha and beta) levels in human leiomyoma and adjacent myometrium. Mol. Hum. Reprod 2001;7:1085-1.

55. Lee BS, Nowak RA. Human leiomyoma smooth muscle cells show increased expression of transforming growth factorbeta 3 (TGF beta 3) and altered responses to the antiproliferative effects of TGF beta. J. Clin. Endocrinol. Metab 2001;86:913-0.

56. Lee HG, Baek JW, Kwon SH, et al. Antitumor Effects of Flavopiridol on Human Uterine Leiomyoma In Vitro and in a Xenograft Model Reproductive Sciences 2014;21;153-60

57. Lemmon MA, Schlessinger J. Cell signaling by receptor tyrosine kinases. Cell 2010;141:1117-4.

58. Leppert PC, Baginski T, Prupas C, et al. Comparative ultrastructure of collagen fibrils in uterine leiomyomas and normal myometrium. Fertil. Steril. 82 Suppl 2004;3:1182-7.

59. Lethaby A, Vollenhoven B, Sowter M. Preoperative GnRH analogue therapy before hysterectomy or myomectomy for uterine fibroids. Cochrane Database Syst. Rev. 2001;CD000547.

60. Levin ER. Plasma membrane estrogen receptors. Trends Endocrinol. Metab 2009;20:477-82.

61. Liang M, Wang H, Zhang Y, et al. Expression and functional analysis of platelet-derived growth factor in uterine leiomyomata. Cancer Biol. Ther 2006;5:28-33.

62. Logan CY, Nusse R. The Wnt signaling pathway in development and disease. Annu. Rev. Cell. Dev. Biol 2004;20:781-10.

63. Luoto R, Kaprio J, Rutanen EM, et al. Heritability and risk factors of uterine fibroids-the Finnish Twin Cohort study. Maturitas 2000;37:15-26.

64. Maekawa R, Sato S, Yamagata Y, et al. Genome-wide DNA methylation analysis reveals a potential mechanism for the pathogenesis and development of uterine leiomyomas. PLoS One. 8:e66632.

65. Maruo T, Matsuo H, Samoto T, et al. Effects of progesterone on uterine leiomyoma growth and apoptosis. Steroids 2000;65:585-2.

66. Menasce LP, White GR, Harrison CJ, et al. Localization of the estrogen receptor locus (ESR) to chromosome 6q25.1 by FISH and a simple post-FISH banding technique. Genomics 1993;17:263-5.

67. Morgan, DO 'The Cell Cycle: Principles of Control, Oxford University Press, 2007

68. Nair S, Curiel DT, Rajaratnam V, et al. Targeting adenoviral vectors for enhanced gene therapy of uterine leiomyomas. Hum Reprod 2013;28:2398-406.

69. Nam DH, Ramachandran S, Song DK, et al. Growth inhibition and apoptosis induced in human leiomyoma cells by treatment with the PPAR gammaligand ciglitizone. Mol. Hum. Reprod 2007;13:829-6.

70. Niederreither K, Dolle P. Retinoic acid in development: towards an integrated view. Nat. Rev. Genet 2008;9:541-3.

71. Nieman LK, Blocker W, Nansel T, et al.: Efficacy and tolerability of CDB- 2914 treatment for symptomatic uterine fibroids: a randomized, double-blind, placebo-controlled, phase IIb study. Fertil Steril 2011;95:767-72.

72. Nierth-Simpson EN, Martin MM, Chiang TC, et al. Human uterine smooth muscle and leiomyoma cells differ in their rapid 17beta-estradiol signaling: implications for proliferation. Endocrinology 2009;150:2436-5.

73. Niu H, Simari RD, Zimmermann EM, et al. Nonviral vector-mediated thymidine kinase gene transfer and ganciclovir treatment in leiomyoma cells. Obstet Gynecol 1998;91:735-40.

74. Norian JM, Owen CM, Taboas J, et al. Characterization of tissue biomechanics and mechanical signaling in uterine leiomyoma. Matrix Biol 2012;31:57-65.

75. O'owd BF, Nguyen T, Marchese A, et al. Discovery of three novel G-protein-coupled receptor genes. Genomics 1998;47:310-3.

76. Ohara N, Morikawa A, Chen W, et al. Comparative effects of SPRM asoprisnil (J867) on proliferation, apoptosis, and the expression of growth factors in cultured uterine leiomyoma cells and normal myometrial cells. Reprod. Sci 2007;14:20-7.

77. Okolo S. Incidence, aetiology and epidemiology of uterine fibroids. Best Pract. Res. Clin. Obstet. Gynaecol 2008;22:571-88.

78. Ono M, Yin P, Navarro A, et al. Paracrine activation of WNT/beta-catenin pathway in uterine leiomyoma stem cells promotes tumor growth. Proc. Natl. Acad. Sci. U. S. A. 2013;110:17053-8.

79. Orloff MS,HeX, Peterson C, Chen F,Chen J-L, Mester JL, Eng C. Germline PIK3CA and AKT1 mutations in Cowden and Cowden-like syndromes. Am J Hum Genet 2013;92:76-80.

80. Pandis N, Heim S, Bardi G, et al. Chromosome analysis of 96 uterine leiomyomas. Cancer Genet. Cytogenet 1991;55:11-8.

81. Peng L, Wen Y, Han Y, et al. Expression of insulin-like growth factors (IGFs) and IGF signaling: molecular complexity in uterine leiomyomas. Fertil. Steril 2009;91:2664-5.

82. Puukka MJ, Kontula KK, Kauppila AJ, et al. Estrogen receptor in human myoma tissue. Mol. Cell. Endocrinol 1976;6:35-4.

83. Reed WB, Walker R, Horowitz R. Cutaneous leiomyomata with uterine leiomyomata. Acta Derm Venereol 1973;53:409-16.

84. Ren Y, Yin H, Tian R, et al. Different effects of epidermal growth factor on smooth muscle cells derived from human myometrium and from leiomyoma. Fertil Steril 2011;96:1015-0.

85. Ricketts CJ, Shuch B, Vocke CD, et al. Succinate dehydrogenase kidney cancer: an aggressive example of the Warburg effect in cancer. J Urol 2012;188:2063-71.

86. Rodriguez MI, Warden M, Darney PD: Intrauterine progestins, progesterone antagonists, and receptor modulators: a review of gynecologic applications. Am J Obstet Gynecol 2010;202:420-8.

87. Rossi MJ, Chegini N, Masterson BJ. Presence of epidermal growth factor, platelet-derived growth factor, and their receptors in human myometrial tissue and smooth muscle cells: their action in smooth muscle cells in vitro. Endocrinology 1992;130:1716-7.

88. Sabry M, Al-Hendy A. (2012) Innovative oral treatments of uterine leiomyoma. Obstet. Gynecol. Int. 2012:943635.

89. Salama SA, Diaz-Arrastia CR, Kilic GS, et al. 2-Methoxyestradiol causes functional repression of transforming growth factor beta3 signaling by ameliorating Smad and non-Smad signaling pathways in immortalized uterine fibroid cells. Fertil Steril 2012;98:178-84.

90. Shozu M, Murakami K, Segawa T, et al. Successful treatment of a symptomatic uterine leiomyoma in a perimenopausal woman with a nonsteroidal aromatase inhibitor. Fertil Steril 2003;79:628-1.

91. So-Jin Shin, Jinyoung Kim, SeungMee Lee, et al. Uliprital acetate induces cell cycle delay and remodeling of extracellular matrix. INTERNATIONAL JOURNAL OF MOLECULAR MEDICINE 2018;42:1857-64.

92. Swartz CD, Afshari CA, Yu L, et al. Estrogen-induced changes in IGF-I, Myb family and MAP kinase pathway genes in human uterine leiomyoma and normal uterine smooth muscle cell lines. Mol. Hum. Reprod 2005;11:441-0.

93. Tal R, Segars JH. The role of angiogenic factors in fibroid pathogenesis: potential implications for future therapy. Hum. Reprod.

| 자궁근종

Update 2013;20;194-16.

94. Tepper RI, Mule JJ. Experimental and clinical studies of cytokine gene-modified tumor cells. Hum Gene Ther 1994;5;153-64.

95. Townsend DE, Sparkes RS, Baluda MC, et al. Unicellular histogenesis of uterine leiomyomas as determined by electrophoresis by glucose-6-phosphate dehydrogenase. Am. J. Obstet. Gynecol 1970;107;1168-73.

96. Tsibris JC, Porter KB, Jazayeri A, et al. Human uterine leiomyomata express higher levels of peroxisome proliferator-activated receptor gamma, retinoid X receptor alpha, and all-trans retinoic acid than myometrium. Cancer Res 1999;59;5737-44.

97. Velebil P, Wingo PA, Xia Z, et al. Rate of hospitalization for gynecologic disorders among reproductive-age women in the United States Obstet Gynecol 1995;86;764-9.

98. Weinberg RA. The Biology of Cancer. New York: Garland Science. 2007

99. Wise LA, Ruiz-Narvaez EA, Palmer JR, et al. African ancestry and genetic risk for uterine leiomyomata. Am J Epidemiol 2012;176;1159-68.

100. Xu Q, Ohara N, Chen W, et al. Progesterone receptor modulator CDB-2914 down-regulates vascular endothelial growth factor, adrenomedullin and their receptors and modulates progesterone receptor content in cultured human uterine leiomyoma cells. Hum. Reprod. 2006;21;2408-6.

101. Yin P, Lin Z, Reierstad S, et al. Transcription factor KLF11 integrates progesterone receptor signaling and proliferation in uterine leiomyoma cells. Cancer Res 70;1722-30.

102. Yu L, Saile K, Swartz CD, et al. Differential expression of receptor tyrosine kinases (RTKs) and IGF-I pathway activation in human uterine leiomyomas. Mol. Med 2008;14;264-5.

자 궁 근 종
UTERINE LEIOMYOMA

유전학

Genetics

| 전남의대 산부인과 조문경 |

1. 서론

자궁근종은 여성에서 가장 흔한 생식기 양성종양으로 50-80%의 유병율을 보이며, 약 30%에서는 골반불쾌감이나, 월경통, 생리과다, 빈혈, 요실금, 유산, 조기진통, 난임 등의 증상을 동반한다. 자궁근종은 부인과에서 가장 흔한 질환이지만, 아직까지 병인이 정확히 규명되지 않아 자궁근종에서 만족할만한 효과를 보이는 약물 치료는 없는 상태이다. 본 장에서는 자궁근종에서 보고되고 있는 유전학적인 변화에 대해 살펴보고자 한다.

2. 본론

자궁근종이 성스테로이드 호르몬에 민감하다는 것은 이미 잘 입증되어 있다. 자궁근종 세포는 에스트로겐의 자극에 의해 성장하고 발달한다. 자궁근종 내에서 성 스테로이드호르몬과 스테로이드호르몬 수용체의 농도는 건강한 자궁내막조직에서와 다르다. 자궁근종에서는 에스트라디올, aromatase, 프로게스테론 수용체(progesterone receptor, PR), 그리고 에스트로겐 수용체-α (ER-α)의 농도가 더 높으며, PR과 ER-α의 발현 정도는 자궁근종의 크기와는 무관하다. 뿐만 아니라, 자궁근종은 정상 자궁내막에서와는 다르게 에스트로겐과 프로게스테론에 대해 과민하게 반응한다. 정상자궁내막은 황체기에 에스트로겐에 제한적인 반응을 보이지만, 자궁근종 조직은 황체기에도 에스트로겐을 조절하는 유전자의 발현이 증가되어 있다. 또한, 자궁근종은 자궁근육층에 억제 효과를 가지고 있는 프로게스테론에 의해서도 성장하는 것으로 보고되고 있다. 하지만, 실험실 연구에서 프로게스테론이 자궁근종의 성장을 저해한다는 보고들도 있어 자궁근종의 병인에서 프로게스테론의 역할을 정확히 설명하기는 어렵다. 몇몇 연구에서는 호르몬과 그 수용체를 코딩하는 유전자의 다형성이 자궁근종을 발전시키는 데 있어서 위험 요소 중의 하나가 될 수 있다고 보고하고 있는데, Progesterone receptor gene polymorphism (PROGINS)과 자궁근종의 연관성을 제시한 6개의 연구를 메타분석한 결과에서는 PROGINS와 자궁근종간에 연관성이 없다는 결과를 보여주었다(OR 0.91-1.07, p=0.15-0.57).

자궁근종의 40-50%에서는 핵형이상이 동반되며, 한 자궁에서 얻어진 자궁근종들에서 각각 다른 염색체 변화가 보이기도 한다. 가장 흔한 이상은 12번 염색체의 전위(염색체 3q 및 7q상의 결실; 삼중체 12; 염색체 6, 10 및 13.3의 재배치)이다. 이러한 염색체 이상은 자궁근종에서 비정상적으로 발현된 유전자(HGMA2, ESR2 및 RAD5)를 파열시키는 데 기여할 수 있다.

또한, 자궁근종의 약 40%에서는 체세포에서 다양한 종류의 염색체 재배열이 보고되고 있으며, 다수의 자궁근종에서는 mediator complex subunit 12 (MED12)를 인코딩하고 있는 유전자에 돌연변이가 존재한다. 자궁근종 약 70 %에서 MED12 엑손 2의 돌연변이가 존재하지만, 정상 자궁내막 조직에서는 해당 돌연변이가 발현되지 않는다. MED12는 RNA 중합 효소 II 복합체의 전사 조절에 관여하는 250-kDa의 단백질이다. MED12는 β-catenin과 결합함으로서 조직의 증식을 일으키는 β-catenin의 역할을 조절하는 효과를 나타내는데, 만약 MED12에 결함이 있다면 β-catenin에 의해 자궁근종 줄기세포가 더 증식하게 된다. MED12 돌연변이가 있는 경우에는 MED12가 정상인 경우에 비해 β-catenin의 활성제인 WNT4의 발현이 크게 증가되어 있다. MED12 결함은 TGF-β 경로를 활성화시켜 mothers against decapentaplegic homologue (SMAD)와 mitogen-activated protein kinase (MAPK)에 의한 자궁근종 세포의 증식을 유도하며, 약제 내성에도 관여한다. High-mobility group AT-hook 2 (HMGA2)는 자궁근종 세포의 노화를 억제하는 효과를 나타내는데, 자궁근종에서는 HMGA2를 억제하는 Let-7 miRNA가 결핍되어 자궁근종 세포가 노화되지 않고 자체적으로 재생된다. 소수에서는 염색체 Xq22.3에 위치한 COL4A5-COL4A6 유전자의 결실이 존재한다. 그러나, COL4A5-COL4A6 유전자 결실자체 보다는 그 근처에 존재하는 insulin receptor substrate 4 (IRS4)의 발현 증가가 자궁근종의 발생과 관련된 것으로 추정되고 있다.

가족성자궁근종증후군(familial uterine fibroid syndromes)은 생식세포의 유전자 결함과 관련되어 있는 것으로 보고되고 있다. Fumarate hydratase deficiency를 일으키는 fumarate hydrase 유전자의 돌연변이가 가족 내에서 다발성 자궁근종이 발생하는 것과 연관되어 있다. 하지만 fumarate hydrase 유전자의 돌연변이는 전 세계적으로 약 100가구에서만 나타나는 것으로 보고되고 있다.

몇몇 miRNA는 정상 자궁근육 조직과 자궁근종 조직에서 다르게 발현된다. 2007년 발표된 Wang 등의 연구에 따르면 자궁근종조직에서 let-7 family, miR-21, miR-23b, miR-29b, miR-197

를 포함한 45개의 miRNA가 건강한 자궁근육조직과는 다르게 조절된다. 다른 연구에서도 46개의 miRNA가 정상자궁내막조직과 자궁근종에서 다르게 발현되어 있음이 보고되고 있다. 또한, 스테로이드 호르몬에 민감한 다른 종양들인 유방암 및 전립선암에서 발현이 증가되어 있는 것으로 보고된 miR-21, miR-34a, miR-125b 및 miR-150과 같은 miRNA의 발현이 자궁근종에서도 증가되어 있다. Luo와 Chegini도 자궁근종에서 91개의 miRNA가 다르게 발현됨을 보고하였으며, 이 중 27개는 Marsh 등과 Wang 등이 보고한 2개의 연구결과와 일치한다.

3. 결론

자궁근종은 자궁적출수술의 가장 흔한 적응중이다. 자궁적출수술전 자궁근종의 증상을 조절하기 위해 GnRH 작용제, 선택적 ER 조절제, 아로마타제 억제제 및 PR 조절제 등의 약물을 단기간 동안 사용하고 있지만, 아직까지 자궁근종을 근본적으로 치료할 수 있는 약제는 없다. 이는 자궁근종의 병태 생리에 대한 이해가 충분하지 못하기 때문이다. 유전학적인 측면에서 자궁근종조직 12번 염색체의 전위와 MED12 엑손 2의 돌연변이들이 보고되고 있다. 이러한 유전학적인 변화들은 향후 자궁근종 병인을 이해하는데 기초가 될 수 있으며, 자궁근종의 비침습적인 치료 방법을 개발하는데 도움이 될 것으로 생각된다.

▰▰▰ 참고문헌

1. Bulun SE. Uterine fibroids. N Engl J Med 2013;369:1344-55.
2. Catherino WH, Parrott E, Segars J. Proceedings from the National Institute of Child Health and Human Development conference on the Uterine Fibroid Research Update Workshop. Fertil Steril 2011;95:9-12.
3. da Silva F, Pabalan N, Ekaratcharoenchai N, et al. PROGINS Polymorphism of the Progesterone Receptor Gene and the Susceptibility to Uterine Leiomyomas: A Systematic Review and Meta-Analysis. Genet Test Mol Biomarkers 2018;22:295-301.
4. Hodge JC, Kim TM, Dreyfuss JM, et al. Expression profiling of uterine leiomyomata cytogenetic subgroups reveals distinct signatures in matched myometrium: transcriptional profiling of the t(12;14) and evidence in support of predisposing genetic heterogeneity. Hum Mol Genet 2012;21:2312-29.
5. Hodge JC, Morton CC. Genetic heterogeneity among uterine leiomyomata: insights into malignant progression. Hum Mol Genet 2007;16:R7-R13.
6. Huang S, Holzel M, Knijnenburg T, et al. MED12 controls the response to multiple cancer drugs through regulation of TGF-beta receptor signaling. Cell 2012;151:937-50.
7. Kim S, Xu X, Hecht A, et al. Mediator is a transducer of Wnt/beta-catenin signaling. J Biol Chem 2006;281:14066-75.
8. Loverro G, Nicolardi V, Selvaggi L. Depot GnRH analog treatment of uterine fibroids. Int J Gynaecol Obstet 1993;43:199-201.
9. Luo X, Chegini N. The expression and potential regulatory function of microRNAs in the pathogenesis of leiomyoma. Semin

Reprod Med 2008;26;500-14.

10. Makinene N, Mehine M, Tolvanen J, et al. MED12, the mediator complex subunit 12 gene, is mutated at high frequency in uterine leiomyomas. Science 2011;334;252-5.

11. Markowski DN, Bartnitzke S, Loning T, et al. MED12 mutations in uterine fibroids - their relationship to cytogenetic subgroups. Int J Cancer 2012;131;1528-36.

12. Markowski DN, Helmke BM, Belge G, et al. HMGA2 and p14Arf; major roles in cellular senescence of fibroids and therapeutic implications. Anticancer Res 2011; 31;753-61.

13. Marsh EE, Lin Z, Yin P, et al. Differential expression of microRNA species in human uterine leiomyoma versus normal myometrium. Fertil Steril 2008;89;1771-6.

14. Maruo T, Ohara N, Wang J, et al. Sex steroidal regulation of uterine leiomyoma growth and apoptosis. Hum Reprod Update 2004;10;207-20.

15. Mehine M, Kaasinen E, Makinen N, et al. Characterization of uterine leiomyomas by whole-genome sequencing. N Engl J Med 2013;369;43-53.

16. Moravek MB, Yin P, Ono M, et al. Ovarian steroids, stem cells and uterine leiomyoma; therapeutic implications. Hum Reprod Update 2015;21;1-12

17. Morris EP, Rymer J, Robinson J, et al. Efficacy of tibolone as "add-back therapy" in conjunction with a gonadotropinreleasing hormone analogue in the treatment of uterine fibroids. Fertil Steril 2008;89;421-8.

18. Nieman LK, Blocker W, Nansel T, et al. Efficacy and tolerability of CDB-2914 treatment for symptomatic uterine fibroids; a randomized, double-blind, placebo-controlled, phase IIb study. Fertil Steril 2011;95;767-72.

19. Parker WH. Etiology, symptomatology, and diagnosis of uterine myomas. Fertil Steril 2007;87;725-36.

20. Stewart EA. Uterine fibroids. Lancet 2001;357;293-8.

21. Tomlinson IP, Alam NA, Rowan AJ, et. al. Germline mutations in FH predispose to dominantly inherited uterine fibroids, skin leiomyomata and papillary renal cell cancer. Nat Genet 2002;30;406-10.

22. Walker CL, Stewart EA. Uterine fibroids; the elephant in the room. Science 2005;308;1589-92.

23. Walker CL. Role of hormonal and reproductive factors in the etiology and treatment of uterine leiomyoma. Recent Prog Horm Res 2002;57;27-294.

24. Wang T, Zhang X, Obijuru L, et al. A micro-RNA signature associated with race, tumor size, and target gene activity in human uterine leiomyomas. Genes Chromosomes Cancer 2007;46;336-47.

자 궁 근 종
UTERINE LEIOMYOMA

CHAPTER
03

병리

Pathology

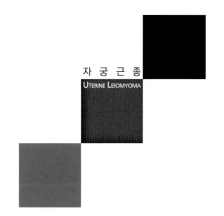

자 궁 근 종
UTERINE LEIOMYOMA

병리
Pathology

│ 계명의대 병리과 권선영 │

1. 자궁근종의 병태생리학

1) 호르몬

자궁근종은 자궁 평활근 내에 있는 신생세포(neoplastic cell)로부터 기인한 단일클론종양(monoclonal tumor)이다. 여성호르몬의 영향을 받으므로 폐경기 이후에 새로운 근종이 발생하는 경우는 드물고, 임신 기간 동안 급작스럽게 크기가 커지기도 하며 폐경 이후에는 크기가 줄어들기도 한다. 정상적으로 자궁근 세포에는 에스트로겐 및 프로게스테론 수용체가 존재하며, 자궁근종 내에도 이들 수용체가 증가되어 있다. 때로는 폐경기 이후 호르몬 대체요법을 받는 경우 자궁근종의 크기가 증가하는 경우도 있어 주의를 요한다.

2) 클론성(Clonality)

자궁근종은 자궁 평활근 세포에서 발생하는 클론성 종양으로 초기 연구에서 X 염색체 비활성화로 인해 발생한다고 알려져 왔으나, 최근 연구에서는 여러 개의 자궁근종에서 각각 다른 클론성 기원을 확인할 수도 있었다.

3) 유전학(Genetics)

자궁근종의 40%에서 적어도 하나 이상의 클론의 세포유전학 이상을 가지고 있다. 염색체 12번의

HMGA2와 염색체 14번의 RAD51B 유전자 자리의 염색체전위가 자궁근종에서 흔히 관찰된다. 이 특징적인 재배열은 가성 메이그스 증후군(Pseudo-Meigs' syndrome)과 관련있다는 보고가 있다.

Reed 증후군은 자궁근종이 있는 환자들 중 피부의 평활근종증(leiomyomatosis)과 신세포암종을 동반하는 상염색체 우성의 유전성 질환으로 염색체 1p43에 위치하고 있는 푸마르산 수산화효소 (fumarase or fumarate hydratase) 유전자의 이질 접합 손실(heterozygous loss)로 인해 발생된다. 평활근 증식이 동반되는 또 다른 유전성 질환으로는 신장 이상으로 인한 증상 및 식도 및 외음부 자궁근종이 동반되는 Alport 증후군이 있다. 이 증후군에서는 염색체 X22.3에 위치하고 있는 COL4A5와 COL4A6 유전자의 결손으로 인한 분자적인 결손이 관찰된다.

2. 일반적인 자궁근종의 병리소견

1) 육안 소견

자궁근종은 대부분 발생 당시 하나 또는 여러 개가 다양한 크기로 발생하며, 자궁 내 위치에 따라 자궁근층 내, 점막하 및 장막하 근종으로 분류될 수 있다. 점막하 및 장막하 근종은 목이 있는 모양(pedunculated type)으로 발생하기도 한다. 대부분의 자궁근종은 절단면 상 흰색 또는 연분홍색의 경계가 좋고 단단하고 고무 같은 감촉으로 평활근세포가 밴드 모양으로 소용돌이치는 모양으로 관찰되기도 한다. 때로는 절단면에서 수분이 있는 부종의 형태가 관찰되기도 하며, 세포밀도가 높은 경우(cellular leiomyoma)는 부드럽기도 하다(그림 3-1).

2) 현미경 소견

대부분의 자궁근종은 비교적 경계가 좋은 변연부를 가지고 있고, 평활근 세포가 교차되는 섬유다발 형태를 구성한다. 종양세포들은 길고

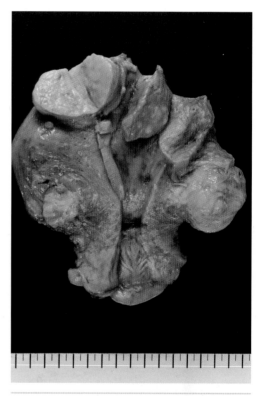

■ 그림 3-1 **자궁근종의 육안 소견** 자궁근층 내 크기가 다양하고 경계가 좋은 회백색의 고형성 종괴가 관찰됨.

끝이 가늘어지는 여송연(cigar) 모양의 방추형 (spindle)의 핵을 가지며 풍부한 호산성 세포질을 가진다(그림 3-2). 유사분열(mitosis)은 잘 관찰되지 않으나, 비정형 유사분열(atypical mitosis)이 관찰되는 경우는 악성 가능성을 염두에 두고 면밀하게 조사할 필요가 있다. 평활근 세포 사이에 비만세포나 만성 염증세포가 관찰되기도 한다.

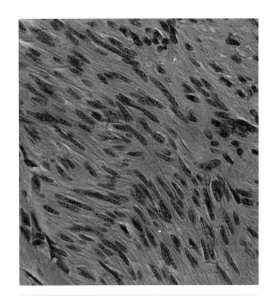

■ 그림 3-2 **자궁근종의 현미경 소견** 여송연 모양의 방추형 핵을 가지는 평활근 종양 세포가 섬유다발 형태로 관찰됨

3) 자궁근종의 변성

자궁근종 내 변성(degeneration)은 흔히 관찰된다. 평활근세포 사이의 수분 축적으로 인해 수종변성(hydropic degeneration)이 관찰되기도 하고, 더 광범위하고 미끈거리는 수종변성을 점액성 변성(myxoid degeneration)으로 부르기도 한다. 적색변성(red degeneration)은 임신한 경우 원래 있던 자궁근종의 크기가 갑자기 커지면서 발생하는 혈액공급 장애로 인해 근종 내 출혈성 경색이 발생되며 환자는 갑작스런 통증을 호소하기도 한다. 이 자궁근종의 절단면은 신선 혈액의 색소로 인해 더 붉고 균질하고 더 부드러운 특징을 보

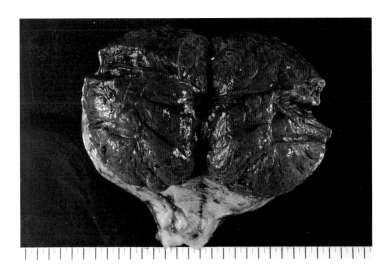

■ 그림 3-3 **자궁근종의 적색변성의 육안소견** 신선 혈액으로 인해 붉고 균질하고 부드러운 절단면이 확인됨

인다(그림 3-3). 적색 변성의 현미경 소견은 종양세포가 핵의 흔적과 형태만 남는 유령세포(ghost cell)의 형태로 관찰된다(그림 3-4). 자궁동맥 색전술 등의 치료 후 자궁근종의 절단면에서 담황색의 혀혈성 괴사 및 석회화 등의 변성이 관찰되기도 한다.

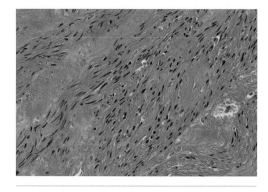

■ 그림 3-4 **자궁근종의 적색변성의 현미경 소견** 종양세포의 흔적 및 핵만 남아있는 유령세포의 형태로 괴사소견 관찰됨

3. 자궁근종의 변형(variants)

1) 지방평활근종(lipoleiomyoma)

지방평활근종은 평활근과 지방세포가 섞여 있어서 근종의 절단면은 밝은 황색으로 지방 성분이 많아질수록 지방종과 육안 소견이 비슷하다(그림 3-5). 지방평활근종의 호발 연령은 전형적인 자궁근종 발생 연령보다 좀 더 나이가 많다. 이로 인해 지방평활근종에서 지방세포로의 분화는 퇴행성 변화로 생각되어진다.

2) 혈관평활근종(vascular leiomyoma)

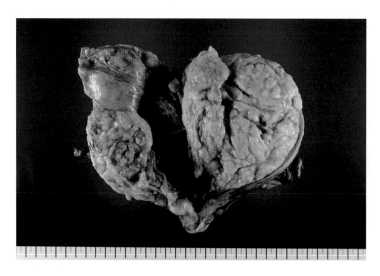

■ 그림 3-5 **지방평활근종의 육안 소견** 자궁근종의 절단면에서 밝은 황색의 지방 성분이 근종의 대부분을 채우고 있음을 확인할 수 있음

혈관평활근종은 혈관의 평활근에서 발생하는 드문 평활근종이다. 육안 소견은 일반적인 자궁근종과 비슷하지만, 국소적 또는 미만성으로 특징없이 단조롭게 보이는 평활근 세포들이 늘어나 있는 정맥 내부를 채우고 있다.

3) 세포성 평활근종(Cellular leiomyoma)

세포밀도가 특히 증가되어 있는 평활근종으로 육안소견은 일반적인 자궁근종과 비슷하나 절단면이 더 부드럽고 종종 생선살같은 양상을 보이기도 한다. 현미경 소견은 저배율에서 세포밀도가 증가되어 있음을 확인할 수 있다. 고배율에서 종양세포는 일반적인 자궁근종의 세포와 큰 차이가 없으나, 호산성 세포질의 양은 감소되어 있다. 세포의 이형성과 종양 괴사는 없으나, 유사분열 수는 증가할 수 있다.

4) 기이한 핵을 가진 평활근종(Leiomyoma with bizarre nuclei)

일반적인 평활근종과 비슷하나, 특징적으로 현미경 저배율에서 심한 종양세포 핵의 이형성(atypia)을 관찰할 수 있다. 심한 비정형 세포는 국소적으로 관찰되기도 하지만, 미만성으로 관찰되기도 한다. 이 근종은 세포의 이형성이 심하지만, 종양세포의 괴사가 없고 유사분열 수가 10개의 현미경 고배율 시야에서 적어도 10개 미만인 점 등으로 자궁근육종(sarcoma)과 감별할 수 있다.

5) 태반엽양 박리 자궁근종(cotyledonoid dissecting leiomyoma)

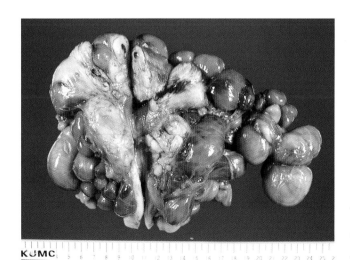

▣ 그림 3-6 **태반엽양 박리 자궁근종의 육안 소견** 무수히 많은 자궁근종이 포도송이 모양으로 전 자궁에서 관찰됨

자궁근종의 박리성 변이형인 이 종양은 평활근세포가 자궁근층 내부를 불규칙적으로 박리하여 자궁근층을 뚫고 자궁넓은인대를 포함한 골반강 내까지 자궁근종이 포도송이 모양으로 관찰되며 흔히 부종 및 충혈 등을 동반한다. 이러한 특직정인 종양의 육안 소견이 마치 태반의 태반엽을 연상시킨다고 해서 위와 같이 이름 붙여졌다(그림 3-6).

6) 양성 전이성 근종(benign metastasizing leiomyoma)

하나 혹은 여러 개의 양성 평활근종이 자궁바깥, 특히 자궁근종의 병력이 있는 여성의 폐에서 발견된다. 진단을 위해서 자궁 내 또는 자궁외 평활근육종의 병력은 없어야 하며, 전형적인 양성 자궁근종이 이전에 존재했던 병력이 있어야 한다. 현미경 소견으로는 양성 평활근종이지만, 생물학적으로 악성 종양의 행태를 보인다. 폐로 전이된 양성 근종이 지속적으로 성장하여 호흡 부전을 유발하고 사망에 이르게 된 경우도 보고되어 있다.

4. 불확실한 악성 잠재평활근종양(smooth muscle tumor of uncertain malignant potential, STUMP)

1) 정의

불확실한 악성 잠재평활근종양(STUMP)은 WHO 분류에 따르면 평활근육종이나 양성 평활근종으로 진단하기에 모호한 종양으로 악성으로 진행할 가능성이 있을 수 있다고 정의하고 있다.

2) 현미경 소견

일반적으로 악성의 유무는 종양세포의 이형성 여부, 유사분열 개수, 종양 괴사의 종류 등에 따라 구분할 수 있다. STUMP에서 관찰되는 유사분열 개수는 양성 평활근종보다는 많고, 대부분의 평활근육종에서 관찰되는 개수보다 적다. 또한 괴사는 잘 관찰되지 않거나 관찰되더라도 평활근육종에서 관찰되는 종양 괴사와는 현미경 소견이 다르다. 종양세포의 이형성 역시 평활근육종에서 관찰되는 중등급 또는 고등

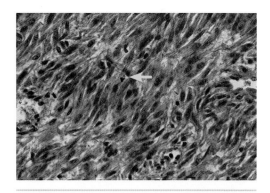

■ 그림 3-7 **불확실한 악성 잠재평활근종양(STUMP)의 현미경 소견** 종양세포들의 증식이 있으며, 미미하거나 일부 중등도의 세포 이형성과 유사분열 관찰됨(arrow)

급의 세포 이형성은 잘 관찰되지 않는다(그림 3-7).

3) 임상 양상

여러 연구 등에서 STUMP의 예후는 정확하게 예측할 수는 없지만, 재발이 비교적 낮아서 예후가 좋으며 대부분 임상적으로 추적관찰만을 권유한다. 최근 연구에서 자궁적출술 후 수년이 지나서 재발하는 경우에 동일한 STUMP 형태로 재발하거나 또는 드물게는 자궁근육종의 형태로 재발하기도 했다.

5. 평활근육종(Leiomyosarcoma)

1) 정의

WHO 분류에 따르면 현미경소견으로 방추형 또는 상피양 세포 또는 점액성 간질의 형태를 보이는 악성 평활근종양으로 정의하고 있다.

2) 역학

자궁평활근육종은 가장 흔한 자궁의 육종으로 모든 악성 자궁 종양의 1-2%를 차지하며 매년 10만 명 당 0.64명의 발생율을 보이고 있다. 대부분 50세 이상에서 발생한다.

3) 임상 소견

가장 흔한 증상은 비정상 자궁출혈이며, 만져지는 골반강의 종괴 또는 골반강 통증 등으로 평활근종과 유사한 증상을 나타낸다. 호르몬 대체요법을 받는 폐경기 여성에서 자궁종괴가 갑작스럽게 크기가 커진다면 악성 가능성을 의심해야 한다. 혈성 전이가 흔하며, 폐와 간으로 흔히 전이된다.

4) 육안 소견

평활근육종은 하나 또는 두 개 이상의 종괴로 대부분 평균 10cm 이상으로 크다. 종괴의 절단면은 전형적으로 부드럽거나 생선살 같이 보이고, 괴사나 출혈이 빈번하며, 흔히 불규칙적이며 침윤성 변연부를 보인다(그림 3-8).

5) 현미경 소견

평활근육종은 심한 세포 및 핵의 이형성과 현저하게 증가된 유사분열 개수 및 빈번한 종양괴사가 특징적으로 관찰된다. 또한 높은 세포밀도와 주변 자궁근층으로 침윤하기도 한다. 평활근육종을 진단하기 위해서는 다음과 같은 현미경 소견을 만족해야 한다. 첫 번째, 평활근육종을 진단하기 위해 비정형 유사분열은 핫스팟(hot spot)을 확인해서 10개의 고배율 시야에서 적어도 10개 이상이 관찰되어야 한다. 90%이상의 평활근육종에서 비정형 유사분열이 10개의 고배율 시야(×40)에서 15개 이상으로 관찰된다. 두 번째, 악성 평활근종양을 진단하기 위한 세포의 비정형은 평활근세포의 핵 및 세포질 모두에서 비정형 소견이 관찰되어야한다. 핵의 비정형은 핵의 과염색증(hyperchromasia), 핵의 비대, 다핵 및 핵의 모양 변형 등으로 설명할 수 있다(그림 3-9). 이런 비정형은 현미경의 저배율 시야(×10)에서 쉽게 관찰되어야 한다. 세 번째, 종양 세포 괴사는 양성 변성에 의한 괴사 또는 치료에 의한 괴사 등과 감별되어야 한다. 악성과 연관된 괴사는 주로 지도형 괴사(geographic necrosis)의 형태로 주변 조직과 경계가 뚜렷하며, 염증이나 재생 반응 등은 잘 관찰되지 않는 특징이 있다.

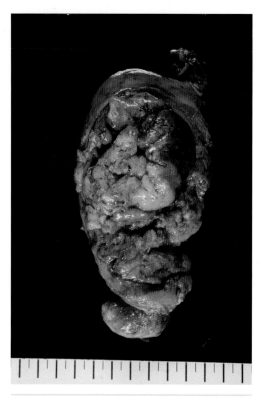

■ 그림 3-8 **평활근육종의 육안 소견** 자궁근층을 뚫고 자궁 밖으로 돌출되어 있는 담황색의 고형성 종괴가 관찰되며, 종괴 내부에 일부 출혈 및 괴사소견이 관찰됨

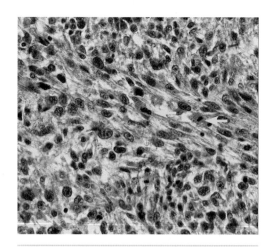

■ 그림 3-9 **평활근육종의 현미경 소견** 종양세포의 증식 및 심한 세포 이형성이 관찰되며, 빈번한 비정형 유사분열(화살표)이 관찰됨

| 자궁근종

■■■■ 참고문헌

1. Alam NA, Olpin S, Rowan A, et al. Missense Mutations in Fumarate Hydratase in Multiple Cutaneous and Uterine Leiomyomatosis and Renal Cell Cancer. J Mol Diagn 2005;7:437-43.

2. Amant F, Debiec-Rychter M, Schoenmakers EF, et al. Cumulative dosage effect of a RAD51L1/ HMGA2 fusion and RAD51L1 loss in a case of pseudo-Meigs' syndrome. Genes Chromosomes Cancer 2001;32:324-9.

3. Amant F, Moerman P, Vergote I. Report of an unusual problematic uterine smooth muscle neoplasm, emphasizing the prognostic importance of coagulative tumor cell necrosis. Int J Gynecol Cancer 2005;15:1210-2.

4. Atkins KA, Arronte N, Darus CJ, et al. The Use of p16 in enhancing the histologic classification of uterine smooth muscle tumors. Am J Surg Pathol 2008;32:98-102.

5. Baschinsky DY, Lsa A, Niemann TH, et al. Diffuse leiomyomatosis of the uterus: a case report with clonality analysis. Hum Pathol 2000;31:1429-32.

6. Bell SW, Kempson RL, Hendrickson MR. Problematic uterine smooth muscle neoplasms. A clinicopathologic study of 213 cases. Am J Surg Pathol 1994;18:535-58.

7. Brandon DD, Erickson TE, Keenan EJ, et al. Estrogen receptor gene expression in human uterine leiomyomata. J Clin Endocrinol Metab 1995;80:1876-81.

8. Chrapusta S, Konopka B, Paszko Z, et al. Immunoreactive and estrogen-binding estrogen receptors and progestin receptor levels in uterine leiomyomata and their parental myometrium. Eur J Gynaecol Oncol 1990;11:275-81.

9. D'Angelo E, Prat J. Uterine sarcomas: a review. Gynecol Oncol 2010;116:131-9.

10. D'Angelo E, Quade BJ, Prat J. Uterine smooth muscle tumors. In: Mutter GL, Prat J, eds. Pathology of the female reproductive tract. 3rd ed. Elsevier: Churchill and Livingstone; Chapter 19. 416-8.

11. Friedrich M, Villena-Heinsen C, Mink D, et al. Leiomyosarcomas of the female genital tract: a clinical and histopathological study. Eur J Gynaecol Oncol 1998;19:470-5.

12. Harlow BL, Weiss NS, Lofton S. The epidemiology of sarcomas of the uterus. J Natl Cancer Inst 1986;76:399-402.

13. Hug K, Doney KM, Tyler MJ, et al. Physical mapping of the uterine leiomyoma t(12;14)(q12-15;q24.1) breakpoint on chromosome 14 between SPTB and D14S77. Gene Chrom Cancer 1994;11:263-6.

14. Ip PP, Cheung AN, Clement PB. Uterine smooth muscle tumors of uncertain malignant potential (STUMP): a clinicopathologic analysis of 16 cases. Am J Surg Pathol 2009;33:992-1005.

15. Kayser K, Zink S, Schneider T, et al. Benign metastasizing leiomyoma of the uterus: documentation of clinical, immmunohistochemical and lectin-histochemical data of ten cases. Virchows Arch 2000;437:284-92.

16. Linder D, Gartler SM. Glucose-6-phosphate dehydrogenase mosaicism: utilization as a cell marker in the study of leiomyomas. Science 1965;150:67-9.

17. Mark J, Havel G, Grepp C, et al. Chromosomal patterns in human benign uterine leiomyomas. Cancer Cenet Cytogenet 1990;44:1-13.

18. Marugo M, Centonze M, Bernasconi D, et al. Estrogen and progesterone receptors in uterine leiomyomas. Acta Obstet Gynecol Scand 1989;68:731-5.

19. Maruo T, Ohara N, Wang J, et al. Sex steroidal regulation of uterine leiomyoma growth and apoptosis. Hum Reprod Update 2004;10:207-20.

20. Meloni AM, Surti U, Contento AM, et al. Uterine leiomyomas: cytogenetic and histologic profile. Obstet Gynecol 1992;80:209-17.

21. Mothes H, Heidet L, Arrondel C, et al. Alport syndrome associated with diffuse leiomyomatosis: COL4A5?COL4A6 deletion associated with a mild form of Alport nephropathy. Nephrol Dial Transplant 2002;17:70-4.

22. Oliva E, Carcangiu ML, Carinelli SG, et al. Mesenchymal tumours. In: Kurman RJ, Carcangiu ML, Herrington CS, Young,

RH, eds. World Health Organization Classification of Tumours of Female Reproductive Organs. Lyon: IARC Press 2014:138-9.

23. Oliva E, Carcangiu ML, Carinelli SG, et al. Mesenchymal tumours. In: Kurman RJ, Carcangiu ML, Herrington CS, Young, RH, eds. World Health Organization Classification of Tumours of Female Reproductive Organs. Lyon: IARC Press 2014:139-41.

24. Reed SD, Cushing-Haugen KL, Daling JR, et al. Postmenopausal estrogen and progestogen therapy and the risk of uterine leiomyomas. Menopause 2004:11:214-22.

25. Rein MS, Friedman AJ, Barbieri RL, et al. Cytogenetic abnormalities in uterine leiomyomata. Obstet Gynecol 1991:77:923-6.

26. Schoenmakers EF, Huysmans C, Ven WJ Van De. Allelic knockout of novel splice variants of human recombination repair gene RAD51B in t(12:14) uterine leiomyomas. Cancer Res 1999:59:19-23.

27. Scully, R.E., Bonfiglio, T.A., Kurman, R.J., et al. Histologic typing of female genital tract tumours. World Health Organization International Histological Classification of Tumours. 2nd ed. Berlin: Springer-Verlag; 1994.

28. Toro JR, Nickerson ML, Wei MH, et al. Mutations in the Fumarate Hydratase Gene Cause Hereditary Leiomyomatosis and Renal Cell Cancer in Families in North America. Am J Hum Genet 2003:73:95-106.

29. van de Ven J, Sprong M, Donker GH, et al. Levels of estrogen and progesterone receptors in the myometrium and leiomyoma tissue after suppression of estrogens with gonadotropin releasing hormone analogs. Gynecol Endocrinol 2001:15:61-8.

30. Vu K, Greenspan DL, Wu TC, et al. Cellular proliferation, estrogen receptor, progesterone receptor and bcl- 2 expression in GnRH agonist treated uterine leiomyomas. Hum Pathol 1998:29:359-63.

증상

Symptoms

CHAPTER

04

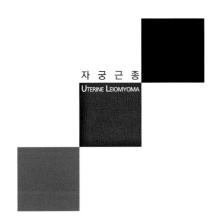

자 궁 근 종
UTERINE LEIOMYOMA

증상
Symptoms

| 이화의대 산부인과 이사라 |

1. 서론

자궁근종의 대표적인 증상으로는 월경과다와 골반통이 가장 흔하다고 보고되어 있으며 월경기간의 증가, 월경통, 성교통, 골반통 혹은 골반압박감, 허리통증, 피로감, 변비, 복부팽만감이나 설사 등도 흔한 증상이다. 자궁내강을 변형시키거나 점막하 근종의 경우 난임과 연관되나, 이 부분에 관해서는 제 5장에서 자세히 다루도록 하겠다.무증상인 경우도 약 30-50% 정도로 보고되는데 이러한 경우, 진단이 지연되는 경우가 많아 골반초음파 검사를 받지 않는 경우는 폐경이 될 때까지 진단되지 않았다가 타과 진료 중 영상검사에서 발견되는 경우도 상당수에서 있다. 월경과다가 있는 경우는 빈혈 및 만성피로감 등이 동반되는 경우가 흔하다. 크기가 매우 커진 채 발견되는 경우에는 복부 팽만과 호흡곤란을 주소로 내원하는 경우도 있다.

　자궁근종의 증상은 자궁 자체에 대한 영향으로 발생하는 증상과 근종이 방광이나 직장 등의 주변장기를 압박하면서 발생하는 증상으로 나누어 생각해 볼 수 있는데, 월경과다 및 월경통 등의 자궁자체에 대한 영향으로 발생하는 증상들은 경구피임약을 비롯한 다양한 호르몬제제를 사용하는 방법 혹은 진통제나 지혈제 등의 대증요법을 사용할 수 있겠지만, 근종이 주변장기를 압박해서 발생하는 빈뇨, 요정체, 변비 등의 증상은 근종의 크기를 감소시키는 약물, 시술적 방법이나 수술적 방법이 필요하다. 자궁근종과 관련된 증상은 시각상사척도(Visual Analogue Scale, VAS) 점수 또는 1) 출혈의 정도 2) 생리 전 통증 3) 생리통 4) 성교통 5) 허리 통증 6) 방광증상 7) 배 아래쪽에서 덩이가 느껴짐과 같은 증상 설문지 등을 통하여 확인할 수 있다.

　Parasitic leiomyoma의 경우는 장막하 자궁근종이 염전 등으로 인해 자궁에서 떨어져 주변에서 기생하면서 자라는 경우인데, 위치에 따라 매우 다양한 증상이 발생할 수 있다.

증상으로 자궁육종과 감별은 어렵지만, 대표적으로 가장 흔한 경우가 폐경기 근처 또는 이후 여성에서 골반통 및 비정상 질출혈 등의 증상과 함께 초음파에서 자궁근종처럼 보인 종양의 크기가 빠르게 증가하는 경우는 항상 자궁육종 가능성을 의심해야 한다.

2. 월경과다

월경과다는 자궁근종의 가장 대표적인 증상으로 월경 시 응고된 혈액덩어리들이 빠져나오는 증상도 많이 발생한다. 그런데 월경과다에 대한 개념이 적은 경우, 특히 미혼여성의 경우, 월경과다 및 월경통의 증상이 있어도 산부인과 검진을 받지 않아 자궁근종의 진단이 늦어지는 경우가 많다. 가임기 여성의 빈혈 중 대부분은 철결핍성 빈혈이고 이 경우 대부분이 월경과다로 인해 발생한 것임을 감안하면 더 많은 홍보를 통해, 빈혈이 있는 여성이 빈혈약만 수년 동안 복용하고 월경과다에 대한 치료를 받지 않아 근본치료가 되지 않고 치료의 지연이 발생하는 경우들을 감소시킬 수 있어야겠다.

자궁근종이 있는 경우 약 73%에서 가임기간 중 월경과다를 경험했고, 44.2%에서는 현재도 월경과다가 있다고 조사되었다. 56.4%의 여성이 월경과다를 매우 불편한 증상으로 느끼고 있었다.

자궁근종의 위치별로 보면, 점막하 근종의 경우 가장 심한 월경과다를 보이게 된다. 물론 자궁벽내형 근종의 경우라도(FIGO stage 4형), 근종이 커지면서 자궁내막쪽으로 들어오는 경우에는 심한 월경과다를 보일 수 있다.

근종과 연관된 월경과다의 증상을 감소시키고자 레보노르게스트렐 유리 자궁내 장치(levonorgestrel-releasing intrauterine system)를 사용하려는 경우엔 반드시 점막하 자궁근종 혹은 자궁내막쪽으로 침입한 자궁근종이 없는지를 확인한 후 시술하여야 하며, 만약 시술 후 추적검사 도중에 월경량 감소가 있다가 다시 월경량이 증가한 경우에는 자궁내장치의 탈출 혹은 이탈과 함께, 자궁근종이 자궁내강쪽으로 자라는 것을 확인해야 한다.

3. 월경통

월경통은 이차성 월경통의 양상, 즉 월경이 시작되기 전부터 통증이 발생하고 월경기간이 지난 후까지 지속되는 양상을 보이게 된다.

4. 골반통증

약 22%의 경우에서 복부통증, 월경기간이 아닌 시기의 골반통증, 성교통을 호소하여 월경과 관련된 증상뿐 아니라 통증도 환자들을 많이 괴롭게 하는 증상이라고 보고되었다.

　　장막하 근종의 경우 염전되는 경우, 자궁근종의 변성 등의 경우에 골반통증이 발생하게 된다.

5. 비정상 질출혈

비정상 질출혈은 특히 점막하근종(FIGO stage 0~3)일 때 주로 발생한다. 출혈의 정도는 근종이 얼마나 자궁내강을 침투했는지와 근종의 크기에 따라 다를 수 있다. 하지만 기전은 명확하지 않으나 자궁벽내형 근종도 비정상 질출혈을 일으킬 수 있다. 자궁의 혈관이상, 자궁내막의 지혈장애 또는 혈관형성인자의 장애가 영향을 미칠것으로 생각되어진다.

6. 비뇨기계 증상

특히 자궁 앞쪽에 발생한 자궁근종의 크기가 커지면서 방광을 압박하게 되면, 빈뇨 및 요정체가 발생할 수 있는데, 이런 경우에서의 빈뇨의 특징은 여성에서 빈도가 높은 과민성방광, 즉 빈뇨, 야간빈뇨, 절박뇨, 절박성요실금을 주소로 하는 경우와 차이가 있을 수 있는데, 방광의 과감각이 특징인 과민성방광에서 가장 중요한 증상인 절박뇨 및 절박성요실금의 증상은 흔치 않고 야간빈뇨도 흔치 않다. 즉 자궁이 방광을 압박하여 발생하는 증상이므로 빈뇨가 대부분 주간에만 발생하고 수면 시에는 방광을 압박하는 경우가 상대적으로 적으므로 야간빈뇨는 흔치 않게 된다.

7. 위장관계 증상

최근 보고에 따르면 자궁근종이 있는 경우의 약 60%에서 변비, 복부팽만감 그리고 설사의 증상이 있었다고 한다.

8. 그 외 다양한 증상

1) 배뇨통(dysuria)
자궁근종이 방광벽에 유착되어 있는 경우들이 있는데 이 경우 배뇨통이 발생할 수 있다.

2) 자궁감돈(uterine incarceration)
임신 중 발생하는 합병증으로, 대부분 제 1삼분기 이후, 후굴된 자궁의 크기가 커지면서 자궁이 골반강에 감금되는 상태가 되어 요정체, 골반통증 및 출혈, 조기진통 등이 발생하는 산과적 응급상황인데, 최근 50대 비임신 상태의 국내여성에서 후굴자궁에서 다발성 자궁근종으로 인해 자궁감돈이 발생하여 2년 반동안 원인불명의 요폐로 자가도뇨 상태로 있다가 전자궁적출술 직후 정상배뇨를 보이는 경우도 보고되었다. 이 경우는 자궁경부가 매우 위쪽 앞쪽으로 치우쳐져 있으며 내진 시 후굴된 자궁을 앞쪽으로 들어올리는 시도를 했을 때 정상배뇨가 가능한지 시도해볼 수 있다.

3) 감염증상
특히 크기가 큰 장막하 근종의 경우, 혈류감소 및 괴사로 인해 농자궁증이 보고되고 이는 MRI, PET-CT를 비롯한 다양한 정밀영상검사에서도 난소암으로 오인될 수 있는 경우들이다.

▬▬ 참고문헌

1. Fuldeore MJ, Soliman AM. Patient-reported prevalence and symptomatic burden of uterine fibroids among women in the United States: findings from a cross-sectional survey analysis. Int J Womens Health 2017;9:403-11.
2. Lasmar RB, Lasmar BP. The role of leiomyomas in the genesis of abnormal uterine bleeding (AUB). Best Pract Res Clin Obstet Gynaecol 2017;40:82-8.
3. Lippman SA, Warner M, Samuels S, et al. Uterine fibroids and gynecologic pain symptoms in a population-based study. Fertil Steril 2003;80:1488?94.
4. Ryan GL, Syrop CH, Van Voorhis BJ. Role, epidemiology, and natural history of benign uterine mass lesions. Clin Obstet Gynecol 2005;48:312?24.
5. Wegienka G, Baird DD, Hertz-Picciotto I, et al. Self-reported heavy bleeding associated with uterine leiomyomata. Obstet Gynecol 2003;101:431?7.
6. Zimmermann A, Bernuit D, Gerlinger C, et al. Prevalence, symptoms and management of uterine fibroids: an international internet-based survey of 21,746 women. BMC Womens Health 2012;12:6..

자궁근종과 불임

Uterine leiomyoma and Infertility

CHAPTER

05

자 궁 근 종
UTERINE LEIOMYOMA

자궁근종과 불임

Uterine leiomyoma and Infertility

| 고려의대 산부인과 박현태 |

1. 서론

자궁근종은 가임기 여성의 가장 흔한 양성 종양으로 통증이나 출혈 등의 증상을 초래하기도 하지만 무증상인 경우도 흔하다. 따라서 불임클리닉에서 자궁근종이 처음 발견되는 경우도 매우 흔하다. 자궁근종과 불임의 관련성은 우리의 생각처럼 그리 명확하지 않다. 최소한 근거 중심 의학에서는 아직도 자궁근종은 불임의 원인과는 큰 관계가 없으며 자궁근종 수술이 임신율을 향상시키는지는 명확하지 않다고 말하고 있다. 물론 근종이 완전히 나팔관을 막고 있거나 커다란 점막하근종이 있는 경우에는 근종이 미치는 영향과 치료 효과가 비교적 확실하다. 근거 중심 의학에서의 이러한 불명확성은 대부분 근종의 위치, 크기, 개수 등의 다양성을 구분하지 않거나 적절한 대조군의 부재 등과 같은 임상연구의 한계로 인한 것이다. 이번 장에서는 자궁근종이 불임의 원인이 될 수 있는지, 임신율을 향상시키기 위하여 자궁근종 치료를 권할 것인지, 치료를 한다면 어떤 치료를 할 것인지에 대하여 알아보기로 하자.

2. 자궁근종이 임신에 미치는 영향

자궁근종은 가임기 여성의 가장 흔한 양성종양으로 통증, 월경과다, 압박 증상 등을 일으킨다. 자궁근종이 생식력을 감소시키는지에 관하여는 논란이 되어 왔다. 불임여성에서 자궁근종의 유병률은 약 5-10%로 알려져 있다. 다른 불임의 원인을 제외하였을 때 자궁근종이 불임의 직접적인 원인이 될 가능성은 단지 1-2%에 해당된다고 한다. 자궁근종과 불임은 모두 나이라는 요소와 밀접한 관련이 있기 때문에 나이로 인한 생식력 저하가 자궁근종의 불임에 대한 영향을 더 크게 보이게 할 수 있다. 그러나 자궁근종을 진단하는 영상장비의 발전과 더불어 결혼 연령의 증가 등에 따라 이러한 유병율은 더 증가할 것으로 생각된다.

자궁근종이 여성의 생식력에 부정적인 영향을 미칠 수 있는 이유는 다음과 같이 설명되고 있다.

- 자궁경부를 이동시켜(displacement) 정자에 대한 노출을 감소시킨다.
- 자궁내강을 변형시켜 정자의 이동을 방해한다.
- 난관의 근위부를 막을 수 있다.
- 난관-난소부위(tubo-ovarian anatomy)를 변형시킨다.
- 자궁의 수축력을 변형시켜 정자나 배아의 이동을 방해한다.
- 자궁내막을 변형시켜 착상을 방해한다.
- 자궁내막의 혈류를 방해한다.
- 자궁내막의 염증 및 혈관수축인자(vasoactive substance)를 분비한다.

근종에 의해 자궁강의 모양이 변형되거나 정자나 배아의 이동경로가 방해받거나 막히는 경우 등 해부학적인 이상을 초래하는 경우 임신을 방해할 수 있다. 해부학적인 이상을 초래하지 않는 작은 근종의 경우에도 부정적인 영향을 줄 수 있는데 근종에서 분비되는 인자에 의해 착상에 필요한 자궁내막에 영향을 미칠 수 있다는 것이다. 또한 HOXA10, HOXA11같이 착상에 필수적인 유전자의 발현이 작은 근종이 있는 자궁내막의 경우에도 이상이 있다는 것이다. 그러나 이러한 설명은 대부분 단면적인 발현 양상을 살펴본 연구에 의한 것이고 개채수준에서 원인과 결과를 설명하기에는 부족한 면이 있다.

자궁근종이 임신을 방해한다는 의심은 합리적이나 실제로 얼마나 영향을 미치는지는 알기 어렵다. 그 이유는 일반 인구집단을 대상으로 한 전향적인 연구가 필요하지만 대부분의 연구가 불임여성을 대상으로 시행되었기 때문이다. 따라서 불임여성을 대상으로 시행된 연구결과를 일반 인구집단에 그대로 반영하는 것은 무리가 있다. 자궁근종이라 하더라도 크기, 개수, 위치에 따라 자궁강을 변형시키는 정도, 자궁내막을 침범하는 정도가 달라질 수 있다. 자궁강이나 자궁내막의 변형은 착상에 중요한 요인이라고 생각되기 때문에 단순히 근종의 유무와는 별개로 이러한 요소가 있는지 없는지가 중요하다. 따라서 연구결과를 볼 때 근종의 크기, 개수, 자궁강의 변형, 자궁내막의 침범 여부 등의 요소를 어떻게 반영하고 분석하였는지를 살펴볼 필요가 있다.

자궁근종이 생식력에 미치는 영향에 대한 최근 메타분석 결과를 보면 점막하 근종의 경우 60-70%의 임신율 감소를 보이고 유산도 약 2-3배 증가하는 것으로 생각된다. 근층내근종도 20-30%의 임신율감소를 보였고 유산도 약간 증가하는 것으로 보인다. 그러나 근층내근종의 경우 자궁내강의 변형이 있느냐 없느냐, 전향적인 연구만을 포함시키느냐에 따라 임신에 미치는 영향에 대하여 통계적인 유의성이 없어지기도 하여 점막하 근종만큼의 영향력은 없는 것으로 생각된다. 장막하 근종은 임신율과는 관련이 없다고 본다.

표 5-1 자궁근종과 임신율에 대한 메타분석결과

메타 분석	근층내근종 위험도(신뢰구간)	점막하 자궁근종 위험도 (신뢰구간)
Pritts et al. 2009 　Clinical pregnancy rate 　Miscarriage rate 　Live birth rate/ongoing pregnancy rate	0.810(0.969−0.941) 1.747(1.22 2.489) 0.703(0.583−0.848)	0.363(0.170−0.737) 1.678(1.373−2.051) 0.318(0.119−0.850)
Klastky et al 2008 　Clinical pregnancy rate 　Miscarriage rate	0.84(0.74−0.95) 1.34(1.04−1.65)	0.44(0.280−0.70) 3.85(1.12−13.27)
Somigliana et al. 2007 　Clinical pregnancy rate 　delivery rate on IVF	0.8(0.6−0.9) 0.7(0.5−0.8)	0.3(0.1−0.7) 0.3(0.1−0.8)

앞서 설명한대로 자궁강의 변형이 없거나 내막을 침범하지 않는 근층내근종의 경우 불임의 원인이 되는지는 여전히 논란의 여지가 있다. 체외수정주기를 이용한 연구가 중요한 단서를 제공할 수 있다. 즉 임신을 위한 여러 조건이 동일하고 자궁근종의 존재여부만 차이나는 두 군을 설정하여 체외수정주기 후 임신율을 비교하는 것이다. 이 경우에 불임의 기전은 주로 착상의 문제로 생각된다. 근종이 착상을 방해하는 기전은 자궁혈관, 자궁내막의 수용력, 배아의 이동 등에 문제를 일으킬 수 있다는 것이다.

6,087 회의 체외수정 주기를 분석한 연구에서는 약 21%의 임신율 감소를 보고한 반면 5cm 미만의 자궁근종을 가진 여성 119명을 분석한 전향적 연구에서는 차이가 없었다. 2017년 160명의 여성을 대상으로 나이, 사용한 약제, 용량, 이식된 배아의 수 등을 모두 일치시킨 전향적 연구결과가 나왔다. 이 연구는 대상자의 수는 아주 많지는 않았지만 자궁근종의 유무를 제외하고는 대부분의 요소에 차이가 없는 여성들 사이의 비교이기 때문에 편견(bias)을 많이 제거한 연구라고 볼 수 있다. 자궁근종이 있는 군에서 임신율은 위험도 0.62(0.41-0.94), 생아출생율(live birth rate)은 0.58(0.48-0.78)로 감소하였다. 특히 자궁근종이 2개 이상 크기가 3cm 이상에서 의미 있는 임신율 저하가 관찰되어 근층내근종의 경우에도 크기와 개수에 따라 임신을 저하시키는 것으로 보인다.

결론적으로 자궁근종은 위치, 크기, 개수에 따라 임신에 미치는 영향은 차이가 있는 것으로 보인다. 점막하 근종은 임신율을 저하시키며 장막하 근종은 영향이 없다. 근층내근종은 4-5cm 이상인 지, 여러 개인지, 자궁강의 모양을 변형시키는지에 따라 임신에 미치는 영향이 다양하다.

3. 자궁근종의 치료와 임신율

앞서 점막하 근종 및 근층내근종의 경우에 있어서 임신에 나쁜 영향을 미친다는 연구결과를 소개하였다. 더불어 연구결과 해석 시 주의할 점도 설명하였다. 그렇다면 임신율 향상을 위해 근종을 제거하는 것이 좋을까? 제거하는 것 외에 다른 치료는 없을까? 근종의 위치에 따라서 치료가 달라질까? 여기서는 근종에 의한 증상은 별개로 하고 근종의 제거가 임신율을 향상시킬 수 있는지에 대하여 초점을 두기로 한다.

근층내근종이 있는 불임여성을 임신율 향상을 위해 수술할 것인지에 대하여는 논란의 여지가 있다. 근층내근종이 불임의 원인이 된다는 연구 결과가 이를 수술로 제거하는 것이 임신율 향상에 꼭 기여한다고 볼 수는 없다. 근종 수술자체가 새로운 유착의 형성이나 착상을 방해하는 요소가 될 수도 있기 때문이다. 메타분석결과에서도 근층내근종의 절제술은 임신율이나 유산율 등에 유의한 향상을 보이지 않았으나 점막하 근종의 근종절제술은 약 2배의 임신율 향상에 기여하는 것으로 나타났다. 그도 그럴 것이 점막하 근종이 근층내근종보다 임신에 더 큰 영향을 미치기 때문에 치료를 하면 좀 더 확실한 임신율의 향상을 보는 것은 당연하다고 볼 수 있다. 불임 여성에서 자궁근종의 치료는 나이, 난소의 기능, 산과력, 불임 기간, 다른 불임 요소와 자궁근종의 위치와 크기, 수, 치료가 요구되는지 등을 고려하여 개별화하여야 한다. 증상이 있거나 악성이 의심되는 경우에는 수술이 적응증이 되나 증상이 없는 불임여성의 경우 수술에 대한 결정이 어려울 수 있는데 미국생식의학회의 권고안을 살펴보면 다음과 같은 경우에 생식력 향상을 위한 수술의 적응증이 된다고 하였다.

- 점막하 근종의 경우 자궁경하 근종절제술을 시행한다.
- 근층내근종의 경우 여러 차례의 보조생식술에 실패한 경우 근종절제술을 고려한다.
- 약물치료는 생식력향상에 도움이 되지 않는다.
- 자궁동맥색전술, 자궁근종용해술, MRI-유도하 초음파치료는 향후 임신을 원하는 여성에서는 권고되지 않는다.

일반적으로 점막하 자궁 근종은 자궁경을 이용한 절제술을 시행하며 크기가 클 경우에는 GnRH 작용제(agonist)를 수술 전 사용하여 출혈 및 근종의 크기를 줄일 수도 있다. 근층내근종의 경우 복강경하 근종 절제술은 전통적인 복식 접근 방법보다 입원기간, 출혈, 통증에는 장점이 있으나 임신율을 더 향상시키는지에 대하여는 불확실하다. 무엇보다도 근종 절제술로 인한 합병증, 부속기 유착에 의한 불임의 원인제공, 향후 분만을 위한 제왕절개술 등도 고려해야 할 대상이기 때문에 환자와의 충분한 상담 후에 수술을 결정해야 한다.

1) 수술적 치료 후 임신

자궁근종수술이 임신율을 향상시킬 수 있다는 연구도 있지만 2012년 메타분석에 의하면 자궁근종절제는 근종의 위치에 관계없이 임신이나 유산에 유의한 영향을 미치지 못하였다. 그러나 중요한 사실은 근종절제술이 임신율을 향상시키거나 유산율을 낮출 수 있는지에 대한 무작위 대조 임상연구가 거의 없다는 것이었다. 그도 그럴 것이 자궁근종과 난임이 있는 여성을 대상으로 수술을 무작위로 설정하는 것이 현실적으로 매우 힘들기 때문이다. 따라서 우리가 참고할 수 있는 것은 대부분 선택의 편견이 들어가 있는 자료이다.

점막하 근종의 수술 후 체외수정주기에서 임신율을 살펴보면 자궁근종 절제술을 시행한 여성과 시행하지 않은 여성을 비교했을 때 수술을 시행한 여성에서 임신율이 높았다. 또한 자궁근종이 없는 불임여성과의 비교에서 임신율에 큰 차이가 없었다. 이것은 점막하 근종을 수술하면 근종이 없는 여성과 동등하게 임신에 효과적이었다는 것을 보여준다.

근층내근종의 수술결과를 살펴보면 수술을 하지 않은 군과의 비교에서 유의한 차이가 없었다.

2) 비수술적 치료 후 임신

현재 임신을 희망하는 여성에게 권할 수 있는 비수술적 자궁근종 치료는 없다. 자궁동맥색전술은 근종에 의한 증상이 있으면서 자궁보존을 희망하는 여성에게 주로 사용되고 있다. 향후 임신할 계획이 있는 여성에게 색전술을 시행할 수 있는지에 대하여 논란이 되고 있는데 결론적으로 대부분의 학회에서는 향후 임신을 원하는 여성에게는 자궁동맥색전술은 금기로 하고 있다. 4cm 이상의 근층 자궁근종이 있고 향후 임신을 원하는 121명의 여성을 대상으로 색전술과 근종절제술을 비교한 무작위 대조군 연구에서 임신율과 유산율 모두 근종절제술이 유리하였다. 자궁동맥색전술 후 유산, 조기분만, 태아성장지연, 산후 출혈 증가를 우려하는 목소리도 있다. 자궁동맥색전술 후 임신한 증례에 대한 분석에서 안전한 출산을 보고한 사례도 많이 있으나 향후 임신을 원하는 여성에서 색전술을 권할 만큼의 근거는 아직 부족하다.

최근 고강도 초음파집속술(high intensity focused ultrasound)에 대한 관심이 증가하고 있다. 2017년 영국 산부인과학회지에 보고된 바에 의하면 중국 내 20개의 병원에서 2,411명의 자궁근종 환자의 치료로 고강도 초음파집속술과 수술적 치료를 비교한 결과 초음파집속술이 부작용은 적으면서 삶의 질의 더 빠르게 향상되었다. 그러나 이번 연구결과에서도 임신을 희망하는 여성은 제외 되었다. 다시 말해 향후 임신을 원하는 여성에서의 안전성은 검증되지 않았다. 2015년 미국 FDA에서 가임력 유지를 원하는 경우에도 고강도 초음파 집속술시행을 고려할 수 있다고 발표하였다. 이는 엄밀히 말하면 INSIGHTEC사의 MRI를 이용한 시스템인 차세대 Exablate라는 제품에 제한된 결정을 말한다. 이 같은 결정은 시술 후 계획하지 않은 임신을 한 118명의 임상 결과에 근거한 것이다. 그러나 고강도 초음파 집속술(HIFU) 시술 후 임신하였을 때 자궁파열 및 신생아가 사망한 경우가 보고된 적이 있고 이러한 사실을 근거로 대한산부인과학회에서는 2016년 향후 임신을 원하는 여성에게 이 시술은 상대적인 금기로 가이드라인을 발표한 바가 있다.

최근 선택적 프로게스테론 수용체 조절제(selective progesterone receptor modulator)가 자궁근종의 약물치료로 사용되고 있다. 자궁근종으로 인한 출혈의 감소와 근종의 크기를 줄여주는 효과를 보고하고 있다. 사용 후 임신한 사례를 분석한 연구결과에서 긍정적인 결과를 보여주고 있으나 아직까지 향후 임신을 희망하는 여성에 대한 안전성 및 효과를 연구한 결과는 없다.

4. 결론

자궁근종은 가임기 여성의 가장 흔한 양성 종양의 하나로 불임여성에서 검사 중 우연히 발견되는 경우가 많다. 자궁근종이 불임의 유일한 원일일 가능성은 낮지만 임신을 위해서 근종을 치료해야 하는지가 항상 논란의 대상이다. 또한 불임과 별도로 향후 임신을 원하는 경우에도 치료를 하는 것이 좋은지 언제 하는 것이 좋은지 등은 흔하게 직면하는 문제들이다. 이러한 문제들을 해결해줄 만한 임상연구가 부족하고 특히 근층내근종을 치료하는 것이 임신 및 출산에 긍정적인지에 대한 지침은 매우 부족하다. 따라서 수술에 앞서 우선 불임의 다른 요소가 있는지, 자궁근종이 임신에 영향을 미치고 있는지, 근종절제로 임신율이 향상될 수 있는지 면밀히 따져본 후 치료하여야 한다. 여기에는 임상의의 경험 및 숙련도가 중요한 요소가 된다. 근종절제술로 인하여 복강 및 자궁내막의 유착, 감염, 장기손상, 수혈 등의 합병증이 생길 수도 있고 임신 중 자궁파열 및 제왕절개로 인한 합병증도 고려하여야 한다.

점막하 자궁근종의 경우 자궁경을 이용한 근종절제는 임신율 향상에 도움이 될 가능성이 높다. 따라서 이러한 경우에는 적극적으로 수술을 권하는 것이 좋다. 근층내근종의 경우 자궁강 및 자궁내막을 변형시키는지에 대한 평가가 이루어져야 하며 그렇지 않을 경우는 크기 및 개수 등을 평가한 뒤 좀 더 신중히 치료를 결정해야 할 것이다. 장막하 근종의 경우 불임과 연관되어 수술적 치료를 시행하는 경우는 매우 드물다. 불임이 아닌 향후 임신을 원하는 경우에 단지 가임력 향상을 위해 수술하는 것은 매우 신중히 결정하여야 한다. 마지막으로 자궁동맥 색전술이나 고강도 초음파 집속술 등의 비수술적 치료를 불임 환자나 향후 임신을 원하는 여성에게 사용하는 것은 안전성이나 예후가 확실히 보장된 방법이 아니므로 일부의 증례나 본인의 경험을 확대하여 환자에게 적용하는 것은 삼가야 한나.

참고문헌

1. Alborzi S, Ghannadan E, Alborzi S, et al. A comparison of combined laparoscopic uterine artery ligation and myomectomy versus laparoscopic myomectomy in treatment of symptomatic myoma. Fertil Steril 2009;92:742?7.

2. American College of Obstetricians and Gynecologists. ACOG practice bulletin:alternatives to hysterectomy in the management of leiomyomas. Obstet Gynecol 2008;112:387?400.

3. Bagaria M, Suneja A, Vaid NB, et al. Low?dose mifepristone in treatment of uterine leiomyoma: a randomised double?blind placebo?controlled clinical trial. Aust N Z J Obstet Gynaecol 2009;49:77?83.

4. Barlow DH, Lumsden MA, Fauser BC, et al. Individualized vaginal bleeding experience of women with uterine fibroids in the PEARL I randomized controlled trial comparing the effects of ulipristal acetate or placebo. Hum Reprod 2014;29:480?9.

5. Bestel E, Donnez J. The potential of selective progesterone receptor modulators for the treatment of uterine fibroids. Expert Rev Endocrinol Metab 2014;9:79?92.

6. Bettocchi S, Nappi L, Ceci O, et al. What does 'diagnostic hysteroscopy' mean today? The role of the new techniques. Curr Opin Obstet Gynecol 2003;15:303?8.

7. Bulun S. Uterine Fibroids. N Engl J Med 2013; 369:14.

8. Carr BR, Marshburn PB, Weatherall PT, et al. An evaluation of the effect of gonadotropin-releasing hormone analogs and medroxyprogesterone acetate on uterine leiomyomata volume by magnetic resonance imaging: a prospective, randomized, double blind, placebo-controlled, crossover trial. J Clin Endocrinol Metab 1993;76:1217-23.

9. Casadio P, Youssef AM, Spagnolo E, et al. Should the myometrial free margin still be considered a limiting factor for hysteroscopic resection of submucous fibroids? A possible answer to an old question. Fertil Steril 2011;95:1764-8.

10. Casini ML, Rossi F, Agostini R, et al. Effects of the position of fibroids on fertility. Gynecol Endocrinol 2006;22:106-9.

11. Chabbert-Buffet N, Pintiaux A, Bouchard P. The immninent dawn of SPRMs in obstetrics and gynecology. Mol Cell Endocrinol 2012;02:21.

12. Ciarmela P, Bloise E, Gray PC, et al. Activin-A and myostatin response and steroid regulation in human myometrium: disruption of their signalling in uterine fibroid. J Clin En docrinol Metab. 2011a;96:755-65.

13. Ciarmela P, Islam MS, Reis FM, et al. Growth factors and myometrium: biological effects in uterine fibroid and possible clinical implications. Hum Reprod Update 2011b;17:772-90.

14. Courtoy G, Donnez J, Marbaix E, et al. In vivo mechanisms of uterine myoma volume reduction with ulipristal acetate treatment Fertil Steril 2015;104:426-34.

15. Donnez J, Squifflet J, Polet R, et al. Laparoscopic myolysis. Hum Reprod Update 2000;6:609-13.

16. Donnez J, Tatarchuk TF, Bouchard P, et al. Ulipristal acetate versus placebo for fibroid treatment before surgery. N Engl j Med 2012a;366:409-20.

17. Dubuisson JB, Fauconnier A, Babaki-Fard K, et al. Laparoscopic myomectomy: a current view. Hum Reprod Update 2000;6:588-94.

18. Eggert SL, Huyck KL, Somasundaram P, et al. Genome-wide linkage and association analyses implicate FASN in predisposition

to uterine leiomyomata. Am J Hum Genet 2012;91:621-8.

19. Eltoukhi HM, Modi MN, Weston M, et al. The health disparities of uterine fibroid tumors for African American women: a public health issue. Am J Obstet Gynecol 2014;210:194-8.

20. Engman M, Granberg S, Williams AR, et al. Mifepristone for treatment of uterine leiomyoma. A prospective randomized placebo controlled trial. Hum Reprod 2009;24:1870-9.

21. Engman M, Skoog L, Soderqvist G, et al. The effect of mifepristone on breast cell proliferation in premenopausal women evaluated through fine needle aspiration cytology. Hum. Reprod 2008;23:2072-9.

22. Fischer K, McDannold NJ, Tempany CM, et al. Potential of minimally invasive procedures in the treatment of uterine fibroids: a focus on magnetic resonance-guided focused ultrasound therapy. Int J Womens Health 2015;7:901-12.

23. Galliano D, Bellver J, Dias-Garcia C, et al. ART and uterine pathology: how revelant is the maternal side for implantation? Hum Reprod Update 2015;21:13-38.

24. Gupta S, Jose J, Manyonda I. Clinical presentation of fibroids. Best Pract Res Clin Obstet Gynaecol 2008;22:615-26.

25. Gutmann JN, Corson SL. GnRH agonist therapy before myomectomy or hysterectomy. J Minim Invasive Gynecol 2005;12:529-37.

26. Pritts EA. Fibroids and infertility: a systematic review of the evidence. Obstet Gynecol Surv 2001;56:483-91.

27. Rabinovici J, David M, Fukunishi H, et al. Pregnancy outcome after magnetic resonance-guided focused ultrasound surgery (MRgFUS) for conservative treatment of uterine fibroids. Fertil Steril 2010;93:199.

28. Sankaran S, Manyonda IT. Medical management of fibroids. Best Pract Res Clin obstet Gynaecol 2008;22:655-76.

29. Saravelos SH, Yan J, Rehmani H, et al. The prevalence and impact of fibroids and their treatment on the outcome of pregnancy in women with recurrent miscarriage. Hum Reprod 2011;26:3274.

30. Segars JH, Parrott EC, Nagel JD, et al. Proceedings from the third National Institutes of Health International Congress on advances in uterine leiomyoma research: comprehensive review, conference summary and future recommendations. Hum Reprod Update 2014;20:309-33.

31. Siedhoff MT, Wheeler SB, Rutstein SE, et al. Laparoscopic hysterectomy with morcellation vs abdominal hysterectomy for presumed fibroid tumors in premenopausal women: a decision analysis. Am J Obstet Gynecol 2015;212:591.

32. Spitz IM. Clinical utility of progesterone receptor modulators and their effect on the endometrium. Curr Opin Obstet Gynecol 2009;21:318-24.

자궁근종과 임신

Uterine leiomyoma and Pregnancy

자 궁 근 종
UTERINE LEIOMYOMA

CHAPTER

06

자 궁 근 종
Uterine Leiomyoma

자궁근종과 임신

Uterine leiomyoma and Pregnancy

| 순천향의대 산부인과 이정재 |

1. 서론

자궁근종은 가임기 여성에서 가장 흔한 자궁의 양성종양이다. 자궁근종과 임신과의 관계는 첫 번째로 근종이 임신에 미치는 영향을 생각할 수 있다. 근종이 불임 또는 난임, 유산을 초래하여 임신을 어렵게 할 수 있으며. 임신 중에는 여러 가지 합병증을 유발할 수 있다. 임신 전에 자궁근종이 발견되었거나 근종이 임신을 방해하는 경우 치료방법으로 어떤 것이 적합한지 고민해보아야 한다. 임신 중에 자궁근종으로 인하여 발생할 수 있는 합병증을 예측하거나 이에 적절하게 대처하는 것도 임신 결과를 좋게 만드는 데 중요하다. 자궁근종이 있을 때 출산 방법을 어떻게 할 것인지, 만일 제왕절개수술을 할 때 근종절제술을 같이 하는 것이 좋은지, 출산 중에 동반될 수 있는 합병증은 무엇인지 알아본다. 두 번째는 임신이 자궁근종에 미치는 영향이다. 임신 중 자궁근종의 크기는 어떻게 변할 것인지 알아본다. 세 번째로는 근종절제술 병력이 있는 여성의 임신에 대해 문헌고찰과 함께 알아보고 적절한 처치에 대해 언급한다. 근종과 불임과의 관계는 다른 단원에서 언급한다.

1) 임신 중 자궁근종의 유병율

임신 중에 자궁근종을 갖고 있는 빈도는 1.6-18%이며, 이는 임신 중 자궁근종 진단시기, 자궁근종 진단 기준, 그리고 임신부의 나이에 따라 다르다. 임신 제 1삼분기 4,217명을 초음파검사 하였을 때 자궁근종을 동반한 경우가 10.7% 이었다. 35세 이상인 경우 비임신 여성의 40-60%에서 자궁근종을 갖고 있다. 임신 중 자궁근종을 갖고 있을 확률은 임신부의 나이와 비례하여 증가한다.

2) 임신과 자궁근종의 크기 변화

임신을 하게 되면 에스트로겐, 프로게스테론 호르몬이 증가하게 되고, 자궁동맥의 혈액량이 증가하여 자궁근종이 커질 것으로 추정한다. 그동안 발표된 논문을 검토해보면 임신 중 자궁근종 크기변화는 거의 없다. 근종의 50-60%는 크기 변화가 없고, 22-32%에서는 크기가 증가하였으며, 8-27%에서는 크기가 감소하였다.

예를 들면 Strolet 등은 직경이 5cm를 초과하는 경우 임신 중 근종 크기가 증가할 가능성이 많고, 이때 크기(부피) 증가 평균은 12%이며 부피가 25% 이상 증가하는 경우는 드물다. 5cm 이하에서는 근종 크기 변화가 없거나 줄어든다고 하였다. 다른 논문에서는 임신 제 1삼분기에는 근종 크기가 증가하나 제 2삼분기 이후에는 크기 변화가 없다고 하였다.

임신 제일삼분기에 발견한 자궁근종을 출산 3-6개월 후 검사하였을 때 90%에서는 그 크기가 감소하고, 10%에서만 그 크기가 증가하였다. 모유수유는 자궁근종 크기 변화와 관계가 없다. 출산 후 프로게스테론 단일피임제를 사용하는 경우 근종 크기 감소가 다른 산모에 비해 적었다.

2. 임신 중 자궁근종으로 인한 증상

자궁근종은 임신 중 대부분 증상을 유발하지 않는다. 나타날 수 있는 증상은 통증, 골반압박감, 또는 질출혈이며 10%에서 이러한 증상을 경험한다. 임신 중 자궁근종이 있는 경우 다른 증상 없이 통증만 나타나는 경우가 가장 흔하다. 이는 근종의 크기가 5cm를 초과하는 경우에 더 자주 볼 수 있다. 이러한 통증이 있는 경우 열, 오심, 구토가 같이 나타날 수 있으며, 백혈구 증가도 있을 수 있다. 통증은 임신 제 1삼분기 후반에서 제 2삼분기 초반에 잘 나타나며, 자궁근종 크기가 갑자기 증가하면서 변성이 동반될 때 흔히 볼 수 있다. 통증이 임신자궁이 빠르게 커지면서 자궁근종 혈관이 막히거나 근종의 위치가 변화하거나 염전이 일어날 때도 나타날 수 있다.

3. 임신 중 자궁근종으로 인한 합병증

자궁근종이 임신과 그 예후에 영향을 미칠 것으로 많은 사람들이 생각하고 있으나 대부분의 자궁근종은 임신 중 합병증을 일으키지 않는다. 임신 중 자궁근종의 합병증에 대한 많은 논문이 있으나 임신시기, 근종의 위치와 크기, 개수, 그리고 정확하게 설계된 연구가 적어 논문의 신뢰도가 떨어진다. 논문에서 열거한 임신 중 자궁근종이 유발할 수 있는 합병증으로는 통증을 동반한 이차변성이 가장

자궁근종

흔하며, 유산, 조기진통과 조산, 비정상 태아위치와 태반조기박리 등이 있을 수 있으나 빈도는 낮다. 이에 대한 논문 검토 결과를 요약하여 설명하면 다음과 같다.

1) 이차변성 또는 염전(꼬임)

자궁근종이 빠르게 자라면서 근종에 혈액공급이 부족하여 괴사가 일어나게 되며, 이러한 경우 근종 내부를 실제로 관찰하였을 때 붉은 색을 띄고 있어 적색변성(red degeneration)이라 한다. 적색변성 이 발생하면 프로스타글란딘 분비를 증가시켜 통증 또는 자궁수축을 유발할 수 있다. 유경근종(pe-dunculated myoma)은 염전이 간혹 일어날 수 있고, 이로 인해 통증을 유발할 수 있으나 그러한 경우 는 매우 드물다.

2) 유산

자궁근종이 임신 초기에 영향을 미치는지에 대해서는 아직도 논란이 많다. 하지만 일반적으로 점막 하자궁근종(submucosal moma)은 수정란의 착상, 태반형성에 부정적인 영향을 미치는 것으로 추정 한다. 이에 대한 병리학적 기전은 정확하지 않으나 점막하근종이 자궁내막 또는 탈락막을 압박하면 서 그 곳의 작은 혈관의 모양을 변화시킨다. 변화한 혈관들은 혈액순환을 방해하여 착상 또는 태반 형성을 어렵게 할 수 있을 것으로 추정한다. 또한 빠르게 자라는 근종은 자궁의 수축력을 증가시키 고, 태반에서 촉매효소 생산을 증가시켜 갑작스런 유산을 유발한다고 추정된다.

자궁근종이 있는 임신부의 유산확률은 근종이 없는 임신부의 2배 정도이다. 유산의 빈도는 점막 하근종의 크기보다는 개수와 연관이 있다. 근종 개수가 많으면 유산의 확률이 증가한다.

근층내근종(intramural myoma)의 유산에 대한 영향에 대해서는 논란이 많으며, 장막하근종(sub-serosal myoma) 또는 유경근종은 임신 초기에 유산에 영향을 미치지 않는다.

3) 조기양막파열, 조기진통 또는 조산

자궁근종이 임신 유지에 미치는 영향도 저자 또는 연구자에 따라 차이가 있다. 자궁근종이 있는 경 우 조기진통의 위험성은 1.9배, 조산의 위험성은 1.5배 증가한다. 특히 자궁근종이 여러 개 있거나 태반이 근종 가까이 또는 근종 위에 위치한 경우, 근종의 크기가 5cm가 넘는 경우 조기진통의 위험 성은 증가한다. 그러나 다른 논문에서는 근종이 조기진통의 위험성을 증가시키지 않으며, 근종이 있는 경우 초음파로 자궁경관 길이를 반드시 측정해야 하는 것도 아니라고 하였다 . 자궁근종이 있 는 임신부의 산전진찰 시에는 항상 조기진통의 위험성 여부를 확인하기 위하여 임신부에게 통증 등의 증상이 발생하였는지 주의 깊게 문진을 하여야 하며, 필요한 경우 자궁경관의 길이와 모양을 초음파로 관찰하는 것이 바람직하다.

자궁근종이 조기진통 또는 조산을 일으키는 기전은 명확하지 않다. 근종이 있는 경우 임신 기간 중 자궁의 팽창이 덜 일어나게 되다가 어느 임계점에 도달하면 자궁수축이 발생한다는 가설과 자궁근종이 있는 자궁에서는 옥시토시나아제(oxytocinase)의 활동이 감소하여 근종 부위에 옥시토신 농도가 증가하고 이로 인해 조기진통과 자궁경관의 변화가 일어난다는 가설이 있다.

임신 중 자궁근종이 있는 경우 조기양막파열 위험성도 관련이 있을 것으로 생각할 수 있지만 이에 대한 근거는 부족하며, 논문 저자들 사이에도 주장이 서로 다르다. Parazzini 등은 표 1과 같이 여러 논문을 취합하여 정리하였다.

표 6-1 자궁근종과 임신 예후

저자, 연도	연구방법	국가	환자수	유산율/100 임신	태아위치이상	전치태반	조산
Klatsky et al., 2008	Systematic review	Several countries		Intramural 15.3–22.4% Submucous 46.7%	Women with fibroids 13.0% (466/3585), control 4.5% (5864/130,932), p=0.001 OR: 2.9 (2.6–3.2)		16%
Chen et al., 2009	Analysis of population-based database	China	5627				preterm births (10.98 with fibroids vs. 7.78% withor fibroids, P<0.001)
Stout et al., 2010	Retrospective cohort study	USA	2058		Breech presentation (5.3% compared with 3.1%, adjusted odds ration (OR) 1.5, 95% confidence interval (CI) 1.3–1.9).	1.4% compared with 0.5%, adjusted OR 2.2, 95% CI 1.5–3.2	preterm birth <37 weeks 15.1% (compared with 10.5%, adjusted OR 1.5, 95% CI 1.3–1.8), and <34 weeks (3.9% compared with 2.8%, adjusted OR 1.4, 95% CI 1.0–1.8),
Shavel et al., 2012	Retrospective cohort study	USA	95				Compared to women with no fibroids or small fibroids (≤5 cm women with large fibroids (>5 cm) delivered at a significantly earlier gestational age (38.6 vs. 38.4 vs. 36.5 weeks).
Lai et al., 2012	Retrospective cohort study	USA	401				the presence of leiomyomata was associated with statistically significant increased risks of preterm delivery at <34 weeks (adjusted odds ration (AOR) 1.7, 95% confidence interval (CI) 1.1–2.6), <32 weeks (AOR 1.9, 95% CI 1.2–3.2), and <28 weeks (AOR 2.0 95% CI 1.1–3.8))

Navid							10%
Stout et al., 2013	Retrospective cohort study	USA	59 twin pregna-nies				Twiin pregnancies with fibroids were no more likely to have preterm delivery <34 weeks (25.0% vs. 24.0%, aOR 1.0, 95%CI 0.5-1.9) than twin pregnancies without fibroids
Borja de Mozota et al., 2014	Retrospective	Guada-lupe	66 preg-nancies	25.8% miscar-riage.			
Ciavattini et al., 2015	Retrospective cohort study	Italy	2014		Compared to women with no fibroids, women with multiple fibroids: breech presen-tation (11.8% vs. 2.7%, p=0.04)		Compared to women with no fibroids women with multiple fibroids had a significantly higher rate of preterm birth (29.4% vs. 5%, P<0.001 Women with large fibroids: 16.7%

4) 태아위치이상

자궁근종이 있는 경우 태아의 위치 이상 확률은 1.5배 증가한다. 태아의 위치이상은 다태아임신, 근종의 크기가 10 cm 초과, 점막하근종 또는 근종이 자궁의 하절부에 위치한 경우에 태아위치이상의 가능성이 특히 높다.

5) 태아기형

자궁근종으로 인한 자궁 내 공간부족으로 태아에게 기형이 발생할 수 있을 것으로 예측할 수 있으나 이러한 경우는 매우 드물어 증례보고만 있다. 증례보고에는 점막하근종이 큰 경우 사지축소결손(limb reduction defects), 선천성사경(congenital torticollis), 그리고 머리기형을 보고하였다.

6) 태아발육장애

자궁근종이 태아의 발육에 영향을 주는가에 대한 의문도 아직 명확하지 않다. 다만 점막하근종이 매우 큰 경우(부피 > 200mL) 또는 태반 아래에 근종이 있는 경우는 태아발육에 영향을 줄 수 있다는 보고가 있다.

7) 태아사망(Fetal demise)

자궁근종과 자궁 내 태아사망과는 관계가 없다. 한 논문에서만 다발성자궁근종이 있는 경우 전자간증과 관련이 있다고 설명하였다. 그 배경은 다발성자궁근종이 영양막침습(trophoblast invasion)을 방해하여 자궁태반혈관형성에 문제가 생겨 전자간증의 발생이 증가한다고 하였다.

8) 전치태반

자궁근종과 전치태반과의 관계를 분석한 논문에서는 근종이 있는 경우 전치태반 가능성이 약 2-3배 증가한다. 그러나 전치태반의 원인이 다양하여 이를 충분히 고려하여 분석한 논문은 많지 않아 전치태반과 자궁근종이 연관있다고 결론 내릴 수 없다.

9) 태반조기박리

임신 중 근종으로 인해 분만 전 출혈 또는 조기박리의 위험성이 3배 정도 증가한다. 특히 태반이 근종 위에 위치하면서 근종의 직경이 7-8cm 이상으로 큰 경우 또는 점막하근종이면서 태반이 그 위에 있는 경우 조기박리 위험성의 가능성이 높다. 근종이 태반 위에 있을 때 태반조기박리의 가능성이 증가하는 이유는 근종으로 인한 태반의 혈류교환 방해로 추정하고 있다.

10) 전자간증(Pre-eclampsia)

자궁근종은 전자간증과 연관이 없다.

11) 분만진통장애

언뜻 생각하면 자궁근종을 동반한 분만진통에서 자궁근종으로 인하여 자궁수축이 정상적으로 수축과 반복을 하기 어렵거나 자궁근육의 수축이 한 방향으로 잘 이루어질 것 같지 않다. 그러나 이에 대한 객관적인 근거를 갖고 있는 논문은 없다. 자궁근종으로 인한 분만진통장애가 있다고 추정하는 논문이 많으며 과수축(10분에 5회 이상의 수축)이 더 높은 빈도로 발생한다는 보고도 있으나 분만진통과 관계가 없다고 결론을 내린 논문도 있다. 그러므로 자궁근종이 분만진통장애를 유발할 가능성을 미리 예견하는 것은 옳지 않다.

12) 제왕절개수술

임신 중 자궁근종을 갖고 있는 경우, 특히 근종이 자궁하절부에 있는 경우 제왕절개수술율이 증가한다(OR 3.7;95%CI,3.5-3.9). 그 외에 자궁근종으로 인한 태아위치이상, 물리적인 신도 폐쇄, 분만진통장애, 태반조기박리 등이 연관이 있다. 그러나 이와 관련된 논문들을 검토하였을 때 환자 선별 등에 편차가 많이 있어 근종으로 인해 제왕절개수술 가능성이 증가한다고 명확하게 밝힌 논문은 없다.

13) 산후출혈(Postpartum hemorrhage)

여러 논문에서 자궁근종이 3cm를 초과하거나, 태반 아래에 근종이 있거나, 제왕절개수술을 한 경우 산후출혈이 증가한다고 하였다. 그러나 이와 반대로 Roberts 등은 임신 중 자궁근종이 산후출혈을 증가시키지 않는다고 하였다.

14) 기타 합병증

자궁근종이 임신 중에 파종혈관내응고(disseminated intravscular coagulation), 심부정맥혈전증(deep vein thrombosis), 혈복강(hemoperitoneum), 요로폐쇄(urinary tract obstruction) 또는 이로 인한 신부전, 자궁내번증(uterine inversion), 자궁꼬임(uterine incarceration), 농근종(pyomyoma) 등이 보고되었으나 매우 드물다.

임신 중 자궁근종으로 인한 합병증에 대하여는 저자마다 조금씩 다른 의견을 보이고 있다. Ezzedine 등은 Klatsky 등의 논문을 요약하여 임신 중 발생 가능한 합병증의 위험도를 표2와 같이 정리하였다.

표 6-2. 임신 중 자궁근종으로 인한 합병증 위험도

	자궁근종		P	위험도 (95%신뢰구간)
	유	무		
Cesarean	48.8% (2098/4322)	13.3% (22,989/173,052)	<0.001	3.7 (3.5-3.9)
Malpresentation	13.0% (466/3585)	4.5% (5864/130,932)	<0.001	2.9 (2.6-3.2)
Labor dystocia	7.5% (260/3471)	3.1% (4703/148,778)	<0.001	2.4 (2.1-2.7)
Postpartum hemorrhage	2.5% (87/3535)	1.4% (2130/153,631)	<0.001	1.8 (1.4-2.2)
Peripartum hysterectomy	3.3% (18/554)	0.2% (27/18,000)	<0.001	13.4 (9.3-19.3)
Retained placenta	1.4% (15/1069)	0.6% (839/134,685)	0.001	2.3 (1.3-3.7)
Chorio or endometritis	8.7% (78/893)	8.2% (2149/26,090)	0.63	1.06 (0.8-1.3)
IUGR	11.2% (112/961)	8.6% (3575/41,630)	<0.001	1.4 (1.1-1.7)
Preterm labor	16.1% (116/721)	8.7% (1577/18,187)	<0.001	1.9 (1.5-2.3)
Preterm delivery	16.0% (183/1145)	10.8% (3433/31,770)	<0.001	1.5 (1.3-1.7)
Placenta previa	1.4% (50/3608)	0.6% (924/154,334)	<0.001	2.3 (1.7-3.1)
First-trimester bleeding	4.7% (120/2550)	7.6% (1193/15,732)	<0.001	0.6 (0.5-0.7)
Abruption	3.0% (115/4159)	0.9% (517/60,474)	<0.001	3.2 (2.6-4.0)
PPROM	9.9% (123/1247)	13.0% (7319/56,418)	0.003	0.8 (0.6-0.9)
PPROM or PROM	6.2% (217/3512)	12.2% (7425/60,661)	<0.001	0.5 (0.4-0.6)

CI, confidence interval; IUGR, intrauterine growth restriction; OR, odds ratio; PPROM, preterm premature rupture of membranes; PROM, premature rupture of membranes.

4. 임신 전 또는 임신 중 자궁근종 처치

1) 임신 전 자궁근종절제술

임신 전에 자궁근종이 발견된 경우 근종절제술 여부를 결정할 때에는 신중하게 개인별 상황을 고려하여 결정한다. 이 때 염두에 두어야 할 것은 환자의 나이, 병력과 증상, 근종의 크기와 위치, 임신 예상 시기 또는 임신 시도 기간 등이다. 임신 전에 자궁근종절제술이 임신 확률을 높이거나 임신 유지, 분만, 그리고 신생아 예후에 좋은 결과를 준다는 연구결과는 아직 없다.

2) 임신 전 자궁동맥색전술

최근들어 임신을 원하는 여성에서도 자궁근종 치료법으로 자궁동맥색전술을 선택하는 경우가 많아졌다. 미국산부인과학회에서는 임신을 해야하는 여성에서 자궁동맥색전술은 적절하지 않으며, 색전술 후에는 피임을 하도록 권장하고 있다. 한 논문에서는 자궁동맥색전술 후 임신율이 복강경하 근종절제술 후 임신율과 분만결과를 비교하였을 때 차이가 없음을 보고하였으나 자궁동맥색전술한 경우 조산, 유산, 비정상태반착상, 그리고 산후출혈이 증가하였다고 보고하였으며, 임신을 원하는 경우 자궁동맥색전술보다는 근종절제술을 우선 선택하는 것이 바람직하다고 하였다.

3) 임신 중 또는 분만 시 자궁근종절제술

임신 중 근종이 합병증을 일으켜 응급수술이 필요한 경우를 제외하고는 임신 중 자궁근종은 치료를 연기하는 것이 좋다. 그 이유는 임신 중 자궁근종에 의한 합병증은 드물고, 오히려 근종절제술이 출혈, 유산, 조기진통, 자궁파열과 같은 심각한 합병증을 유발할 가능성이 있기 때문이다.

제왕절개 분만 시 근종절제술의 장단점은 저자에 따라 차이가 있다. 한 논문에서 제왕절개수술 시 근종절제술을 한 경우 수혈가능성은 증가하는 반면에 자궁절제술 또는 근종절제술로 인한 심각한 합병증은 발생할 가능성은 증가하지 않는다 하였다. 다른 논문에서는 근종의 개수가 아주 많거나 근종이 심각하게 큰 경우를 제외하였을 때, 제왕절개수술 중 근종절제술을 시행한 군과 그대로 관찰한 군에서 수혈율, 자궁절제술 가능성 등 합병증에서 차이가 없다고 하였다 .

4) 근종으로 인한 통증

임신부가 근종으로 인한 통증을 호소하는 경우 입원치료가 필요할 수 있다. 주된 첫 번째 치료는 아세트아미노펜(acetaminophen) 투여이다. 아세트아미노펜이 효과가 없는 경우 비스테로이드소염제(nonstroidal antiinflammatory drugs, NSAIDs)를 48시간 이내 또는 오피오이드(opioids)를 단기간 사용할 수 있다. 이부프로펜(ibuprofen) 또는 인도메타신(indomethacin)도 효과가 있다.

임신 32주 이후에는 NSAIDs는 사용하지 않는 것이 좋다. 이 약은 태아의 ductus arteriosus를 조기에 폐쇄시킬 수 있으며, 이로 인해 신생아폐고혈압(neonatal pulmonary hypertension), 양수과소증, 그리고 태아 또는 신생아의 혈수판기능장애를 초래할 수 있기 때문이다.

반복해서 통증이 발생하는 경우 치료를 반복할 수 있다. 약물치료에도 불구하고 통증이 심하거나 장기간 지속되는 경우 경막외무통(epidural anlagesia)을 시도할 수도 있다 .

5) 질탈출근종

임신 중 질탈출근종도 가능하면 치료를 미루는 것이 좋다. 근종에서 출혈이 있거나, 통증, 감염 등이 동반되면 수술을 고려할 수 있다. 유경근종이면서 줄기가 가늘어 쉽게 제거할 수 있으면 수술하는 것이 당연하듯 질탈출근종의 사례에 따라 치료방법을 결정한다.

6) 분만 방법

자궁근종이 있는 대부분의 임신부에서는 자연분만이 가능하므로 자연분만을 시도한다. 자궁근종이 있더라도 제왕절개수술 적응증은 일반적인 일반 임신부와 동일하다. 다만 자궁하절부에 근종이 있으며, 태아가 분만진통 중에 하강하는 것을 방해할 것으로 판단하면 선택제왕절개수술(elective cesarean section)을 고려할 수 있다.

7) 제왕절개수술(Cesarean delivery)

근종이 있는 임신부에서 제왕절개수술을 하는 경우 수술 전 자궁근종의 위치와 크기, 태아의 위치 등을 먼저 파악하고 피부절개의 방향과 크기, 자궁절개의 위치와 방향을 결정한다. 제왕절개수술 중 출혈량이 많을 것을 대비하여 환자의 혈색소를 미리 파악하고, 혈색소가 낮은 경우 수술 전 혈색소치를 교정하거나, 수술 중 혈액수집기(cell saver) 또는 수혈에 대해서도 미리 준비한다. 수술 중 출혈이 많은 경우 출혈을 줄이기 위한 자궁동맥결찰술을 하거나 제왕절개수술 후 자궁동맥색전술 등도 고려할 수 있다.

5. 과거 자궁근종절제술 임신부의 처치

1) 자궁파열(Uterine rupture)

자궁근종절제술 후 임신 중 자궁파열 가능성은 흔하지 않다. 복강경하근종절제술 사례에서 개복근종절제술 사례보다 진통 전에 자궁파열 가능성이 더 높다는 보고도 있으나 다른 논문에서는 자궁파열 가능성이 211건의 분만 중 한 건이었다고 하였다.

분만진통 중 자궁파열 가능성이 증가한다는 논문이 더 많지만 저자에 따라 상반된 의견을 보이고 있으며, 근종절제술을 받은 176예를 관찰한 결과 자궁파열이 없었다는 보고도 있다.

자궁근종절제술을 받은 경우 수술기록지를 검토한 후 분만진통에 임하는 것이 바람직하다. 장막의 손상이 심하였거나, 자궁강이 노출되는 근종절제술 받은 경험이 있는 임신부가 진통을 겪을 때는 주의 깊게 관찰하고, 전자태아심음자궁수축 감시를 지속적으로 하며, 자궁파열이 발생하면 응급 처치 및 분만을 할 수 있는 준비를 하고 분만진통을 시도하여야 한다. 자궁파열이 의심이 되면 즉각 제왕절개수술을 하여야 하며, 자궁파열의 처치는 다른 원인에 의한 자궁파열 처치와 유사하다.

자궁근종

2) 선택제왕절개수술의 시기

자궁근종이 있는 임신부에서 제왕절개수술을 선택하였다면, 미국 산부인과학회의 2013년도 권고안에는 수술 시기를 임신 37주 0일부터 38수 6일 사이가 바람직하다고 하였다.

3) 태반유착

자궁경을 이용한 점막하자궁근종절제술 후 태반유착 가능성이 있을 수 있다. 그러므로 임신 중 임신제 2삼분기 후반 또는 3삼분기 초반 초음파 검사 시에 태반유착 가능성이 있는지 관찰하는 것이 좋다.

■■■ 참고문헌

1. Aharoni A, Reiter A, Golan D, et al. Patterns of growth of uterine leiomyomas during pregnancy. A prospective longitudinal study. Br J Obstet Gynaecol 1988;95:510-3.

2. American College of Gynecology. Committee Opinion Number 293. Washington, DC: The College; 2004.

3. American College of Obstetricians and Gynecologists. ACOG Committee Opinion No. 560: Medically indicated late-preterm and early-term deliveries. Obstet Gynecol 2013;121:908-10.

4. Benson CB, Chow JS, Chang-Lee W, et al. Outcome of pregnancies in women with uterine leiomyomas identified by sonography in the first trimester. J Clin Ultrasound 2001;29:261-4.

5. Blum M. Comparative study of serum CAP activity during pregnancy in malformed and normal uterus. J Perinat Med 1978;6:165-8.

6. Ciavattini A, Delli Carpini G, Clemente N, et al. Growth trend of small uterine fibroids and human chorionic gonadotropin serum levels in early pregnancy: an observational study. Fertil Steril 2016;105:1255-60.

7. Coronado GD, Marshall LM, Schwartz SM. Complications in pregnancy, labor, and delivery with uterine leiomyomas: a population-based study. Obstet Gynecol 2000;95:764-9.

8. Davis JL, Ray-Mazumder S, Hobel CJ, et al. Uterine leiomyomas in pregnancy: a prospective study. Obstet Gynecol 1990;75:41-4.

9. De Carolis S, Fatigante G, Ferrazzani S, et al. Uterine myomectomy in pregnant women. Fetal Diagn Ther 2001;16:116-9.

10. Dog̈an S, OzyuncuO, Atak Z. Fibroids During Pregnancy - Effects on Pregnancy and Neonatal Outcomes. Reprod Med 2016;61:52-7

11. Dubuisso JB, Fauconnier A, Babaki-FardK, et al. Laparoscopic myomectomy: a current view. Hum Reprod Update 2000;6:588-94.

12. Exacoustos C, Rosati P. Ultrasound diagnosis of uterine myomas and complications in pregnancy. Obstet Gynecol 1993;82:97-101.

13. Ezzedine D and Norwitz E. Are Women With Uterine Fibroids at Increased Risk for Adverse Pregnancy Outcome? Clinc Obstet Gynecol 2016;59:119-27.

14. Goldberg J, Pereira L, Berghella V, et al. Pregnancy outcomes after treatment for fibromyomata: uterine artery embolization ver-

sus laparoscopic myomectomy. Am J Obstet Gynecol 2004;191:18-21.

15. Guyatt GH, Oxman AD, Kunz R, et al. GRADE Working Group. Going from evidence to recommendations. BMJ 2008;336:1049-51.

16. Gyamfi-Bannerman C, Gilbert S, Landon MB, et al. Risk of uterine rupture and placenta accreta with prior uterine surgery outside of the lower segment. Obstet Gynecol 2012;120:1332-7.

17. Hasan F, Arumugam K, Sivanesaratnam V. Uterine leiomyomata in pregnancy. Int J Gynaecol Obstet 1991;34:45-8.

18. Katz VL, Dotters DJ, Droegemeuller W. Complications of uterine leiomyomas in pregnancy. Obstet Gynecol 1989;73:593-6.

19. Klatsky PC, Tran ND, Caughey AB, et al. Fibroids and reproductive outcomes: a systematic literature review from conception to delivery. Am J Obstet Gynecol 2008;198:357-66.

20. Kwon SY, Lee G, Kim YS. Management of severely painful uterine leiomyoma in a pregnant woman with epidural block using a subcutaneous injection port. Acta Obstet Gynecol Scand 2014;93:839.

21. Lam SJ, Best S, Kumar S. The impact of fibroid characteristics on pregnancy outcome. Am J Obstet Gynecol 2014; 211:395.

22. Laughlin SK, Baird DD, Savitz DA, et al. Prevalence of uterine leiomyomas in the first trimester of pregnancy: An ultrasound-screening study. Obstet Gynecol 2009;113:630-5.

23. Laughlin SK, Hartmann KE, Baird DD. Postpartum factors and natural fibroid regression. Am J Obstet Gynecol 2011;204:496.

24. Lev-Toaff AS, Coleman BG, Arger PH, et al. Leiomyomas in pregnancy: sonographic study. Radiology 1987;164:375-80.

25. Matsunaga JS, Daly CB, Bochner CJ, et al. Repair of uterine dehiscence with continuation of pregnancy. Obstet Gynecol 2004;104:1211-2.

26. Ouyang DW, Economy KE, Norwitz ER. Obstetric complications of fibroids. Obstet Gynecol Clin North Am 2006;33:153-69.

27. Parazzini F, Tozzi L, Bianchi S. Pregnancy outcome and uterine fibroids. Best Pract Res Clin Obstet Gynaecol 2016;34:74-84.

28. Qidwai GI, Caughey AB, Jacoby AF. Obstetric outcomes in women with sonographically identified uterine leiomyomata. Obstet Gynecol 2006;107:376-82.

29. Rice JP, Kay HH, Mahony BS. The clinical significance of uterine leiomyomas in pregnancy. Am J Obstet Gynecol 1989;160:1212-6.

30. Roberts WE, Fulp KS, Morrison JC, et al. The impact of leiomyomas on pregnancy. Aust N Z J Obstet Gynaecol 1999;39:43-7.

31. Romero R, Chervenak FA, DeVore G, et al. Fetal head deformation and congenital torticollis associated with a uterine tumor. Am J Obstet Gynecol 1981;141:839-40.

32. Rosati P, Exacousto's C, Mancuso S. Longitudinal evaluation of uterine myoma growth during pregnancy. A sonographic study. J Ultrasound Med 1992;11:511-5.

33. Segars JH, Parrott EC, Nagel JD, et al. Proceedings from the Third National Institutes of Health International Congress on Advances in Uterine Leiomyoma Research: comprehensive review, conference summary and future recommendations. Hum Reprod Update 2014;20:309-33.

34. Shavell VI, Thakur M, Sawant A, et al. Adverse obstetric outcomes associated with sonographically identified large uterine fibroids. Fertil Steril 2012;97:107-10.

35. Song D, Zhang W, Chames MC, et al. Myomectomy during cesarean delivery. Intl J Obstet Gynecol 2013;121:208-13.

36. Straub HL, Chohan L, Kilpatrick CC. Cervicaland prolapsed submucosal leiomyomas complicating pregnancy. Obstet Gynecol Surv 2010;65:583-90.

37. Strobelt N, Ghidini A, Cavallone M, et al. Natural history of uterine leiomyomas in pregnancy. J Ultrasound Med 1994;13:399-401.

38. Vergani P, Ghidini A, Strobelt N, et al. Do uterine leiomyomas influence pregnancy outcome? Am J Perinatol 1994;11:356-8.

39. Wallach EE, Vu KK. Myomata uteri and infertility. Obstet Gynecol Clin North Am 1995;22:791-9.

영상학적 진단

Imaging Diagnosis

자 궁 근 종
UTERINE LEIOMYOMA

CHAPTER

07

자 궁 근 종
UTERINE LEIOMYOMA

영상학적 진단

Imaging Diagnosis

| 계명의대 영상의학과 김시형 |

1. 초음파검사

초음파검사는 자궁근종을 평가하는 일차적인 영상기법으로 사용된다. 자궁근종의 초음파 소견은 경계가 분명하고, 내부가 균질하거나 혹은 비균질한 저에코성 종괴가 커진 자궁에서 보인다(그림 7-1). 색 도플러(color doppler)나 출력 도플러(power doppler) 초음파에서 자궁과 종괴 사이의 경계면 혈관(interface vessel)이 보이는 것은 난소종양보다는 장막하 자궁근종을 시사한다(그림 7-2). 그러나, 초음파검사는 환자의 체형, 공존하는 자궁질환이나 기형, 자궁의 위치, 근종의 크기또는 위치에 따라 영향을 받기 때문에 자궁근종을 충분히 평가하는 데 제한점이 있다.

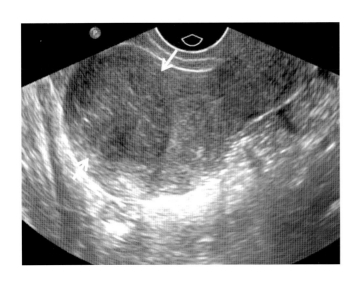

■ 그림 7-1. 근층내근종의 질초음파검사 소견 경계가 분명한 저에코의 고형성 종괴(화살표)가 자궁내부에 보인다.

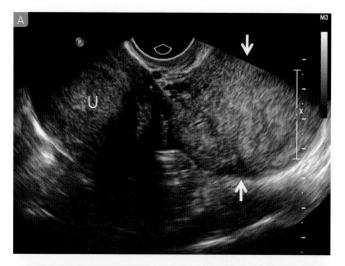

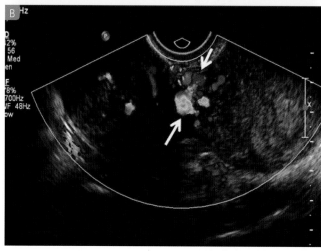

■ 그림 7-2. **장막하자궁근종의 질초음파 검사 소견 A.** 자궁(U)의 왼쪽에 저에코의 고형성 종괴(화살표)가 보이며, 자궁에 접한 왼쪽 난소 종괴와의 감별이 필요하다. **B.** 색도플러초음파에서 종괴와 자궁 사이에 경계면혈관(화살표)이 잘 보여 장막하자궁근종으로 진단되었다.

2. 전산화단층촬영

자궁근종의 가장 흔한 전산화단층촬영 소견은 크기가 커진 자궁과 자궁 윤곽의 변형이다. 변성이 이루어지지 않은 자궁근종은 조영증강 전과 후에 시행한 전산화단층촬영 모두에서 자궁근의 감쇠(attenuation) 정도와 같다(그림 7-3). 변성이나 괴사가 동반된 자궁근종은 조영증강 전산화단층촬영에서 자궁의 저감쇠 종괴로 보일 수 있다. 자궁근종의 석회화는 전산화단층촬영에서 잘 보이지만, 자주 나타나는 소견은 아니다(그림 7-4). 제한된 해상도와 연부조직과의 대조도 차이로 인해 수술 전 평가에서는 전산화단층촬영은 충분하지 않다.

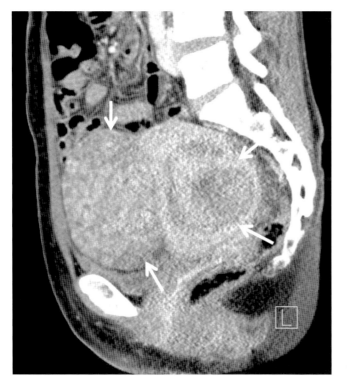

■ 그림 7-3. 전산화단층촬영에서 보이는
장막하와 근층내근종 조영증강 후에 시행한
전산화단층촬영에서 자궁근과 감쇠정도가
동일한 종괴(화살표)가 보인다.

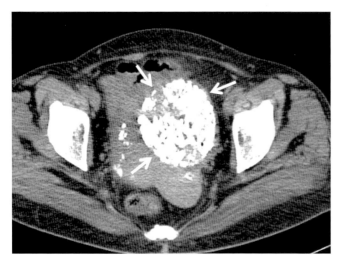

■ 그림 7-4. 전산화단층촬영에서 석회화
(화살표)를 보이는 자궁근종

3. 자기공명영상

자기공명영상은 탁월한 연부조직 대조도를 가지며 다면영상을 확인할 수 있기 때문에 자궁근종을 발견하고, 위치를 평가하는 데 가장 정확한 영상기법이다. 또한 수술 전 계획을 세우거나, 내과적 약물치료에 대한 반응을 평가하는 데 효과적인 역할을 할 수 있다. 변성이 이루어지지 않은 자궁근종은 T1, T2 강조영상 모두에서 저신호강도를 보이는 경계가 명확하고, 내부는 균질한 국소 원형종괴로 나타난다(그림 7-5). 변성이 이루어진 근종이나, 근종의 특이한 아형들은 자기공명영상에서 다양한 양상으로 보이게 된다.

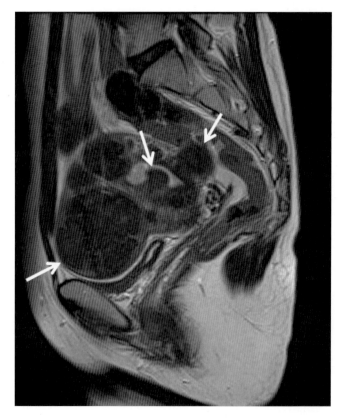

■ 그림 7-5. **자궁근종의 전형적인 자기공명영상소견** T2 강조 시상면 자기공명영상에서 경계가 분명하고 균질한 저신호강도를 보이는 국소 종괴(화살표)들이 자궁 내에 보인다.

4. 자궁근종변성의 영상소견

1) 유리질변성

유리질변성(hyaline degeneration)은 가장 흔한 자궁근종의 변성이며, 전체 자궁근종변성의 약 60% 이상을 차지하고, 자궁근종 내에 국소적으로 나타날 수도 있지만, 미만성으로 나타나는 경우가 더 흔하다. 유리질변성은 병리적으로 균질한 호산성판(eosinophilic plaque)이 세포외공간에 침착되고, 평활근이 국소적 혹은 광범위하게 대체되었다는 것을 의미한다. 광범위한 유리질변성으로 인해 T2 강조영상에서 전형적인 저신호강도로 보인다.

2) 점액변성

점액변성(myxoid degeneration)은 자궁근종 내부에 점액다당류(mucopolysaccharide)를 포함하는 아교질 부위(gelatinous areas)가 존재하고 있는 경우를 가리킨다. 점액변성은 조직학적으로 양성이지

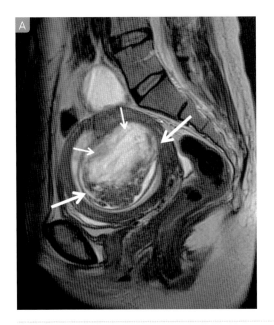
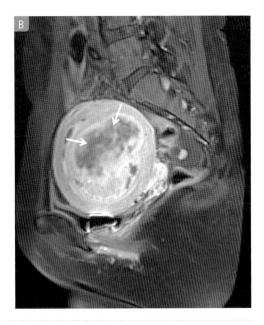

▒ 그림 7-6. **점액변성을 동반한 자궁근종의 자기공명영상소견. A.** T2 강조 시상면영상에서 비균질한 신호강도를 보이는 큰 자궁근종(굵은 화살표)이 있고 종괴의 상부에 고신호강도(화살표)가 보인다. **B.** 조영증강 시상면영상에서 점액성 부분(화살표)은 조영증강되지 않는다.

만, 광범위한 점액변성이 있는 경우 점액성 평활근육종(leiomyosarcoma)의 조직학적 유사하기 때문에 흔히 혼동될 수 있다. 점액변성이 이루어진 영역은 T2 강조영상에서 고신호강도를 보이며, 조영증강은 거의 되지 않는다(그림 7-6).

3) 낭변성

낭변성(cystic degeneration)은 부종의 심한 후유증으로 생각되며, 전체 자궁근종변성의 약 4%에서 보고된다. 낭변성은 자궁근종의 부종성무세포부위에서 발생한다. 낭처럼 경계가 분명하고 T2 강조영상에서 고신호강도, T1 강조영상에서 저신호강도를 보이며 조영이 되지 않는다(그림 7-7).

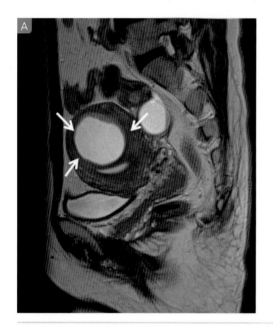
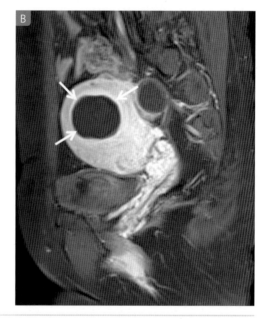

■ 그림 7-7. **낭변성을 동반한 자궁근종의 자기공명영상소견 A.** T2 강조 시상면영상에서 고신호강도를 보이는 낭성변병(화살표)이 보인다 **B.** 조영증강 시상면영상에서 낭성 부분(화살표)은 조영증강되지 않는다.

4) 적색변성

적색변성(red degeneration)은 자궁근종의 주변부에서 정맥혈유출의 폐쇄로 인한 출혈성경색의 일종이다. 이 변성은 종종 임신과 경구피임제의 사용과 관련이 있다고 한다. 석색변성을 보이는 자궁근종의 절단면은 육안조직검사에서 특징적으로 출혈형태를 보인다. 자궁근종의 신호강도는 출혈의 시기에 따라 다양하게 나타난다. 자기공명영상에서 일반적인 소견은 T1 강조영상에서 미만성의 혹은 가장자리부분의 고신호강도로 보이고, T2 강조영상에서는 다양한 신호강도를 보이는데 저신호강도를 보이는 가장자리가 보이기도 한다(그림 7-8).

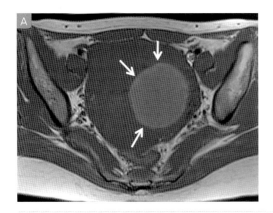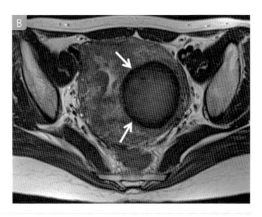

■ 그림 7-8. **적색변성을 동반한 자궁근종의 자기공명영상소견 A.** T1 강조 축상면영상에서 고신호강도의 자궁 내 종괴(화살표)가 보인다. **B.** T2 강조 축상면영상에서 저신호강도의 테두리(화살표)를 동반한다.

5) 석회화

석회화(calcification)는 고령에서 자궁근종의 혈류 순환기능저하로 인해 발생한다. 비록 자궁종괴 내에 석회화가 존재하는 것은 자궁근종의 특이적인 소견이지만, 이러한 소견은 자궁근종의 3-5%에서 보고된다. 석회화는 모든 자기공명영상에서 저신호강도로 보인다.

5. 자궁근종의 드문 영상소견

1) 세포성 자궁근종

세포성 자궁근종(celluar myoma)은 자궁근종의 특이한 아형이다. 조직검사에서 아교질(collagen)이 거의 없는 밀집한 평활근의 다발로 이루어져 있다. T2 강조영상에서 상대적으로 고신호강도를 보이며, 역동적 조영증강 초기에 균질한 조영증강을 보인다(그림 7-9).

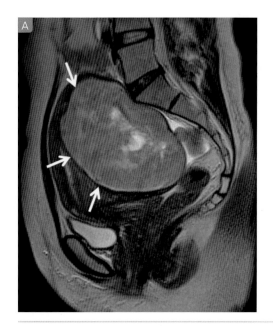 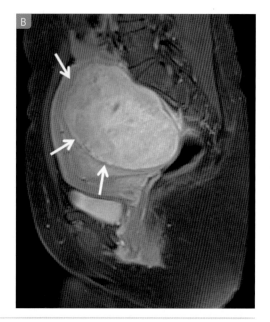

■ **그림 7-9. 벽내 세포성 자궁근종 A.** T2 강조 시상면영상에서 자궁내부에 고신호강도의 종괴(화살표)가 보인다. **B.** 조영증강 시상면영상에서 종괴(화살표)는 중등도의 조영증강을 보인다.

2) 자궁근종의 비전형적인 성장형태

(1) 정맥내평활근종증

정맥내평활근종증(intravenous leiomyomatosis)은 조직학적으로 양성인 평활근세포가 인접한 골반 정맥 내부로 직접 침입해서 발생하는 드문 형태의 자궁근종이다. T2 강조영상에서는 고형성 종양으로 차서 팽창한 사행성의 관 모양으로 차서 팽창한 사행성의 관모양구조가 고신호강도로 보이고,

뚜렷하고 균질한 조영증강을 보인다.

(2) 양성 전이성 평활근종증

양성 전이성 평활근종증(benign mctastasizing leiomyomatosis)은 자근근종의 비전형적인 성장형태로 양성 근종이 폐, 림프절, 복막강 내 기관 등에서 전이성으로 발견되는 경우이며, 선행된 원발 자궁근종이 제거되었음에도 불구하고, 위의 부위에서 자궁근종이 나타날 수 있다(**그림 7-10**).

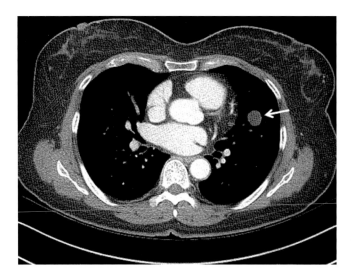

■ 그림 7-10. **양성근종의 좌측상분엽 전이**

(3) 미만평활근종증

미만평활근종증(diffuse leiomyomatosis)은 자궁근층이 수많은 작은 자궁근종으로 거의 대체되는 상태를 말하며, 자궁은 전반적으로 대칭적으로 비대해진다.

(4) 복막내파종평활근종증

복막내파종평활근종증(peritoneal disseminated leiomyomatosis)은 조직학적으로 양성인 평활근세포로 이루어진 다발성 결절들이 복막의 표면을 따라 파종되어 마치 복막암종증(peritoneal carcinomatosis)과 비슷하게 보이는 상태를 말한다.

6. 자궁근종과의 감별진단

1) 자궁선근증

자궁근종과 비교해서 선근증은 경계가 불명확하고, 자궁내강에 대한 약한 종괴 효과가 있고, 병변의 가장자리에는 큰 혈관이 보이지 않는다. 초음파검사에서는 자궁근종과 달리 에코발생결절 또는 줄모양무늬가 있지만 석회화, 가장자리음영, 소용돌이모양은 없는 것이다. T2 강조영상에서 고신호 강도의 줄무늬모양은 선근증의 특이적인 소견이다. 하지만 국소선근증은 선근증의 특징적인 소견이 분명하지 않는 경우 자궁근종과 감별이 어려울 수 있다.

2) 자궁외종양

초음파검사나 자기공명영상에서 자궁과 자궁근종사이에 경계면혈관이 보이는 것은 장막하 자궁근종과 자궁외종괴를 감별하는 데 높은 민감도와 특이도를 보인다.

3) 자궁근수축

국소적 자궁근수축은 T2 강조영상에서 자궁근종이나 선근증에서처럼 저신호강도의 종괴로 보일 수 있다. 그러나 일시적이므로 반복해서 촬영한 자기공명영상에서 쉽게 진단할 수 있다.

4) 평활근육종

평활근육종의 특이적인 영상소견은 잘 확립되어 있지 않기 때문에 양성 자궁근종과 평활근육종의 감별은 어렵다. 평활근육종의 자기공명영상소견에 대한 보고는 매우 드물게 발생하고 수술 전 진단이 어렵기 때문에는 드물다. 자기공명영상에서 변성된 자궁근종이 불규칙적인 가장자리, 출혈, 괴사를 보이면 평활근육종을 의심해볼 수 있지만, 진단에 특이적인 소견으로 정립되지는 않았다. 평활근육종의 조직학적 확진은 유사분열, 세포 또는핵의 이형성증, 가장자리침윤 등으로 이루어진다.

■■■ 참고문헌

1. Török P, Poka R. Diagnosis and treatment of uterine myoma Orv Hetil 2016;157:813-9.
2. Shwayder J, Sakhel K. J Minim Imaging for uterine myomas and adenomyosis. Invasive Gynecol 2014;21:362-76.
3. Fascilla FD, Cramarossa P, Cannone R, et al. Ultrasound diagnosis of uterine myomas. Minerva Ginecol 2016;68:297-312.

자 궁 근 종
U TERINE L EIOMYOMA

감별해야 하는 질환

Differential Diagnosis

CHAPTER

08

자 궁 근 종
UTERINE LEIOMYOMA

감별해야 하는 질환

Differential Diagnosis

| 울산의대 산부인과   김대연, 김용만 |

1. 서론

초음파는 가장 저렴하고 손쉽게 사용할 수 있는 영상기법으로 자궁근종을 다른 골반 질환들과 감별하는 데 있어서 일자적인 도구로 사용되고 있다. 하지만 초음파만으로는 자궁선근증, 자궁내막 용종, 자궁 육종, 자궁부속기의 고형 종양 등 골반의 다른 질환들과 자궁근종의 감별에 어려움이 발생하는 경우가 종종 발생하며 이런 경우 생리식염수 주입하 초음파검사(saline infusion sonography), 자궁경, 자기공명영상(magnetic resonance imaging) 등을 추가로 시행할 수 있다. 이중 자기공명영상은 자궁근종이 여러 개 존재하는 경우에서 전체적인 숫자, 크기, 위치 및 방광, 직장 및 자궁내막과의 근접성을 평가하기에 유용하며, 자궁근종의 진단에 있어서 술기 능력에 따른 차이 및 관찰자간 해석에 따른 차이가 초음파 및 자궁경 등 다른 검사 방법에 비하여 적은 방법이다 .

본 부분에서는 이러한 자궁근종과 감별이 필요한 질환들에 대하여 다루고자 한다.

2. 자궁선근증

자궁내막 간질 및 선조직이 자궁근층에 비정상적으로 존재하는 경우로 정의되며, 자궁근층으로 비정상적으로 침투한 자궁내막 조직이 주위의 자궁근층의 성장을 촉진하여 마치 임신 시 자궁이 커지는 것과 유사한 결과를 보인다. 단지 다른 원인으로 자궁적출술을 시행한 경우 조직검사에 의해 확인되는 경우도 있고, 국소적으로 증식하여 자궁근종처럼 보이는 경우도 있다. 자궁을 적출하여 병리검사를 해야 확진이 가능하므로 정확한 유병률을 알 수는 없으나 자궁적출술을 시행한 경우의 20~40%에서 발견되는 것으로 알려져 있다. 한 연구에서 부인과 외래를 방문한 전체 여성을 대상으로 질초음파를 시행한 결과에서는 21%의 여성에서 자궁선근증이 의심되었다. 국소적인 자궁선근증 양상을 보이는 자궁선근종(adenomatoid tumor)의 60%는 장막하 또는 최소한 자궁근층의 바깥 부위에 존재하며, 대개의 경우 자궁저 또는 자궁후벽에 위치한다.

1) 병인

현재 가장 널리 받아들여지고 있는 이론은 자궁내막 기저층이 자궁근층 내로 하향 함입되어 자궁선근증이 발생한다는 것이다. 자궁내막-자궁근층간 경계부위는 독특하게 매개 점막하 조직이 부족하며, 이에 따라 정상 자궁에서도 자궁내막이 흔히 자궁근층을 표면적으로 침범한다. 깊은 자궁근층 침범을 선농하는 기전은 아직 알려져 있지 않으며, 일부의 경우에서는 이전 임신이나 자궁 수술에 의한 자궁근층의 취약성에 기인한다. 이에 따라 자궁선근증은 대개 출산하지 않았던 사람보다 출산의 기왕력이 있는 경산부에서 흔하며, 이른 초경, 짧은 월경 기간 또한 위험인자가 될 수 있다. 자궁선근증은 방향화효소 발현(aromatase expression) 및 조직 에스트로겐 수준 상승과 관련되며, 이러한 증가는 흔히 함께 발병되는 자궁내막증, 자궁근종, 자궁내막증식증에서도 확인된다. 에스트로겐과 프로게스테론은 자궁선근증의 발달과 유지에 중요한 역할을 하므로 이에 따라 자궁선근증은 생식 연령 동안 발달하고 폐경 이후 퇴행한다. 자궁선근증은 선택적 에스트로겐-수용체 조절제인 타목시펜을 복용하는 여성에서 더 자주 발견되지만, 결합된 경구 피임약의 복용은 위험요인이 되지 않는다.

2) 증상

대표적인 증상으로는 월경과다와 월경통, 성교통, 골반통이며, 증상의 강도는 이소성 병소(ectopic foci) 숫자 및 침범 깊이 증가와 비례한다. 이러한 증상들의 발병원인을 정확하게 알 수는 없지만, 조직 인자들에 대한 면역반응성 증가, 옥시토신 수용체 과발현 등에 의한 자궁근층 수축성의 증가 등과 관련된 것으로 보인다. 간혹 월경 시작 2주 전부터 통증이 발생하여 월경이 종료된 이후까지 지속되는 경우도 있다. 평균적으로 40세 이상에서 증상이 나타나며, 전체의 1/3 정도에서는 무증상을 보인다. 난임과 관련해서는 원인적 연관성이 있을 가능성이 있어 보이지만 관련 자료의 부족과 질적인 문제로 아직 그 관계가 명확하지 않다.

3) 징후

자궁이 전반적으로 비대해지는 양상을 보이지만, 대개의 경우 14cm 미만이며, 월경기간에 검사할 경우 연하고 압통을 보이는 비대해신 자궁을 촉지할 수 있다.

4) 진단

자궁선근증은 생리 과다 또는 생리통을 호소하는 가임기 여성에서 내진과 질 초음파 또는 골반 자기공명영상 검사를 통하여 커진 자궁을 확인하여 임상적인 진단을 내릴 수 있지만, 자궁적출술 또는 자궁선근종절제술 등을 통하여 절제된 자궁근층에서 자궁내막 조직의 증식이 조직학적으로 증명된 경우에만 확진이 가능하다. 해부학적 이상에 의한 생리통의 다른 원인들로는 자궁내막증, 난소낭종, 골반 내 유착, 골반 감염, 폴립, 선천성 자궁기형, 자궁경부협착 등이 있다.

질초음파를 통해 발견되는 자궁선근증의 양상으로는 (1) 자궁 전벽 또는 후벽이 반대편 보다 두꺼운 경우, (2) 자궁근층의 질감이 균질하지 않은 경우, (3) 이소성 자궁내막 병소 내의 낭성 샘들에 의하여 자궁근층에 작은 저음영 낭종들이 보이는 경우, (4) 자궁내막에서 자궁근층으로 선형 돌기가 연장되는 경우, (5) 자궁내막 음영이 불분명한 경우, (6) 전체적으로 자궁이 비대해지는 경우 등이 있다. 자궁의 접합층 (junctional zone) 두께가 15mm 이상인 경우(또는 비균일한 집합층 두께가 12mm 이상) 자궁선근증과 관련되어 있으며 색 도플러 또는 파워 도플러를 사용할 경우 침범된 자궁근층에 광범위한 혈관분포를 보이는 경우도 있다. 이러한 양상들은 종종 감지하기 힘든 경우가 있기 때

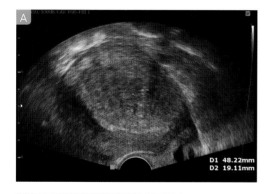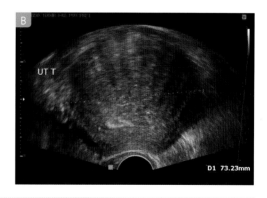

■ **그림 8-1. 경질 초음파를 통한 시상 자궁 이미지상 구상 자궁 확대 및 균질하지 않은 자궁 근층 질감이 확인된다.** 자궁 후벽이 비대칭적으로 두꺼워진 상태로 자궁내막 하부 조직에 대한 자궁 내막 선 침입을 반영하는 고에코 선형 줄무늬 (echogenic linear striations)가 나타난다.

문에 다른 골반 질환들보다 초음파 시행자의 경험이 진단의 정확도에 큰 영향을 끼친다.

국소적인 자궁선근증은 질초음파에서 별개의 저음영 종괴처럼 보여 자궁근종과 감별이 필요하다. 이러한 경우 자궁 및 자궁근층의 전반적인 크기 증가를 보이며, 자궁근종에서 특징적인 소용돌이무늬와 외측 경계선의 캡슐이 보이지 않아 주변 조직과의 경계가 불분명하고 구형보다는 타원형에 가까우며, 주변 조직에 대한 종괴효과(mass effect)가 적고, 석회화가 적으며, 다양한 직경의 무에코 낭종들이 존재한다는 것이 자궁근종과의 감별점이다(그림 8-1).

자궁선근증 환자에서는 혈액 검사상 CA-125의 특징적인 상승을 보이지만, 자궁근종, 자궁내막증, 골반 감염 및 골반의 악성종양 등에서도 CA-125 상승이 일어나므로 진단에 도움이 되지는 않는다.

최근에는 복부 초음파-유도하 경질 자궁근층 중심부바늘생검(abdominal ultrasound-guided transvaginal myometrial core needle biopsy)을 통하여 조직학적 확진 후 고강도 집속 초음파 치료(high intensity focused ultrasound) 또는 고주파 열치료(radiofrequency thermal ablation) 등을 시행하는 방법도 사용되고 있다.

5) 치료

자궁선근증의 치료 방법은 환자의 나이와 향후 생식능력에 대한 바람에 따라서 결정된다.

내과적인 치료로는 비스테로이드항염증제(NSAIDs), 프로게스테론, 성선호르몬 분비자극 호르몬 유사체(GnRH analogs)가 자궁내막증에서와 동일하게 사용 가능하다. 피임용으로도 사용되는 프로게스테론이 함유된 자궁 내 장치도 많이 사용되고 있다. 치료는 자궁내막증 치료와 같은 프로토콜을 사용할 수 있다. 생리 과다가 있으면서 자궁절제술을 원하지 않는 월경과다 여성에서는 자궁내막 전기 또는 열 소작법을 사용하여 치료하기도 하며, 자궁선근증 환자에게 자궁동맥색전술을 시행한 연구에서 일부는 시간이 지난 후 증상 재발을 보이기도 하였으나 절반 이상의 환자에서 증상 호전 효과가 나타나는 것으로 보고되었다.

최근 자궁선근증의 치료에서 최신 기법으로 대두되고 있는 초음파 또는 자기공명영상 유도 고강도 집속 초음파 치료는 고강도의 초음파에너지를 한 곳에 모을 때 초점에서 발생하는 65~100℃의 고열을 이용하여 조직을 태워 없애는 시술이다. 초음파 자체는 인체에 무해하고 초음파가 집중되는 초점에서만 열이 발생하므로 칼이나 바늘을 사용하지 않고 전신 마취가 필요 없이 자궁근종 또는 자궁선근증 환자에서 병변 크기의 감소 및 증상 호전을 기대할 수 있는 방법으로 최근 각광을 받고 있다. 하지만 주변 조직과 에코 음영상의 구별이 어려운 병변 또는 장기에 대해서는 이 시술법을 적용하기 어렵다는 단점이 있으며, 치료하고자 하는 부위와 기계 사이에 공기를 함유한 장이나 폐 등이 있으면 초음파가 치료 부위까지 도달할 수 없거나 어려워 기대하는 치료 효과를 거둘 수 없고 오히려 장 손상 등과 같은 부작용이 생길 가능성이 있다. 또한 병변과 피부가 가까운 경우 피부 화상 및 피하조직 손상이 올 가능성이 커지므로 조심해야 한다. 현재까지 다양한 기관들에서 자궁선근증에서의 고강도 집속 초음파 치료 효과에 대한 여러 편의 논문들이 발표되었으나 대부분이 후향성연구 결과들이었다. 최근 자궁 용적이 200cm³를 초과하는 증상을 동반한 자궁선근증 환자에서 시행된 한 전향적 연구는 시술 후 1년이 경과된 시점에서도 자궁선근증 병변 크기의 유의미한 감소와 월경통 감소, 성 기능 지표의 향상을 보이는 반면 심각한 부작용은 발생하지 않았다고 보고하였다.

외과적인 치료로는 전자궁적출술 또는 자궁선근종절제술이 있다. 전자궁적출술은 자궁선근증 환자에서 월경통 등의 제반 증상을 해결하는 가장 확실한 치료방법이다. 하지만, 생식능력 유지를 원하는 여성에서는 자궁선근종절제술을 고려할 수 있으며, 자궁선근종은 자궁근종과 달리 캡슐이 없어 주변 조직과의 경계가 불분명하기 때문에 절제가 훨씬 어렵다. 수술 시 많은 출혈이 동반되어 수술 시야 혼탁 및 수술 후 빈혈 등을 초래할 수 있으므로 혈관 클립 등을 사용하여 수술 중 일시적으로 자궁동맥을 막는 방법을 사용하기도 한다. 최근에는 복강경이나 로봇 보조 수술을 통하여 자궁선근종절제술을 시행하는 경우가 증가하고 있다.

3. 자궁 육종

자궁 육종은 중배엽 기원의 비교적 드물게 발생하는 암종으로 진체 자궁체부임의 2-6%를 차지한다. 가장 흔한 조직학적 유형은 자궁평활근 육종, 자궁내막 간질성 육종, 암육종 등으로, 병리학적으로는 핵 이형성, 증가된 유사분열상(increased mitotic figure), 침윤성 경계를 보이며, 골반 방사선 치료 시행 기왕력이 있는 환자들에서 발생빈도가 증가한다. 처음 진단 시 국소적인 형태이더라도 절반 이상에서 재발하기 때문에 이른 병기에서도 전자궁적출술 및 양쪽 난소난관절제술이 필요하므로 자궁근종절제술 도중 수술 전 후 자궁육종이 의심되는 경우 반드시 동결절편검사를 시행하여 환자가 이중으로 수술을 받지 않도록 해야 한다.

자궁육종은 단순 초음파만으로는 자궁근종과 감별하기 힘든 경우가 많고 현재까지 자궁근종과의 감별에 도움이 되는 종양표지자가 보고된 바 없기 때문에 폐경기 근처 또는 이후 여성에서 골반통 및 질출혈 등의 증상과 함께 초음파 추적 관찰상 자궁 종괴 크기의 증가를 보이는 경우에는 항상 자궁육종 가능성을 의심해야 한다. 한 논문에서는 다변량분석 결과 수술 전 호중구-림프구 비 > 2.1, 종괴 크기 > 8.0cm, 신체질량지수 (BMI) ≤ 20인 경우 자궁육종 위험성이 유의하게 증가한다고 보고하였다. 또한 최근 발표된 자궁 암육종의 수술 전 감별에 있어서 자기공명영상과 양전자방출단층촬영 (Positron Emission Tomography) 간의 유효성 비교 논문에 따르면 자궁 암육종을 진단하는 데 있어서 두 영상기법 간에 유의한 차이는 없는 것으로 나타났다. 따라서 폐경기 전후의 여성에서 수술 전 자궁육종이 의심되는 경우 수술 전 관련 지표들을 확인하고, 필요에 따라 자기공명영상 또는 양

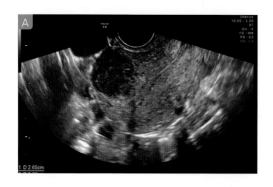
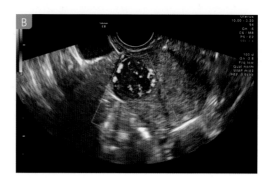
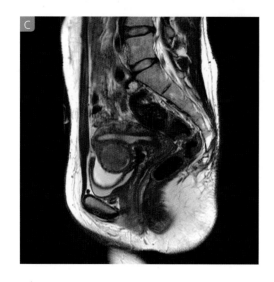

■ 그림 8-2. **A.** 경질 초음파를 통한 시상 자궁 이미지상 저음영 원형 종괴가 자궁 전체부에 확인된다. **B.** 색 도플러 시행상 해당 종괴에 광범위한 혈관분포가 관찰된다. **C.** 자기공명영상 이미지상 자궁근종과 감별이 어려운 종괴로 자궁에 국한된 형태이다. 해당 환자는 수술 후 자궁육종으로 진단되었다.

전자방출단층촬영 등을 시행하여 미리 알맞은 수술 계획을 세워야 한다.

한편, 2014년 미국식품의약국(FDA)은 부인과 수술에 사용되는 복강경 동력 세절기(laparoscopic power morcellator)의 암 전파 위험성을 경고했다. 동력 세절기는 자궁 및 자궁 섬유종을 작은 조각으로 잘라 제거하는 기구로 복강경 수술 시에 많이 이용되었으나 세절 과정에서 조직 파편이 튀거나, 복강 내 잔류할 수 있으며 특히, 단순한 근종이 아닐 경우 암세포가 주변으로 전이될 수 있는 위험성이 있다. 따라서 폐경기에 근접한 여성에서 자궁근종 제거 수술을 시행할 경우 동력 세절기를 사용하지 않도록 권고된다(그림 8-2).

4. 자궁내막 용종

점막하 자궁근종과 자궁내막 용종은 생리식염수 주입하 초음파검사나 자궁경을 시행하여도 조직검사결과가 나오기 전까지는 감별이 어려운 경우가 많다. 자궁근종은 색 도플러 또는 파워 도플러를 사용할 경우 종양의 주변 가장자리에 혈관 테두리를 보이고 이 중 일부 혈관들이 종양 중심으로 관통하는 특징적인 혈관 패턴을 나타내며, 이러한 도플러 이미지가 자궁내막폴립으로부터 점막하 자궁근종을 감별하는 데 도움이 될 수 있다.

5. 자궁부속기의 고형 종양

난소섬유종, 브레너씨 종양 등 난소의 고형종양들은 자궁넓은인대(broad ligament) 또는 유경성 자궁근종(pedunculated fibromas)과 초음파만으로는 감별이 어려운 경우가 많다. 특히 자궁근종에 낭변성(cystic degeneration)이 동반된 경우에는 난소 종괴와의 감별이 더욱 어려워진다. 이러한 경우 자기공명영상(magnetic resonance imaging)이 두 질환의 감별에 추가적인 도움을 줄 수 있다(그림 8-3).

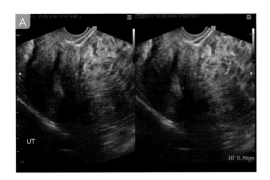
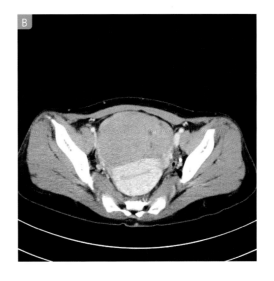

■ 그림 8-3. **A.** 경질 초음파 이미지상 좌측에 위치한 자궁 음영과 맞닿아 있는 큰 고형 종괴가 화면 우측에 보인다. **B.** 자기공명영상 이미지상 저음영 고형종괴가 자궁 위에 위치하고 있으며 장막하근종과 자궁부속기의 고형종괴 사이의 감별이 어려운 상태이다.

6. 위장관기질종양(Gastrointestinal stromal tumor, GIST)

위장관기질종양은 전체 소화기계 종양의 1% 미만이며, 모든 육종의 5%를 차지한다. 비교적 드문 질환이지만 소화관의 중간엽, 즉 근육이나 신경 세포 등의 간질에서 발생하는 종양 중에는 가장 흔한 종양이다(80%). 소화불량, 오심, 체중감소, 복부 불편감 및 통증, 위장관 출혈, 빈혈 등의 증상을 나타낸다. 점막하에 위치하기 때문에 종괴의 전반적 양상과 크기 등을 평가하는 데는 전산화단층촬영술이 가장 유용하다. 대부분의 위장관 기질종양은 위(60%)에서 발견되지만, 20~30%에서는 소장이나 대장에서도 점막하종양의 형태로 발견될 수 있으며, 보통 외부로 돌출된 종양이 내벽으로 돌출된 경우보다 흔하기 때문에 하복부나 골반에 종괴가 위치할 경우 부인생식기 기원의 종괴와 감별이 필요할 수 있다. 종양이 점막하층에서 기인하는지, 고유근층에서 기인하는지, 또는 장벽 외부에 존재하는 종괴에 눌려서 점막하종양으로 오인되는 상황인지를 확인하는 데에는 내시경 또는 내시경 초음파검사가 중요한 역할을 할 수 있다. 위장관 기질종양이 조직학적으로 확진되는 경우에는 수술적으로 절제하는 것이 표준 치료이다(그림 8-4).

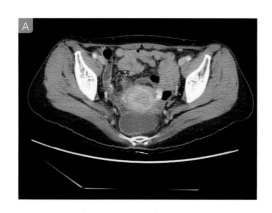 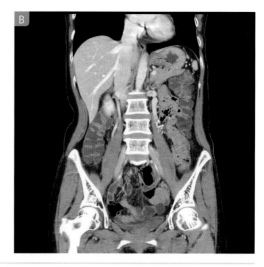

■ 그림 8-4. **복부 전산화단층촬영술 이미지 A.** 축상면, 하행결장 아래 부위에 조영제 주입 시 조영 증강을 보이는 2-3cm 크기의 종괴가 보인다. 대장 기원 위장관기질종양, 유경성 자궁근종 또는 자궁육종, 왼쪽 자궁부속기 종괴 등의 감별이 필요하다. **B.** 관상면, 주변 조직과의 연결성을 고려할 때 자궁 및 자궁부속기 종괴보다는 하행결장 기원 위장관기질종양의 가능성이 높다.

7. 가성-메이그스 증후군(Pseudo-Meigs' syndrome)

메이그스 증후군(Meigs' syndrome)은 난소섬유종, 섬유난포막종, 브레너씨종양 등의 골반 내 양성 종양에서 흉수와 복수를 동반하는 것을 말한다. 드물게 자궁근종이나 난관수종 등에서도 CA-125 상승을 동반한 흉수 또는 복수가 나타나는 경우가 있는데, 이러한 경우를 가성-메이그스 증후군이라고 한다. 이러한 경우 수술 후 조직검사 결과가 나오기 전까지는 골반의 악성 종양과 감별이 힘들기 때문에 수술 범위 등 치료 방침 결정에 어려움을 줄 수 있다.

8. 드문 위치의 자궁근종(평활근종증)

자궁 밖에서 평활근 세포의 양성 증식을 보이는 평활근종증의 일부로서 평활근종이 폐 결절, 방광 내 종괴 등으로 발견되어 각 장기의 악성 종괴 또는 전이성 자궁 육종 병변과 감별을 요할 수 있으며, 크기 증가 및 혈관 폐쇄 등에 의하여 각 장기에서 관련 증상을 일으킬 수 있다. 치료는 육안적으로 인식되는 종괴들을 최대한 수술적으로 제거한 후 에스트로겐 공급 차단을 하고 에스트로겐 소퇴를 유발하기 위하여 프로게스틴, 타목시펜, 생식샘자극호르몬방출호르몬작용제 등을 사용한다. 정맥 내 평활근종증은 주로 50대 후반부터 60대 초반에서 자궁정맥이나 엉덩정맥(iliac vein)에 호발한다. 예후는 좋은 편이나 하대정맥까지 진행하거나 심장으로 전이되는 경우 사망의 원인이 되기도 한다.

이외에도 자궁경부의 자궁근종이나 점막하 근종은 자궁경부암이나 자궁내막암과 감별이 필요하며 조영제를 사용한 자기공명영상을 감별에 주로 이용할 수 있다.

9. 결론

다양한 영상기법 시행에도 자궁선근증, 자궁 육종, 자궁내막 용종, 자궁부속기의 고형 종양, 위장관 간질종양 등 골반의 다른 질환들과 자궁근종 간에 정확한 감별이 어려운 경우가 종종 발생할 수 있으며, 이러한 경우 환자 및 보호자에게 해당 검사 결과와 악성 가능성, 기대요법 및 내과적 치료 시행 시 발생할 수 있는 위험의 정도에 대하여 충분한 설명 및 상의를 시행하고 이를 통하여 신중하게 치료법을 선택해야 한다.

참고문헌

1. Benagiano G, Habiba M, Brosens I. The pathophysiology of uterine adenomyosis: an update. Fertil Steril 2012;98:572-9.

2. Brooks SE, Zhan M, Cote T, et al. Surveillance, epidemiology, and end results analysis of 2677 cases of uterine sarcoma 1989-1999. Gynecol Oncol 2004;93:204-8.

3. Cho H, Kim K, Kim Y-B, et al. Differential diagnosis between uterine sarcoma and leiomyoma using preoperative clinical characteristics. J Obstet Gynaecol Res 2016;42:313-8.

4. D'Angelo E, Prat J. Uterine sarcomas: A review. Gynecol Oncol 2010;116:131-9.

5. Dong R, Jin C, Zhang Q, et al. Cellular leiomyoma with necrosis and mucinous degeneration presenting as pseudo-Meigs' syndrome with elevated CA125. Oncol Rep 2015;33:3033-7.

6. Dueholm M, Lundorf E, Hansen ES, et al. Accuracy of magnetic resonance imaging and transvaginal ultrasonography in the diagnosis, mapping, and measurement of uterine myomas. Am J Obstet Gynecol 2002;186:409-15.

7. Dueholm M, Lundorf E, Hansen ES, et al. Evaluation of the uterine cavity with magnetic resonance imaging, transvaginal sonography, hysterosonographic examination, and diagnostic hysteroscopy. Fertil Steril 2001;76:350-7.

8. Dueholm M, Lundorf E, Hansen ES, et al. Magnetic resonance imaging and transvaginal ultrasonography for the diagnosis of adenomyosis. Fertil Steril 2001;76:588-94.

9. Fedele L, Bianchi S, Dorta M, et al. Transvaginal ultrasonography in the differential diagnosis of adenomyoma versus leiomyoma. Am J Obstet Gynecol 1992;167:603-6.

10. Ferenczy A. Pathophysiology of adenomyosis. Hum Reprod Update 1998;4:312-22.

11. Guo S-W, Mao X, Ma Q, et al. Dysmenorrhea and its severity are associated with increased uterine contractility and overexpression of oxytocin receptor (OTR) in women with symptomatic adenomyosis. Fertil Steril 2013;99:231-40.

12. Hacivelioglu S, Erkanli S. A large pedunculated leiomyoma with two-sided cystic degenerations mimicking a bilateral ovarian malignancy: a case report. Eur J Gynaecol Oncol 2014;35:192-4.

13. Kempson RL, Bari W. Uterine sarcomas. Classification, diagnosis, and prognosis. Hum Pathol 1970;1:331-49.

14. Kil K, Chung J-E, Pak HJ, et al. Usefulness of CA125 in the differential diagnosis of uterine adenomyosis and myoma. Eur J Obstet Gynecol Reprod Biol 2015;185:131-5.

15. Kim MD, Kim S, Kim NK, et al. Long-term results of uterine artery embolization for symptomatic adenomyosis. AJR Am J Roentgenol 2007;188:176-81.

16. Kwon Y-S, Roh HJ, Ahn JW, et al. Conservative adenomyomectomy with transient occlusion of uterine arteries for diffuse uterine adenomyosis. J Obstet Gynaecol Res 2015;41:938-45.

17. Lee HJ, Park J-Y, Lee JJ, et al. Comparison of MRI and 18F-FDG PET/CT in the preoperative evaluation of uterine carcinosarcoma. Gynecol Oncol 2016;140:409-14.

18. Lee J-S, Hong G-Y, Park B-J, et al. Ultrasound-guided high-intensity focused ultrasound treatment for uterine fibroid & adenomyosis: A single center experience from the Republic of Korea. Ultrason Sonochem 2015;27:682-7.

19. Levgur M, Abadi MA, Tucker A. Adenomyosis: symptoms, histology, and pregnancy terminations. Obstet Gynecol 2000;95:688-91.

20. Levy G, Dehaene A, Laurent N, et al. An update on adenomyosis. Diagn Interv Imaging 2013;94:3-25.

21. Liu X, Nie J, Guo S-W. Elevated immunoreactivity to tissue factor and its association with dysmenorrhea severity and the amount of menses in adenomyosis. Hum Reprod 2011;26:337-45.

22. Long L, Chen J, Xiong Y, et al. Efficacy of high-intensity focused ultrasound ablation for adenomyosis therapy and sexual life quality. Int J Clin Exp Med 2015;8:11701-7.

23. Ma JY, Kim HK, Kang SY, et al. Robot-Assisted Laparoscopic Adenomyomectomy: Successful Treatment of Adenomyosis Patients Who Wish Uterus-Sparing Treatment. J Minim Invasive Gynecol 2015;22:S70.

24. Maheshwari A, Gurunath S, Fatima F, et al. Adenomyosis and subfertility: a systematic review of prevalence, diagnosis, treatment and fertility outcomes. Hum Reprod Updat 2012;18:374-92.

25. Mechsner S, Grum B, Gericke C, et al. Possible roles of oxytocin receptor and vasopressin-1α receptor in the pathomechanism of dysperistalsis and dysmenorrhea in patients with adenomyosis uteri. Fertil Steril 2010;94:2541-6.

26. Naftalin J, Hoo W, Pateman K, et al. How common is adenomyosis? A prospective study of prevalence using transvaginal ultrasound in a gynaecology clinic. Hum Reprod 2012;27:3432-9.

27. Nam J-H, Lyu G-S. Abdominal ultrasound-guided transvaginal myometrial core needle biopsy for the definitive diagnosis of suspected adenomyosis in 1032 patients: a retrospective study. J Minim Invasive Gyneco 2015;22:395-402.

28. Nogales FF, Isaac MA, Hardisson D, et al. Adenomatoid tumors of the uterus: ananalysis of 60 cases. Int J Gynecol Pathol 2002;21:34-40.

29. P, R, B, S, H, K, T, S, B, O, K, W, et al. Sarcoma of the uterus: Diagnostic and therapeutic recommendations. Vol. 11, Current Gynecologic Oncology 2013;24-32.

30. Parazzini F, Vercellini P, Panazza S, et al. Risk factors for adenomyosis. Hum Reprod 1997;12:1275-9.

31. Park J, Lee JS, Cho J-H, et al. Effects of High-Intensity-Focused Ultrasound Treatment on Benign Uterine Tumor. J Korean Med Sci 2016;31:1279-83.

32. Scharfenberg JC, Geary WL. Intravenous leiomyomatosis. Obstet Gynecol 1974;43:909-14.

33. Spanos WJ, Peters LJ, Oswald MJ. Patterns of recurrence in malignant mixed mullerian tumor of the uterus. Cancer 1986;57:155-9.

34. Templeman C, Marshall SF, Ursin G, et al. Adenomyosis and endometriosis in the California Teachers Study. Fertil Steril 2008;90:415-24.

35. Tomassetti C, Meuleman C, Timmerman D, et al. Adenomyosis and subfertility: evidence of association and causation Semin Reprod Med 2013;31:101-8.

36. Vercellini P, Vigano P, Somigliana E, et al. Adenomyosis: epidemiological factors. Best Pract Res Clin Obstet Gynaecol 2006;20:465-77.

37. Yamamoto T, Noguchi T, Tamura T, et al. Evidence for estrogen synthesis in adenomyotic tissues. Am J Obstet Gynecol 1993;169:734-8.

38. Zhu X, Fei J, Zhang W, et al. Uterine leiomyoma mimicking a gastrointestinal stromal tumor with chronic spontaneous hemorrhage: A case report. Oncol Lett 2015;9:2481-4.

자 궁 근 종
UTERINE LEIOMYOMA

내과적 치료

Medical management

CHAPTER

09

내과적 치료

Medical management

| 연세의대 산부인과 조시현 |

1. 서론

자궁근종(평활근종, 섬유양)은 여성에서 가장 흔한 골반 종양이자 가장 흔한 양성 종양이다. 가임기에는 60%, 평생 동안 80% 정도에서 발병하는 것으로 알려져 있다. 평활근종은 자궁 평활근 조직에서 발생하는 단클론성 종양이다. 어떤 이유에 의해서 자궁근종이 발달하고 자라는지 명확히 밝혀져 있지 않으나 성장을 촉진하는 것으로 성호르몬의 중요성이 대두되고 있으며, 특히 에스트로겐과 프로게스토젠에 대한 연구가 활발히 진행되고 있다.

40대에 최대 발병률을 보이며 폐경기까지는 나이가 들수록 발생이 증가하며, 흑인, 비만은 자궁근종의 잘 알려진 위험 인자이다. 그 원인으로 생식 및 환경 요인 모두가 연관되는 것으로 알려져 있다. 가장 널리 알려진 생식 요인은 미산부, 조기 초경력, 16세 이전의 경구 피임약의 복용력이다. 추가적인 환경 요인으로 식생활, 특히 비타민 D 결핍과 환경 독소에 대한 연구가 현재 진행 중에 있으며. 과일, 채소, 저지방 유제품 소비 증가를 포함한 일부 식이 요인은 자궁근종 발생 위험의 감소와 관련이 있는 것으로 보고되고 있다. 자궁근종을 가지고 있는 대다수의 여성은 무증상 상태이나 시간이 지남에 따라 증상이 점차적으로 나타날 수 있다. 환자가 증상이 있는 경우, 자궁 근종의 수, 크기, 위치가 임상 증상의 중요한 결정 요소이다. 흔한 증상으로 월경량 과다, 월경통, 비주기적 통증, 비뇨기 증상, 피로, 변비 등이 있다.

불임과 자궁 근종의 연관성은 아직 확정적이지 않다. 최근의 메타 분석에 따르면 점막하, 근층 내 또는 장막하 자궁 근종은 임신에 각기 다른 영향을 미치고 그 중 주로 점막하 병변이 착상 결함을 일으킨다는 사실이 밝혀졌다.

자궁절제술은 자궁 근종의 유일한 치료제로 간주되었다. 그러나 대안으로 가임력을 보존하고 침습적인 수술을 피할 수 있으며 높은 효능을 가지면서 부작용이 적은 약물치료법이 널리 사용되고 있다. 따라서 본 장에서는 자궁근종에 대한 보조 치료법과 1차 치료제에 대한 내용을 다루었으며 특히 성선 자극 호르몬 방출 호르몬(GnRH) 유사체, 레보노르게스트렐 유리 자궁내장치(Levonorgestrel-releasing intrauterine system, LNG-IUS), 선택적 프로게스테론 수용체 조절제(selective progesterone receptor modulator, SPRMs), 방향화효소억제제(aromatase inhibitor, AI)에 초점을 두었으며 이들 약물은 각기 다른 안전성 및 유효성을 가진다. 자궁 근종의 치료는 환자의 연령, 증상 및 징후, 지속적인 자궁 근종 크기 감소 여부에 따라, 그리고 부작용을 최소화하면서 가임력 유지 또는 개선할 수 있도록 개별화해야 한다.

2. 복합 경구 피임제

관찰 연구에서 자궁 근종이 있는 여성의 월경량을 줄이기 위한 목적으로 경구 피임제 복용이 효과 있음이 밝혀졌다. 자궁근종의 성장은 에스트로겐과 프로게스틴 모두에 의해 자극되기 때문에 복합 경구 피임약은 과거에는 자궁 근종 성장 위험 인자로 간주되었다. 그러나 최근 메타 분석에 따르면 자궁 근종이 복합 경구 피임약 금기로 간주되어서는 안 된다는 의견이 제시되었다. 복합 경구 피임약은 단기간에 주로 자궁 내막 증식에 대한 억제 효과를 통해 자궁 근종과 관련된 생리량을 개선하지만 전반적으로 자궁근종의 크기 또는 자궁 크기를 줄이는 데에는 큰 효과가 없다. 자궁 근종 치료 효과를 평가하기 위하여 복합 경구 피임약과 레보노르게스트렐 유리 자궁 내 장치(levonorgestrel releasing intrauterine device, LNG-IUS)를 비교한 무작위 대조 연구에서는 LNG-IUS의 우월성을 보여 주었지만 복합 경구 피임약 역시 생리량을 줄이고 자궁 근종 크기 변화를 유발시키지 않는 효과가 입증되었다. 비록 복합 경구 피임약 효능에 대한 확실한 증거가 없지만, 접근성이 용이하고 경구로 투여할 수 있으며 비용이 저렴하다는 장점이 있어 자궁 근종 환자의 여러 증상을 호전시키기 위하여 복합 경구 피임약 복용이 고려될 수 있다.

3. 프로게스틴

질출혈 조절을 위한 프로게스틴의 주기적 복용은 폐경이행기 질출혈 및 자궁 내막 증식 관련 출혈과 같은 비기질성 비정상 자궁 출혈의 경우에 권유되었다. 프로게스틴은 종종 자궁 근종의 치료에서 투여되기는 하지만, 효능을 뒷받침하는 강력한 증거가 부족하고 심지어 자궁 근종 세포의 성장을 촉진시킬 수도 있다. 한 연구에서, depot medroxyprogesterone acetate (MPA)는 자궁 근종에 의한 질출혈 환자 20명에게 투여되었을 경우 6 개월 후 30%의 환자는 무월경을 경험하였고 70%의 환자에서 질출혈 경향이 개선되었으며 15 %의 환자에서는 헤마토크릿이 증가되었다. 반면 자궁 및 자궁 근종 부피는 각각 48%, 33%씩 감소하였다. 자궁 근종 환자에서 경구용 프로게스토겐의 효능을 평가하는 또 다른 연구에서는 경구용 프로게스토겐인 lynestrenol과 GnRH 작용제인 leuprolide가 골반 통증 개선과 자궁 출혈 치료에 유의한 차이가 없음을 보여 주었고 18명의 환자군이 포함된 한 연구에서는 경구용 프로게스토겐인 dienogest와 leuprolide를 비교하였으며 두 치료법이 각각 50%와 60%에서 자궁 근종 부피가 현저히 감소함을 입증했다. 이러하듯 자궁근종을 프로게스토겐으로 치료하는 것이 효과적일 수 있지만, 프로게스틴 치료는 악성 잠재력이 알려지지 않은 자궁근종 또는 평활근 육종암으로 오인될 수 있는 세포충실도와 유사 분열 증가 등의 조직병리학적 변화를 가져올 수 있다는 점도 명시하여야 한다.

4. 레보노르게스트렐 유리 자궁 내 장치(Levonorgestrel releasing intrauterine device, LNG-IUS)

2009년 FDA는 피임 방법으로 자궁 내 장치를 선택하는 여성에서 생리 과다를 치료하기 위한 LNG-IUS의 사용을 승인했다. 비기질적 비정상 자궁 출혈에 대한 효과적인 치료법으로 잘 알려져 있는 자궁 근종과 연관된 질출혈에 대한 LNG-IUS의 치료 효과를 분석한 연구에서 높은 탈락률을 보이기는 했지만 LNG-IUS가 질출혈을 감소시키고 자궁근종의 크기를 줄이는 데 더 효과적이라는 것을 입증했다. 또한 LNG-IUS를 삽입한 경우 생리혈 손실과 자궁 부피가 현저히 감소하는 반면 헤마토크리트는 증가하는 효과를 나타내기도 하였다. 자파타 등이 시행한 체계적 문헌고찰에서는 11 개의 연구에서 자궁근종과 연관된 생리량이 감소하고 헤모글로빈, 헤마토크리트 및 페리틴의 증가했음을 보여주었다. 많은 연구에서 LNG-IUS를 시행받은 자궁근종 환자에서 생리량과 헤모글로빈 수치가 향상되었지만 MRI와 기타 영상 이미지에서 자궁 근종 부피 변화가 크지 않아 생리혈과 관련된 증상 개선에는 효과적이지만 평활 근종 크기 자체를 줄이지는 않는 것으로 보인다.

일단 삽입되면, LNG-IUS는 최대 5년간 약효가 있으므로 잠재적으로 여성에게 장기 치료 옵션이 된다. 그것은 전신적으로 투여되지 않기 때문에 최소한의 부작용이 보고되고 매일 혹은 월간 주사가 필요하지 않기 때문에 삽입 후 환자의 순응도와 상관이 없다는 장점이 있으나 대신 평활 근종 환자에서 자연 만출 위험이 높기 때문에 자궁 내막의 뒤틀림이 없으면서 증상이 있는 환자에게 효과적인 방법이다.

5. 성선 자극 호르몬 방출 호르몬 작용제

데카 펩타이드인 천연 성선 자극 호르몬 방출 호르몬은 시상 하부에서 생산되어 박동성으로 방출된다. 성선 자극 호르몬 방출 호르몬 작용제는 합성 펩타이드로 천연 성선 자극 호르몬 방출 호르몬 분자에 가까운 구조로 더 강력한 효과를 가지며 천연 성선 자극 호르몬 방출 호르몬 보다 긴 반감기를 갖는다. 플레어 효과 (flare effect)로 알려진 바와 같이, 투여 시 처음에는 난포 자극 호르몬과 황체 형성 호르몬 분비를 증가시킨다. 그 후 순차적으로 수용체 하향 조절을 일으키고, 투여 1 ~ 3 주 후 저생식샘자극호르몬생식샘저하 상태 (종종 "가성폐경"이라고 부름)가 뒤따른다. 자궁근종의 성장이 에스트로겐에 의해 자극되는 것처럼, 성선 자극 호르몬 방출 호르몬 작용제의 약리 효능에 저에스트로겐성 상태가 기여한다. 에스트로겐 수용체 양성 세포의 수에 비례하여 자궁 근종의 크기가 줄어드는 여러 연구 결과가 있다.

성선 자극 호르몬 방출 호르몬 작용제는 증상을 유발하는 자궁근종의 치료 특히 수술 전 보조 약물요법 치료에 관하여 가장 광범위하게 연구되어 왔다. 26 건의 무작위 대조 연구를 체계적으로 검토한 Cochrane 체계적 문헌연구에서는 자궁절제술이나 자궁 근종 절제술 전 투여 시 성선 자극 호르몬 방출 호르몬 작용제의 주목할 만한 치료 효과를 보고했다. 수술 전후 헤모글로빈 수치와 자궁 부피, 자궁 크기, 자궁근종 부피, 입원 기간의 유의한 감소가 관찰되었고 근종 절제술과 자궁 적출술 모두에서 출혈량과 수직 절개율 빈도가 감소되었다. 성선 자극 호르몬 방출 호르몬 작용제 투여는 10cm 이상의 큰 자궁 근종의 경우에도 복강경하 자궁 근종 절제술을 시행할 때 수술 시간, 수술 중 출혈 및 수혈 위험을 줄일 수 있어 더 유용하다. 게다가, 성선 자극 호르몬 방출 호르몬 작용제는 자궁경하 점막하 자궁 근종 절제술 전에 유익할 수도 있다. 한 무작위 통제 시험은 성선 자극 호르몬 방출 호르몬 작용제의 수술 전 사용이 수술 시간, 체액 흡수 및 자궁경 수술의 어려움을 감소 시키는 데 도움이 된다는 것을 입증했다. 성선 자극 호르몬 방출 호르몬 작용제의 장기간 투여 후 홍조, 질염과 같은 갱년기 증상과 골밀도 감소로 인하여 대부분의 환자에게 단기간 보조 요법으로만 투여하게 한다. 이러한 저에스트로겐성 부작용의 결과로, 장기간 성선 자극 호르몬 방출 호르몬 작용제 치료는 저에스트로겐 증상의 일부를 상쇄하고 골밀도를 보존하기 위해 호르몬 추가 요법이 필요할 수 있다. 또한, 수술 전 성선 자극 호르몬 방출 호르몬 작용제 치료가 근종 절제술의 난이도를 증가시킬 수 있는데 이는 평활근 변성을 일으키고 자궁 근종과 자궁 근층 사이 경계면을 없애 근종 제거가 어려워 질 수 있다. 이러한 점액성 변화는 매우 물렁하며 시각화하기 어려운 아주 작은 자궁근종을 초래할 수 있어 자궁 근종 절제술 중 이러한 자궁근종을 놓칠 수 있다.

6. 성선 자극 호르몬 분비 호르몬 길항제

성선 자극 호르몬 분비 호르몬 길항제는 뇌하수체에 있는 성선 자극 호르몬 분비 호르몬 수용체를 차단함으로써 난포자극호르몬 및 황체형성호르몬의 분비를 억제한다. 결과적으로 estradiol 수치가 감소하면서 치료 개시 후 3 주 이내에 출혈 패턴이 개선되고 자궁근종 크기가 감소한다. 신속히 약 효가 발현되면서 성선 자극 호르몬 플레어 효과를 피할 수 있어 환자는 더 신속한 증상 경감을 경험 한다. Cetrorelix의 효과를 연구한 한 무작위 시험에서 109 명의 여성에게 수술 4주 전 성선 자극 호 르몬 분비 호르몬 길항제를 투여한 결과 위약과 비교하여 자궁근종 부피와 자궁 체적의 유의한 감 소를 나타내었다. 19 명의 환자를 대상으로 한 소규모 연구 결과, 성선 자극 호르몬 분비 호르몬 길 항제 중 하나인 ganirelix 평균 치료 기간인 19 일 동안 종양 부피와 자궁 부피가 감소하는 것으로 나 타났다. 그러나 아직까지는 일반적으로 적용하기에는 장기적인 사용에 대한 적절한용량과 부작용 에 대한 추가적인 연구가 필요한 실정이다.

7. 선택적 프로게스테론 수용체 조절제

세포연구에서는 프로게스테론이 배양된 자궁근종 세포의 증식을 자극하지만, 정상 자궁 내막 세포 에서는 그렇지 않았다. 자궁 근층과 비교할 때 자궁근종은 에스트로겐과 프로게스테론 수용체를 과 다 발현하며 에스트로겐 수용체와 프로게스테론 수용체 신호 전달 경로 내 복잡한 상호작용이 존재 할 것이르 생각되어 지고 있다. 자궁 근종은 주로 생리주기의 분비기에 자라며, 외인성 프로게스테 론은 자궁근종의 유사 분열과 세포충실도를 증가시킨다. 사람 섬유 조직을 생쥐의 신장 피막하 이 식되어 만들어진 생체 내 모델의 세포 증식 자극, 세포 외 기질의 축적 및 세포 비대로 알 수 있듯이, 프로게스테론과 그 수용체가 종양의 성장에 큰 영향을 미치는 것으로 생각되어 진다.. 다수의 임상 관찰도 이러한 결과를 뒷받침하고 있어 호르몬 대체 요법에서 프로게스틴의 투여 용량에 비례하여 폐경기 여성에서 자궁 근종의 성장을 자극한다. 또한 성선 자극 호르몬 방출 호르몬 작용제에 프로 게스틴을 첨가하면 자궁 근종 크기 증가를 억제하는 성선 자극 호르몬 방출 호르몬 작용제 효과가 감소한다. 따라서 프로게스테론은 섬유 육종 성장에 필수적이며, 이러한 결과를 토대로 프로게스테 론 길항제, 선택적 프로게스테론 수용체 조절제의 개발에 대한 필요성이 대두되었다.

선택적 프로게스테론 수용체 조절제는 프로게스테론 수용체에서 조직 특이적 효과를 가지며, 완 전한 프로게스테론 수용체 작용제 혹은 길항제 특성을 가지거나 작용제와 길항제 특성을 모두 가질 수 있다. 미페프리스톤, 텔라프리스톤, 오나프리스톤, 아소프리닐, 울리프리스탈이 자궁 근종의 유 망한 치료법으로 등장했으며, 이에 따른 무작위 시험이 시행되었다. 역사적으로 미페프리스톤은 임상에서 25년 이상 사용 되어온 최초의 프로게스테론 수용체 길항제이다. 선택적 프로게스테론 수용체 조절제의 초기 임상 연구의 대부분은 미페프리스톤과 아소프리닐에 관한 것이다. 두 약물 모두 자궁근종 크기를 줄이고 근종 관련 증상을 개선하는 데 효과적임이 입증되었다. 특히 미페프리스톤은 주로 프로게스테론 수용체 길항제 활성을 갖는 합성 19-노르스테로이드 선택적 프로게스테론 수용체 조절제이다. 미페프리스톤은 낙태제로 사용되는 항프로게스테론인 RU-486으로 가장 널리 알려져 있지만, 근종 성장 억제 효과도 있다. 2009년 시행된 한 무작위 대조 시험은 위약과 비교하여 미페프리스톤으로 치료받은 환자가 자궁 크기의 현저한 감소, 빈혈 소실 및 월경과다 개선됨을 입증했다. 그 후 증상이 있는 자궁 근종의 미페프리스톤 치료를 평가하는 3건의 무작위 대조 시험에 대한 Cochrane 체계적 문헌연구에서 미페프리스톤 투여군의 질출혈 감소와 삶의 질 개선은 있었으나 자궁근종 크기의 유의한 감소는 보이지 않았다. 그러므로 이 체계적 문헌연구를 바탕으로 더 강력한 무작위 대조 시험 수행 시까지 미페프리스톤은 자궁 근종 치료로 권장되지 않는다.

최근에는 미국에서 응급 피임법으로 승인된 울리프리스탈 아세테이트에 대한 다양한 임상 연구 역시 시도되었으며 울리프리스탈 아세테이트는 환자의 삶의 질을 향상시키고, 자궁근종 부피를 감소시키며, 치료받는 여성의 대부분에서 무월경을 유발하는 효과를 보여 유럽과 캐나다에서 임상 사용이 승인되었다. 울리프리스탈 아세테이트, CDB-2914는 19-노르프로게스테론에서 추출한 합성 스테로이드로, 프로게스테론 수용체-A와 프로게스테론 수용체-B에 높은 친화성으로 결합하는 선택적 프로게스테론 수용체 조절제이다. 글루코코르티코이드 수용체를 갖는 울리프리스탈 아세테이트의 결합력 및 길항제 효능은 미페프리스톤에 비해 현저히 낮다. 울리프리스탈 아세테이트는 조직 선택적으로 자궁, 자궁 경부, 난소 및 시상 하부에 특이적 결합을 보인다.

많은 임상 연구에서 증상이 있는 자궁근종 치료에서 울리프리스탈 아세테이트의 효능을 평가했다. 그러나 가장 널리 인용되는 연구는 울리프리스탈 아세테이트 안전성과 효능을 입증한 유럽 제 3상 임상 시험인, PGL4001 자궁근종으로 인한 증상 경감 효능 평가 연구(PGL4001 Efficacy Assessment in Reduction of symptoms due to uterine Leiomyomata, PEARL)이다. PEARL I는 13주간의 치료 기간 동안 5 ~ 10mg / 일 복용량으로 울리프리스탈 아세테이트와 위약의 효과를 비교했다. 위약과 비교할 때 자궁 출혈을 효과적으로 조절하였고 MRI로 측정한 결과에서 자궁 근종의 크기를 줄였다. 울리프리스탈 아세테이트로 치료받은 여성에서 무월경의 비율이 높았으며, 치료 시작 10 일 이내에 질출혈이 중단되기 시작했다. PEARL II는 이중 맹검, 비열등성 시험으로 3개월 동안 무작위 배정된 307명을 대상으로 5 ~ 10mg / 일 복용량으로 울리프리스탈 아세테이트와 성선 자극 호르몬 방출 호르몬 작용제인 디포 루프로라이드 아세테이트 복용군으로 나누어 효과를 비교하였으며, 울리프리스탈 아세테이트 군의 거의 100%의 여성에서 질출혈이 조절되었으며, 루프로라이드 아세테이트군보다 2주 정도 빠른 무월경을 유발하였다. 또한 울리프리스탈 아세테이트의 경우 루프로라이드 아세테이트와는 달리 저에스트로겐성 부작용과 골손실이 적은 장점이 있다. PEARL III 연구는 증상이 있는 자궁 근종을 가진 여성에서 장기적인 울리프리스탈 아세테이트 치료의 효능과 안전성을 평가했다. 환자들을 매일 울리프리스탈 아세테이트 10mg을 투여한 다음, 노르에틴드론 아세테이트 10mg을 투여하는 군과 위약군으로 나누어 10일 동안 투여했다. 그 후, 환자들은 연구 참여를 끝내거나 울리프리스탈 아세테이트 10mg(및 노르에틴드론 아세테이트과 위약)을 한 회차에12주, 3회차 더 계속 참여하는 것을 선택할 수 있었다. 각 12주 코스 사이에는 약물 투여를 하지 않고 그 다음 회차에 추가로 울리프리스탈 아세테이트 치료를 받기 전에 생리를 하도록 했다. 이 연구에서 무월경의 경우 첫 번째 울리프리스탈 아세테이트 치료 시작 후 평균 3.5일, 후속 치료 시작 2-3일 후에 도달하는 것으로 나타났다. 첫 1회차 치료를 마친 여성은 약 90%가 무월경이었고 후속 회차에서는 93% -94%에서 정상 질출혈이 있거나 질출혈 증상이 소실되었다. 자궁근종 부피 감소는 첫 1회차 치료 이후 4 %, 4회차 치료까지 72%로 치료가 진행될 때마다 감소율이 높아졌다. PEARL IV는 5, 10mg 용량의 울리프리스탈 아세테이트 유효성과 안전성을 평가하는 3상 임상 시험으로 다기관, 무작위, 이중 맹검 연구로 진행되었으며 12주간 매일 경구 울리프리스탈 아세테이트 (5, 10mg)를 투여한 결과 두 군 모두에서 80% 이상 질출혈을 감소시켰으며 통증을 효과적으로 조절하고, 자궁 근종 부피를 줄이며(각각 54%, 58%), 삶의 질을 회복시켰다. 울리프리스탈 아세테이트 부작용으로 치료를 중단한 환자는 5% 미만으로 내약성 역시 괜찮은 것으로 보고되었다.

선택적 프로게스테론 수용제 조설제의 상기석인 투여는 자궁 내막 변화에 대한 우려가 있을 수 있다. 세포의 유사분열이 거의 없는 약한 분비기의 팽창된 자궁내막선과 비균질 부종에서 압축에 이르는 자궁 내막 기질 효과가 특징인 비생리적 자궁 내막 변화는 '프로게스테론 수용체 조절제 관련 자궁 내막 변화'(Progesterone receptor modulator-associated endometrial changes, PAECs)라고 부른다. 프로게스테론 수용체 조절제 관련 자궁 내막 변화는 모든 환자의 약 50%에서 발생한다. PEARL I, II 및 III 연구의 추가 데이터 분석에 따르면 장기적인 프로게스테론 수용체 조절제 투여와 관련하여 자궁 내막 변화가 크게 우려할 만한 사항은 아닌 것으로 보고되었다. 16mm 이상의 자궁 내막 비후가 10~12 % 여성에서 발생했으나, 자궁 내막 조직 검사에서 단순형 또는 복합형 이형성이 관찰되지는 않았다. 프로게스테론 수용체 조절제 관련 자궁 내막 변화는 울리프리스탈 아세테이트 치료 중단 1~2개월 후에 회복된다.

8. 선택적 에스트로겐 수용체 조절제

많은 실험 데이터 및 환경 연구 결과를 볼 때 에스트로겐이 에스트로겐 수용체 α를 통해 자궁근종의 성장을 자극한다는 것을 암시하고 있다. 자궁 근종 성장에서 에스트로겐과 에스트로겐 수용체 α의 주된 역할은 조직에서 프로게스테론 수용체의 발현을 유도하여 프로게스테론에 반응하도록 하는 것이다.

선택적 에스트로겐 수용체 조절제는 조직 특이적 유전자 발현을 통해 조직 특이적 에스트로겐 수용체 작용제 또는 길항제 에스트로겐 작용을 나타내는 비스테로이드성 에스트로겐 수용체 리간드이며 원래는 에스트로겐 수용체 양성 유방암의 치료에 사용되었다. 자궁 근종 치료로 가장 일반적으로 연구되는 선택적 에스트로겐 수용체 조절제 두 가지는 타목시펜과 랄록시펜이다.

타목시펜은 자궁 내막 에스트로겐 수용체에 작용제 작용을 하여 자궁 내막 병리적 변화를 유발할 위험이 있다. 한 소규모 무작위, 맹검 대조 연구에서 증상이 있는 자궁근종 환자에게 매일 타목시펜 20mg 또는 위약을 투여하였고 치료 6개월 후 타목시펜을 투여 받은 군에서 생리혈 손실이 유의하게 개선하는 효과를 보였지만 자궁 근종 크기나 자궁 부피의 변화는 관찰되지 않았다. 연구 대상자들은 홍조, 어지럼증, 양성 자궁 내막 비후 등 많은 부작용을 보고하였으며 이로 인하여 타목시펜은 증상 있는 자궁근종 환자의 치료에 권장되지 않는다.

랄록시펜은 자궁 내막에 대한 효과가 없고 유방 조직에서 미약한 항에스트로겐 효과만을 나타낸다. 증상이 있는 평활 근종 환자에 대한 Cochrane 체계적 문헌조사를 보면 3건의 연구에서 총 215명의 환자가 연구에 참여하였으며 이 중 두 연구는 랄록시펜 치료에 효능이 있었으나 세 번째 연구는 그렇지 않았다. 따라서 자궁 근종 크기와 질출혈에 대한 랄록시펜의 효과가 불분명하다는 결론으로 앞으로 더 정확한 효과를 평가하기 위한 대규모 무작위 대조 연구가 필요하다.

9. 방향화효소 억제제

자궁근종 조직에서 성선 자극 호르몬과는 독립적으로 발현되는 방향화효소의 기전은 아직 완전히 밝혀지지 않았다. 백인 여성에 비해 자궁근종의 유병률이 높고 더 어린 나이에 발병하는 흑인 여성의 자궁 근종 조직의 경우 높은 수치의 방향화효소를 함유하고 있으며 따라서 이들의 자궁근종에서 에스트로겐 수치가 높은 것으로 보고되고 있다.

성선 자극 호르몬 방출 호르몬 작용제의 에스트로겐 간접 억제의 효과를 볼 때 방향화효소 억제제는 성선에서 안드로겐의 에스트로겐 전환을 차단하는 효과를 나타내기 때문에 에스트로겐 수용체 양성 유방암을 가진 폐경기 여성에게 표준 보조 요법이 되었다. 이러한 특성 때문에 방향화효소 억제제는 자궁근종의 치료에 매우 매력적인 후보일 수 있다. 순환 에스트로겐 수치가 안정적임에도 불구하고 방향화효소 억제제는 성선 자극 호르몬 방출 호르몬 유사체와 유사할 정도로 자궁 평활 근종의 부피를 감소시키는 효과를 나타내는 것으로 알려졌으며 이러한 결과는 방향화효소 억제가 호르몬 의존성 자궁근종의 성장에서 중요한 기전임을 시사한다.

증상 있는 자궁근종의 치료를 위해 방향화효소 억제제인 레트로졸(하루 2.5mg)과 아나스트로졸

(하루 1mg) 제제가 시도되었으며 작은 규모의 여러 관측 연구에서 방향화효소 억제제 치료로 자궁 근종의 크기가 감소하고 이와 연관된 증상의 호전을 나타내었다. 지금까지 한 건의 무작위 대조군 연구가 진행이 되었는데 증상이 동반된 자궁근종이 있는 폐경 전 여성에서 12주간 레트로졸과 성선 자극 호르몬 방출 호르몬 유사체인 트립토레린의 효과를 비교한 것이며, Cochrane의 체계적 문헌 연구에서는 증상이 동반된 자궁근종 여성에서 방향화효소 억제제 투여 효과를 뒷받침하는 증거가 아직은 부족한 실정이라고 결론지은 바 있다.

10. 결론

자궁근종은 가임기 여성에서 높은 유병률을 보이며, 최근 출산 시기가 늦춰짐에 따라 가임력을 유지하는 치료가 요구되는 환자가 점차 늘어나고 있다. 자궁근종 약물 치료는 가임력을 유지할 수 있는 기회와 함께 자궁근종 관련 증상의 완화를 기대할 수 있다. 어떠한 자궁근종 치료제를 선택할 것인가에 대한 것은 환자 개개인의 치료 목표, 비용, 반복 치료 필요성 및 치료제 효능 등을 평가하여 환자 개인 맞춤형 치료 전략을 세우는 것이 중요하다.

참고문헌

1. American College of O, Gynecologists. ACOG practice bulletin. Alternatives to hysterectomy in the management of leiomyomas. Obstet Gynecol 2008;112:387-400.

2. Baird DD, Dunson DB, Hill MC, et al. High cumulative incidence of uterine leiomyoma in black and white women: ultrasound evidence. Am J Obstet Gynecol 2003;188:100-7.

3. Baird DD, Hill MC, Schectman JM, et al. Vitamin d and the risk of uterine fibroids. Epidemiology 2013;24:447-53.

4. Biglia N, Carinelli S, Maiorana A, et al. Ulipristal acetate: a novel pharmacological approach for the treatment of uterine fibroids. Drug Des Devel Ther 2014;8:285-92.

5. Brito LG, Candido-dos-Reis FJ, Magario FA, et al. Effect of the aromatase inhibitor anastrozole on uterine and leiomyoma Doppler blood flow in patients scheduled for hysterectomy: a pilot study. Ultrasound Obstet Gynecol 2012;40:119-20.

6. Britten JL, Malik M, Levy G, et al. Gonadotropin-releasing hormone (GnRH) agonist leuprolide acetate and GnRH antagonist cetrorelix acetate directly inhibit leiomyoma extracellular matrix production. Fertil Steril 2012;98:1299-307.

7. Carbonell JL, Acosta R, Perez Y, et al. Safety and effectiveness of different dosage of mifepristone for the treatment of uterine fibroids: a double-blind randomized clinical trial. Int J Womens Health 2013;5:115-24.

8. Chwalisz K, Perez MC, Demanno D, Winkel C, Schubert G, Elger W. Selective progesterone receptor modulator development and use in the treatment of leiomyomata and endometriosis. Endocr Rev 2005;26:423-38.

9. Courtoy GE, Donnez J, Marbaix E, et al. In vivo mechanisms of uterine myoma volume reduction with ulipristal acetate treatment. Fertil Steril 2015;104:426-34.

10. De Leo V, Morgante G, La Marca A, et al. A benefit-risk assessment of medical treatment for uterine leiomyomas. Drug Saf

2002;25;759-79.

11. Deng L, Wu T, Chen XY, et al. Selective estrogen receptor modulators (SERMs) for uterine leiomyomas. Cochrane Database Syst Rev 2012;10;CD005287.

12. Donnez J, Donnez O, Courtoy GE, et al. The place of selective progesterone receptor modulators in myoma therapy. Minerva Ginecol 2016;68;313-20.

13. Donnez J, Donnez O, Matule D, et al. Long-term medical management of uterine fibroids with ulipristal acetate. Fertil Steril 2016;105;165-73.

14. Donnez J, Hudecek R, Donnez O, et al. Efficacy and safety of repeated use of ulipristal acetate in uterine fibroids. Fertil Steril 2015;103;519-27.

15. Donnez J, Tatarchuk TF, Bouchard P, et al. Ulipristal acetate versus placebo for fibroid treatment before surgery. N Engl J Med 2012;366;409-20.

16. Donnez J, Tomaszewski J, Vazquez F, et al. Ulipristal acetate versus leuprolide acetate for uterine fibroids. N Engl J Med 2012;366;421-32.

17. Donnez J, Vazquez F, Tomaszewski J, et al. Long-term treatment of uterine fibroids with ulipristal acetate. Fertil Steril 2014;101;1565-73.

18. Duhan N, Madaan S, Sen J. Role of the aromatase inhibitor letrozole in the management of uterine leiomyomas in premenopausal women. Eur J Obstet Gynecol Reprod Biol 2013;171;329-32.

19. Dutertre M, Smith CL. Molecular mechanisms of selective estrogen receptor modulator (SERM) action. J Pharmacol Exp Ther 2000;295;431-7.

20. Eisinger SH, Bonfiglio T, Fiscella K, et al. Twelve-month safety and efficacy of low-dose mifepristone for uterine myomas. J Minim Invasive Gynecol 2005;12;227-33.

21. Feng C, Meldrum S, Fiscella K. Improved quality of life is partly explained by fewer symptoms after treatment of fibroids with mifepristone. Int J Gynaecol Obstet 2010;109;121-4.

22. Flierman PA, Oberye JJ, van der Hulst VP, et al. Rapid reduction of leiomyoma volume during treatment with the GnRH antagonist ganirelix. BJOG 2005;112;638-42.

23. Friedman AJ, Daly M, Juneau-Norcross M, et al. Long-term medical therapy for leiomyomata uteri; a prospective, randomized study of leuprolide acetate depot plus either oestrogen-progestin or progestin 'add-back' for 2 years. Hum Reprod 1994;9;1618-25.

24. Gonzalez-Barcena D, Alvarez RB, Ochoa EP, et al. Treatment of uterine leiomyomas with luteinizing hormone-releasing hormone antagonist Cetrorelix. Hum Reprod 1997;12;2028-35

25. Gupta S, Jose J, Manyonda I. Clinical presentation of fibroids. Best Pract Res Clin Obstet Gynaecol 2008;22;615-26.

26. Hilario SG, Bozzini N, Borsari R, et al. Action of aromatase inhibitor for treatment of uterine leiomyoma in perimenopausal patients. Fertil Steril 2009;91;240-3.

27. Holdsworth-Carson SJ, Zaitseva M, Vollenhoven BJ, et al. Clonality of smooth muscle and fibroblast cell populations isolated from human fibroid and myometrial tissues. Mol Hum Reprod 2014;20;250-9.

28. Ichigo S, Takagi H, Matsunami K, et al. Beneficial effects of dienogest on uterine myoma volume; a retrospective controlled study comparing with gonadotropin-releasing hormone agonist. Arch Gynecol Obstet 2011;284;667-70.

29. Ishikawa H, Ishi K, Serna VA, et al. Progesterone is essential for maintenance and growth of uterine leiomyoma. Endocrinology 2010;151;2433-42.

30. Ishikawa H, Reierstad S, Demura M, et al. High aromatase expression in uterine leiomyoma tissues of African-American women. J Clin Endocrinol Metab 2009;94;1752-6.

31. Islam MS, Protic O, Giannubilo SR, et al. Uterine leiomyoma; available medical treatments and new possible therapeutic op-

tions. J Clin Endocrinol Metab 2013;98:921-34.

32. Jayakrishnan K, Menon V, Nambiar D. Submucous fibroids and infertility: Effect of hysteroscopic myomectomy and factors influencing outcome. J Hum Reprod Sci 2013;6:35-9.

33. Jiang W, Shen Q, Chen M, et al. Levonorgestrel-releasing intrauterine system use in premenopausal women with symptomatic uterine leiomyoma: a systematic review. Steroids 2014;86:69-78.

34. Kawaguchi K, Fujii S, Konishi I, et al. Immunohistochemical analysis of oestrogen receptors, progesterone receptors and Ki-67 in leiomyoma and myometrium during the menstrual cycle and pregnancy. Virchows Arch A Pathol Anat Histopathol 1991;419:309-15.

35. Kawaguchi K, Fujii S, Konishi I, et al. Mitotic activity in uterine leiomyomas during the menstrual cycle. Am J Obstet Gynecol 1989;160:637-41.

36. Kettel LM, Murphy AA, Morales AJ, et al. Rapid regression of uterine leiomyomas in response to daily administration of gonadotropin-releasing hormone antagonist. Fertil Steril 1993;60:642-6.

37. Kim JJ, Sefton EC. The role of progesterone signaling in the pathogenesis of uterine leiomyoma. Mol Cell Endocrinol 2012;358:223-31.

38. Kriplani A, Awasthi D, Kulshrestha V, et al. Efficacy of the levonorgestrel-releasing intrauterine system in uterine leiomyoma. Int J Gynaecol Obstet 2012;116:35-8.

39. Kulshrestha V, Kriplani A, Agarwal N, et al. Low dose mifepristone in medical management of uterine leiomyoma - an experience from a tertiary care hospital from north India. Indian J Med Res 2013;137:1154-62.

40. Lethaby A, Vollenhoven B, Sowter M. Pre-operative GnRH analogue therapy before hysterectomy or myomectomy for uterine fibroids. Cochrane Database Syst Rev 2017;11:CD000547

41. Linder D, Gartler SM. Glucose-6-phosphate dehydrogenase mosaicism: utilization as a cell marker in the study of leiomyomas. Science 1965;150:67-9.

42. Lingxia X, Taixiang W, Xiaoyan C. Selective estrogen receptor modulators (SERMs) for uterine leiomyomas. Cochrane Database Syst Rev 2007;CD005287.

43. Liu J, Matsuo H, Xu Q, et al. Concentration-dependent effects of a selective estrogen receptor modulator raloxifene on proliferation and apoptosis in human uterine leiomyoma cells cultured in vitro. Hum Reprod 2007;22:1253-9.

44. Luyckx M, Squifflet JL, Jadoul P, et al. First series of 18 pregnancies after ulipristal acetate treatment for uterine fibroids. Fertil Steril 2014;102:1404-9.

45. Marret H, Fritel X, Ouldamer L, et al. Therapeutic management of uterine fibroid tumors: updated French guidelines. Eur J Obstet Gynecol Reprod Biol 2012;165:156-64.

46. Marshall LM, Spiegelman D, Barbieri RL, Goldman MB, Manson JE, Colditz GA, et al. Variation in the incidence of uterine leiomyoma among premenopausal women by age and race. Obstet Gynecol 1997;90:967-73.

47. Maruo T, Ohara N, Matsuo H, et al. Effects of levonorgestrel-releasing IUS and progesterone receptor modulator PRM CDB-2914 on uterine leiomyomas. Contraception 2007;75:S99-103.

48. Maruo T. Progesterone and progesterone receptor modulator in uterine leiomyoma growth. Gynecol Endocrinol 2007;23:186-7.

49. Murphy AA, Kettel LM, Morales AJ, et al. Regression of uterine leiomyomata in response to the antiprogesterone RU 486. J Clin Endocrinol Metab 1993;76:513-7.

50. Mutter GL, Bergeron C, Deligdisch L, et al. The spectrum of endometrial pathology induced by progesterone receptor modulators. Mod Pathol 2008;21:591-8.

51. Myers SL, Baird DD, Olshan AF, et al. Self-report versus ultrasound measurement of uterine fibroid status. J Womens Health (Larchmt) 2012;21:285-93.

52. Nieman LK, Blocker W, Nansel T, et al. Efficacy and tolerability of CDB-2914 treatment for symptomatic uterine fibroids: a ran-

domized, double-blind, placebo-controlled, phase IIb study. Fertil Steril 2011;95:767-72.

53. Paffoni A, Somigliana E, Vigano P, et al. Vitamin D status in women with uterine leiomyomas. J Clin Endocrinol Metab 2013;98:1374-8.

54. Palomba S, Affinito P, Di Carlo C, . Long-term administration of tibolone plus gonadotropin-releasing hormone agonist for the treatment of uterine leiomyomas: effectiveness and effects on vasomotor symptoms, bone mass, and lipid profiles. Fertil Steril 1999;72:889-95.

55. Palomba S, Orio F, Jr., Morelli M, et al. Raloxifene administration in women treated with gonadotropin-releasing hormone agonist for uterine leiomyomas: effects on bone metabolism. J Clin Endocrinol Metab 2002;87:4476-81.

56. Palomba S, Orio F, Jr., Morelli M, et al. Raloxifene administration in premenopausal women with uterine leiomyomas: a pilot study. J Clin Endocrinol Metab 2002;87:3603-8.

57. Parsanezhad ME, Azmoon M, Alborzi S, Rajaeefard A, et al. A randomized, controlled clinical trial comparing the effects of aromatase inhibitor (letrozole) and gonadotropin-releasing hormone agonist (triptorelin) on uterine leiomyoma volume and hormonal status. Fertil Steril 2010;93:192-8.

58. Peddada SD, Laughlin SK, Miner K, et al. Growth of uterine leiomyomata among premenopausal black and white women. Proc Natl Acad Sci U S A 2008;105:19887-92.

59. Pritts EA, Parker WH, Olive DL. Fibroids and infertility: an updated systematic review of the evidence. Fertil Steril 2009;91:1215-23.

60. Qin J, Yang T, Kong F, et al. Oral contraceptive use and uterine leiomyoma risk: a meta-analysis based on cohort and casecontrol studies. Arch Gynecol Obstet 2013;288:139-48.

61. Radin RG, Rosenberg L, Palmer JR, et al. Hypertension and risk of uterine leiomyomata in US black women. Hum Reprod 2012;27:1504-9.

62. Reinsch RC, Murphy AA, Morales AJ, et al. The effects of RU 486 and leuprolide acetate on uterine artery blood flow in the fibroid uterus: a prospective, randomized study. Am J Obstet Gynecol 1994;170:1623-7.

63. Reissmann T, Diedrich K, Comaru-Schally AM, et al. Introduction of LHRH-antagonists into the treatment of gynaecological disorders. Hum Reprod 1994;9:769.

64. Ryan GL, Syrop CH, Van Voorhis BJ. Role, epidemiology, and natural history of benign uterine mass lesions. Clin Obstet Gynecol 2005;48:312-24.

65. Sabry M, Al-Hendy A. Innovative oral treatments of uterine leiomyoma. Obstet Gynecol Int 2012;2012:943635.

66. Sayed GH, Zakherah MS, El-Nashar SA, et al. A randomized clinical trial of a levonorgestrel-releasing intrauterine system and a low-dose combined oral contraceptive for fibroid-related menorrhagia. Int J Gynaecol Obstet 2011;112:126-30.

67. Segaloff A, Weed JC, Sternberg WH, et al. The progesterone therapy of human uterine leiomyomas. J Clin Endocrinol Metab 1949;9:1273-91.

68. Shen Q, Hua Y, Jiang W, et al. Effects of mifepristone on uterine leiomyoma in premenopausal women: a meta-analysis. Fertil Steril 2013;100:1722-6.

69. Singh SS, Belland L. Contemporary management of uterine fibroids: focus on emerging medical treatments. Curr Med Res Opin 2015;31:1-12.

70. Socolov D, Blidaru I, Tamba B, et al. Levonorgestrel releasing-intrauterine system for the treatment of menorrhagia and/or frequent irregular uterine bleeding associated with uterine leiomyoma. Eur J Contracept Reprod Health Care 2011;16:480-7.

71. Song H, Lu D, Navaratnam K, et al. Aromatase inhibitors for uterine fibroids. Cochrane Database Syst Rev 2013:CD009505.

72. Tamaya T, Nioka S, Furuta N, et al. Progesterone receptor in human endometrium of leiomyoma uteri. Endocrinol Jpn 1977;24:523-8.

73. Tristan M, Orozco LJ, Steed A, et al. Mifepristone for uterine fibroids. Cochrane Database Syst Rev. 2012:CD007687.

74. Tsigkou A, Reis FM, Lee MH, et al. Increased progesterone receptor expression in uterine leiomyoma: correlation with age, number of leiomyomas, and clinical symptoms. Fertil Steril 2015;104:170-5.

75. Venkatachalam S, Bagratee JS, Moodley J. Medical management of uterine fibroids with medroxyprogesterone acetate (Depo Provera): a pilot study. J Obstet Gynaecol 2004;24:798-800.

76. Walker CL, Stewart EA. Uterine fibroids: the elephant in the room. Science 2005;308:1589-92.

77. Williams AR, Bergeron C, Barlow DH, et al. Endometrial morphology after treatment of uterine fibroids with the selective progesterone receptor modulator, ulipristal acetate. Int J Gynecol Pathol 2012;31:556-69.

78. Wise LA, Radin RG, Palmer JR, et al. Association of intrauterine and early life factors with uterine leiomyomata in black women. Ann Epidemiol 2012;22:847-54.

79. Wu T, Chen X, Xie L. Selective estrogen receptor modulators (SERMs) for uterine leiomyomas. Cochrane Database Syst Rev 2007:CD005287.

80. Zapata LB, Whiteman MK, Tepper NK, et al. Intrauterine device use among women with uterine fibroids: a systematic review. Contraception 2010;82:41-55.

81. Zepiridis LI, Grimbizis GF, Tarlatzis BC. Infertility and uterine fibroids. Best Pract Res Clin Obstet Gynaecol 2015.

82. Zimmermann A, Bernuit D, Gerlinger C, et al. Prevalence, symptoms and management of uterine fibroids: an international internet-based survey of 21,746 women. BMC Womens Health 2012;12:6.

수술적 접근

Surgical management

CHAPTER

10

자 궁 근 종
UTERINE LEIOMYOMA

전자궁절제술,
자궁근종절제술

Hysterectomy, Myomectomy

| 울산의대 산부인과　김대연 |

1. 서론

자궁근종의 수술적 적응증은 비수술적 치료를 시행하였으나 호전되지 않는 비정상자궁출혈, 만성 자궁출혈에 의한 이차성 철결핍성 빈혈, 삶의 질을 저해하는 통증 또는 압박증상, 빈뇨 또는 핍뇨 등의 비뇨기계 증상, 자궁내강 변형 또는 난관폐쇄 유발에 의한 불임 또는 반복적인 유산, 폐경 후 크기 증가, 평활근육종 등 악성이 의심되는 경우 등이 해당한다.

2. 전자궁절제술

자궁절제술은 다른 치료에 반응하지 않는 급성출혈을 보이는 경우나 자궁경부상피내종양 등 자궁 절제술로 치료가 가능한 질환이 동반된 여성에서 더이상 출산계획이 없는 경우, 위치상 근종절제술이 어려운 경우, 근종의 크기 증가가 빠른 경우, 컴퓨터단층촬영이나 자기공명영상촬영 등에서 악성이 의심되는 경우 시행할 수 있다. 자궁근종은 자궁절제술의 가장 흔한 적응증이며, 자궁절제술은 자궁근종절제술과 비교 시 수술시간은 더 짧은 반면, 출혈량이 더 많은 것으로 보고되었다. 자궁절제술의 경우 방광 또는 요관 손상, 장 손상, 수술 후 장폐색증, 골반 농양 등의 합병증이 발생할 수 있으며, 근종의 위치나 크기, 이전의 개복수술 여부, 주변조직과의 유착 정도에 따라 그 빈도가 약간씩 다를 수 있다. 최근에는 자궁절제술 시에 향후 잠재적인 부속기의 악성종양 발생 및 이로 인한 사망률 감소를 위하여 예방적 양측난관절제술을 시행하는 것이 권장되기도 한다.

수술적인 방법은 자궁근종 치료에서 오랫동안 주요한 방식이었으며, 자궁절제술을 받음으로써 증상과 재발의 가능성을 없앨 수 있다. 임신을 원하지 않는 경우에 자궁절제술은 근종의 재발이나 미처 절제되지 못한 근종으로 인해 발생할 수 있는 문제로부터 자유로워질 수 있기 때문에 매력적인 선택이 될 수 있다. 미국의 한 연구에 따르면, 중등도 또는 중증의 증상으로 자궁절제술을 시행한

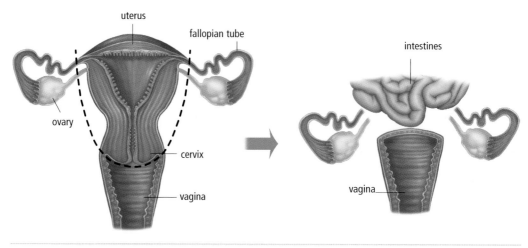

■ 그림 10-1. **자궁경부를 포함한 전자궁절제술**

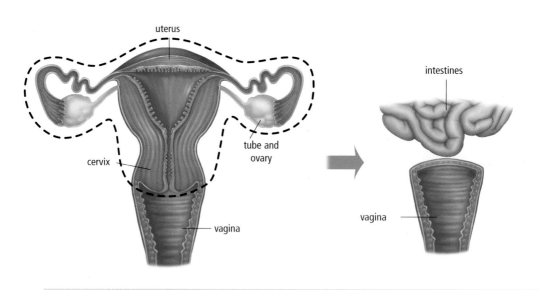

■ 그림 10-2. **양측 난소난관절제술을 포함한 전자궁절제술**

많은 여성들이 수술 결과에 매우 만족했으며, 삶의 질이 향상되었다.

개복하 근종절제술을 시행한 후에 초음파 근종을 다시 발견할 확률은 수술 후 5년이 지나면 50%에서 나타난다. 이는 근종이 다시 자란다는 것이라기보다는 독립적인 클론의 성질을 가지고 있기 때문에 새로운 병변으로 간주하는 것이 더 올바를 것으로 생각되며, 이로 인해 재수술을 할 가능성은 11-26% 정도로 낮은 편은 아니라고 할 수 있다.

다음 그림들은 자궁절제술의 방법이며, 첫번째 그림이 일반적으로 시행되는 자궁절제술 방법으로 양측난소난관은 그대로 두고 자궁만 절제하는 것으로 개복이나 복강경, 질을 통하여 시행할 수 있다. 두 번째 그림은 폐경여성에서 시행하는 방법으로 양측난소난관을 자궁절제와 동시에 시행하는 것이다. 예방적으로 난소를 절제하는 것은 향후에 남아있는 난소에서 질환, 특히 악성종양이 발생할 가능성이 있어 시행하나 자궁절제 시에 정상으로 보였던 난소에서 악성종양이 발생할 확률은 0.14%-0.47%로 모든 여성에서 발생할 확률인 1.4%에 비하여 1/10에 불과하다. 또한 장기간 에스트로겐 보충요법에 대한 순응도는 20%-40%로 낮으므로 폐경 전 여성에서 예방적으로 난소를 절제하는 것은 그리 타당하다고 볼 수는 없다. 난소암의 위험도가 평균적인 여성에서 양성 질환으로 자궁절제를 시행할 때 65세까지 난소를 남겨두는 것이 장기생존에 이득이 있다. 또한 폐경 전에 양측 난소를 절제하는 경우 심혈관질환에 의한 사망률이 증가한다. 따라서 미국산부인과학회(ACOG), 미국부인암학회(SGO)에서는 폐경 전 양측 난소절제를 권장하지는 않는다(그림 10-1, 10-2, 10-3).

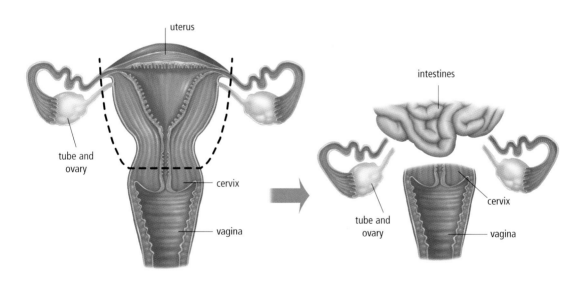

■ 그림 10-3. **아전자궁절제술**

자궁절제술 시에 충수돌기절제술을 시행하는 것은 향후 발생할 가능성이 있는 충수돌기염을 예방하고 기존의 질환을 제거하는 이유가 있다. 예방 목적으로 시행하는 것은 그리 효과적이지 않은데, 충수돌기염의 호발 연령은 20~40세이고 자궁절제술을 시행하는 경우는 호발 연령이 10~20년이 지난 후이기 때문이다. 그러나 일부 보고에 따르면 충수돌기절제술을 시행한 경우 약 22~71%에서 병리학적 이상이 보고되었고, 유암종이 발견된 경우도 있으며, 충수돌기절제술에 따른 유병률의 차이는 없는 것으로 보고되고 있어, 자궁절제술과 동시에 시행한다 하여 해가 될 것으로는 보이지 않는다.

자궁절제술을 시행하기 전에 몇 가지 검사가 필요하다. 우선 1년 이내에 시행한 자궁경부세포검사 결과가 정상이어야 하며, 40세 이상에서 최근에 유방촬영술을 시행하지 않았다면 시행하여야 한다. 비정상 자궁출혈이 있는 경우에는 자궁내막조직검사를 시행하여야 한다. 40세 이상에서는 분변 잠혈검사를 시행하여야 한다.

전자궁절제술을 시행한 경우 환자는 가임력의 손실, 성기능 장애, 배우자와의 문제 등에 대하여 걱정을 하는 경우가 있다. 따라서 수술 전 충분한 상담이 필요하다.

1) 개복하 전자궁절제술

개복수술 전에 피부 박테리아의 번식을 줄이기 위해 샤워를 해야 한다. 절개 부위에 해당하는 털은 수술 시 또는 제모제를 사용하여 수술 전에 제거할 수 있다. 절개 부위의 감염을 줄이고 털을 고정하는 것이 제모를 하는 것보다 상처부위 감염을 줄이는 데 도움이 된다. 만약 제모를 한다면 수술 직전에 수술실에서 하는 것이 바람직하다(그림 10-4).

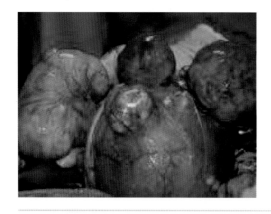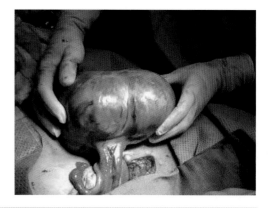

■ 그림 10-4. 개복하 전자궁절제술

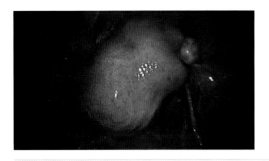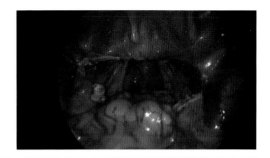

■ 그림 10-5. **자궁근종으로 복강경하 전자궁절제술을 시행하기 전과 시행한 후**

2) 복강경하 전자궁절제술

복강경하 전자궁절제술에 대한 절대적인 금기는 없다. 집도의의 경험 및 환자의 골반 구조에 대한 지식이 복강경하 전자궁절제술 시행의 제한적 요인으로 작용하고 있다. 환자 자체에 대한 금기는 골반 내 유착이 매우 심한 경우, 골반강을 전체적으로 차지하고 막고 있는 경우, 다른 해부학적 제한 점으로 인해 복강 내 공간이 나오지 않는 경우가 해당할 수 있다. 반복 제왕절개술이나, 개복수술을 여러 번 시행한 경우, 정중절개를 시행한 경우에는 50%까지 배꼽주위에 유착이 있을 수 있다. 복강경 수술 중 개복술로 전환하는 경우는 체질량지수가 높은 경우, 자궁이 10cm 이상인 경우, 자궁 측 방이나 하부에 5cm가 넘는 근종이 있는 경우, 이전에 복부골반수술로 유착이 있는 경우에 고려할 수 있다(그림 10-5).

3) 질식 전자궁절제술

수술 중에는 방광손상과 요관손상, 장손상, 출혈 등이 발생할 수 있다. 방광 손상의 경우에는 바로 봉합을 시행한 후에 인디고카민을 방광 내에 주입하여 새는지 확인한다. 장손상의 경우 한 층 또는 두 층으로 봉합 후 다량의 irrigation을 시행한다. 수술이 끝난 후에는 변 완화제와 저잔사식을 처방한다.

3. 자궁근종절제술

가임 연령이 늦춰짐에 따라 자궁을 보존하고자 하는 환자들이 늘어나면서 자궁근종의 수술적 치료 시 자궁을 보존하는 방향으로의 요구도가 높아지고 있다. 자궁근종절제술은 원인불명의 불임 또는 반복유산을 보이는 장막하 또는 근육 내 자궁근종 환자에서 자궁보존을 위하여 고려할 수 있으며 유경성 자궁근종일 경우 가장 좋은 시술법이다. 수술 전에는 초음파를 통하여 근종의 위치, 개수, 크기 등을 정확히 파악해야 하며, 자궁 내강의 병변이 의심될 경우 시행 전 자궁난관조영술, 생리식염수 주입 초음파, 자궁경 등을 이용하여 정확한 위치를 확인해야 한다. 점막하 자궁근종의 경우에는 자궁경하 근종절제술을 통하여 비교적 안전하게 시술을 시행할 수 있다. 자궁근종절제술 시행 시에는 자궁 절개를 어떻게 할 것인지 계획적으로 접근하여야 자궁각 쪽으로 절개가 확장되거나 자궁내막 및 자궁혈관이 손상되는 것을 방지할 수 있으며, 근종 제거 후에는 절개 부위를 층별로 사강이 발생하지 않게 봉합하도록 하고 유착방지제 사용 등을 통하여 유착 발생을 줄이도록 노력해야 한다. 자궁근종절제술은 다른 부인과 수술에 비해 상대적으로 출혈이 많고 수술 후 유착발생 가능성이 높다. 이에 수술 시 출혈을 최소화하기 위하여 자궁동맥색전술 또는 자궁동맥 임시묶음술, 자궁경부 주변 압박띠 적용, 근종주위 자궁근육에 에피네프린이나 바소프레신 등 혈관수축제 사용, 출혈 부위에 지혈제 사용, 항섬유소용해제 사용 및 자궁수축제 사용 등이 시행될 수 있다.

자궁근종절제술은 개복 또는 복강경하에 시행되어왔으나 최근에는 로봇을 이용한 근종절제술의 빈도 또한 증가하고 있다. 고식적 개복하 자궁근종절제술은 자궁으로부터 큰 근종을 제거하는 것이 용이하며 근종으로 접근이 쉽고 자궁 절개부위 봉합에 유리하다. 그러나 복강경에 비해 상처가 크고 재원기간이 길고, 출혈량 및 수술 후 진통제 사용량이 증가하며, 이환율이 높은 단점이 있다. 복강경수술은 1970년대 후반부터 자궁근종절제술에 도입되었으며, 기존에 발표된 메타분석에 따르면 복강경수술은 상기 개복수술의 단점을 보완하는 동시에 수술 후 근종의 재발률이나 임신율에는 큰 차이가 없는 것으로 나타났다. 따라서 개복수술과 비교하여 장기적인 결과에 영향을 주지 않을 수 있는 상황에서는 개복수술보다 복강경수술이 선호된다. 최근에는 복강경뿐만 아니라 로봇수술도 많이 이루어지고 있으며 선명한 3차원 시야가 확보되고 손 떨림을 보정하여 미세수술에 적합한 로봇수술 자체의 장점이 자궁근종절제술에 효과적으로 적용되고 있다. 로봇 자궁근종절제술과 복강경하 자궁근종절제술의 비교에 따르면, 수술시간, 출혈량, 수술 중 또는 수술 후 합병증, 입원기간 등의 단기 수술 결과에서는 큰 차이를 보이지 않았다. 하지만 로봇수술은 복강경 수술에 비해서 수술시간이 길고 상처가 크며, 개복수술에 비해서는 비용이 지나치게 과도한 단점이 존재한다. 한편, 2014년 미국식품의약국은 부인과 수술에 사용되는 복강경 동력세절기의 암 전파 위험성을 경고했다. 동력세절기는 자궁 및 자궁근종을 작은 조각으로 잘라 제거하는 기구로 복강경수술 시에 많이 이용되었으나 세절 과정에서 조직파편이 튀거나, 떨어져나간 파편이 복강 내에 잔류할 수 있다. 특히, 단순한 근종조직이 아니고 악성종양일 경우 암세포가 주변으로 파종될 수 있어 위험하다. 따라서 폐경기에 근접한 여성 및 폐경 후 자궁근종제거수술을 받은 대부분의 여성은 동력세절기를 사용하지 말거나 사용 시 주의하여야 한다.

1) 개복하 근종절제술

자궁근종절제술은 자궁절제술의 안전한 대체제로 생각을 할 수 있다. 초창기 개복하 근종절제술을 시행한 Victor Bonney는 "신체적 기능을 회복하고 유지하는 것, 즉, 이것이 수술의 궁극적인 목표가 되어야 한다"고 하였다. 실험-대조군 연구에서 전자궁절제술과 비교하여 자궁근종절제술이 수술 시 손상의 위험이 더 적을 것이라는 연구들이 있었다. 197명을 대상으로 시행한 후향적 연구에서 유사한 자궁크기(14~15주)에서 전자궁절제술보다 근종절제술이 시간이 더 걸렸다(200분 vs 175분). 하지만 실혈량은 전자궁절제술을 시행한 군에서 더 많았다(227mL vs 484mL). 출혈위험이나 열, 의도치 않은 시술, 생명을 위협할 만한 문제, 재입원 등 두 군에서 차이가 없었다. 하지만 전자궁절제술을 시행한 환자 중 26명에서 부작용으로 고통을 받았으며, 방광손상 1명, 요관손상 1명, 장손상 3명, 장폐색 8명, 골반농양 6명이 있었다. 이와 대조적으로 근종절제술을 시행한 군에서는 11명(5%)에서 있었으며, 방관손상 1명, 소장폐색으로 재수술 2명, 장폐색 6명이 있었다.

근종절제술은 근종의 크기가 크더라도 자궁을 보존하고 싶은 경우에 고려해야 한다. 근종의 크기가 16cm (16-36cm)이상인 환자 91명을 대상으로 한 연구에서 장손상 1명, 방광손상 1명, 장폐색 1명의 부작용이 있었으며, 자궁절제술로의 전환은 1명도 없었다. 89명의 자궁절제술과 103명의 개복하 근종절제술 환자를 비교 연구한 결과 수술 중 혈액을 모아 재수혈할 수 있는 cell saver를 70명의 환자에서 사용하였으며, 이 중 7명만 따로 수혈이 필요하였다.

제왕절개 시 근종절제술은 신중하게 선택을 해야 하며 경험이 많은 집도의에 의해 이루어질 수 있다. 25명의 여성에서 제왕절개술과 동시에 근종절제술을 시행한 연구가 있었으며, 총 근종의 개수는 84개(2-10cm)였으며, 제왕자궁절제술을 시행한 경우는 없었다. 실혈량은 876mL (400~1700mL) 정도였으며, 5명의 환자에서 추가로 수혈이 필요하였다. 제왕절개술과 동시에 근종절제술을 시행한 111명과 근종은 있지만 시행하지 않은 257명을 대상으로 한 연구에서 근종절제술을 받은 1명의 환자에서만 수혈이 필요하였고, 자궁절제술이나 색전술은 필요하지 않았다. 수술 시간에는 치이가 없었으며, 다른 합병증의 발생률도 치이가 없었다. 숙련된 집도의의 경우 제왕절개술 시 안전하게 근종절제술을 시행할 수 있을 것으로 사료된다.

출혈량이 많을 것으로 생각되는 경우에는 토니켓, cell saver를 사용하거나 바소프레신과 같은 약제를 사용할 수 있다. 대량 출혈의 가능성이 있거나 대량 출혈이 있는 경우 양측 자궁동맥 결찰을 시행할 수 있다. 자궁동맥 색전술은 근종절제술 후에 출혈량을 조절하기 위해 그 당시에만 효과적으로 사용할 수 있으며, 일정 시간 후에 자궁동맥이 재관류되기 때문에 향후 임신에 영향을 주지는 않는다.

자궁의 절개는 종절개나 횡절개 두 가지 다 가능하며, 근종으로 인하여 정상 혈관 구조를 파악하기 힘들긴 때문에 궁상혈관을 피해 절개를 넣는 것은 거의 불가능하다. 하지만 신중히 절개를 넣는

다면 절개가 자궁각이나 상행자궁혈관으로 확장되는 것은 막을 수 있다.

근종으로 가는 주혈관을 구분하기는 어렵기 때문에 적절한 위치로 절개를 시행하며 근종이 뚜렷이 구분되는 깊이(근종피막)까지 절개를 시행한다. 이 부분은 상대적으로 혈관이 적어 구분이 쉽게 된다. 이 위치는 생각보다 더 깊을 수 있다.

자궁의 절개는 자궁장막의 유착을 줄이기 위해 최소한으로 시행하는 것이 좋다. 하지만 절개가 작을 경우 터널같이 깊게 들어가게 되어 지혈이 어려울 수 있다. 따라서 절개는 근종에 최대한 가까운 부분으로 시행하며, 근종을 절제하고 나서 바로 지혈 및 봉합을 시행하여야 한다. 여러 곳의 절개가 필요한 경우 유착방지제를 사용하는 것이 유착형성을 억제하는 데 도움을 줄 수 있다.

수술 전 검사로 생리과다가 있는 여성에서 혈색소는 빈혈을 진단하기 위해 사용된다. 근종의 위치가 광인대에 있다고 의심이 될 경우 정맥신우조영술(IVP)을 시행하여 요로폐색을 진단할 수 있다. 주기적인 골반진찰 및 초음파 검사로 무증상 근종을 발견할 가능성을 높일 수 있다. 근종의 크기, 수, 위치에 따라 수술방법이 바뀔 수 있으며, 전자궁절제술까지 시행해야 할 가능성도 있다. 점막하근종은 초음파, 자궁난관조영술, 자궁경을 통해 진단될 수 있다. 작은 크기의 근종은 개복으로 수술 시에는 만져질 수 있지만, 복강경으로 시행할 경우에는 놓칠 수도 있다. 그러므로 질식 초음파를 수술 전에 시행하는 것이 바람직하다.

마취를 시행한 후에 환자의 다리를 알렌 등자장치(Allen stirrups (Allen Medical Systems, Cleveland, OH))를 이용하여 다리를 고정하고 방광을 비운 후에 조심스럽게 직장질-복부 골반 진찰을 시행한다. 소독을 시행한 후 필요시 자궁경부를 통해 기구를 삽입할 수 있다.

골반 수술에서 적용하는 일반적인 원칙을 그대로 근종절제술에 적용할 수 있다.

2) 복강경하 근종절제술

복강경을 사용하기 위해서는 금기증에 해당되지 않는지 검토한다. 예를 들어, NYHA class IV(쉬고 있는 상태에서도 심각한 제한이 있으며, 거의 대부분 침상생활을 하는 경우)에 해당하는 심질환이 있는 경우, 혈역학적으로 불안정한 경우, 과거에 수 회의 복강 내 수술을 한 경우, 마취가 어려울 정도의 다른 질환이 있는 경우 등이 있다.

복강경을 이용한 자궁근종절제술은 개복술에 비하여 합병증이 적으며, 재원일수를 줄일 수 있고 다른 문제점들이 더 적기 때문에 개복술을 대체할 수 있는 수술방법이다. 최근 들어 복강경을 이용한 수술이 용이하도록 광원, 카메라, 봉합기구 등 여러 가지 기구들이 발달해왔으며, 이로 인해 과거와 비교하여 개복하 자궁근종절제술보다는 복강경을 통한 자궁근종절제술이 널리 이용되고 있다. 모든 근종에서 복강경하 자궁근종절제술을 시행할 수 있는 것은 아니다. 복강경하 자궁근종절제술 적응증은 우선 복강경으로 접근가능한 근종이어야 한다는 것이며, 이는 집도의의 기술이나 수술 방법에 의해 결정된다. 일반적으로 복강경하 자궁근종절제술이 적합한 환자는 3개 미만의 근종이 존재하며, 8~9cm을 넘지 않거나 크기에 상관없이 목이 있는 근종일 경우라고 볼 수 있다.

자궁근층이나 장막하에 존재하는 근종이 15cm 이하이거나 5cm 이하 근종이 3개 이하일 경우 시도해 볼 수 있다. GnRH 작용제를 3개월 적용한 후에 자궁의 크기가 14주 이하이고, 근종이 7cm를 넘지 않는 크기이거나 만약 임신을 원한다면 자궁동맥이나 난관입구에 가까운 근종이 없어야 하며, 적어도 50% 이상이 장막하 근종이어야 한다. 하지만 숙련된 집도의인 경우 20cm 이상의 근종도 복강경으로 가능하다고 보고하였으며, 500g 이상에서도 성공한 사례를 보고하였다.

무엇보다 환자가 안전하고 집도의가 수술하기에 좋은 위치여야 한다. 환자는 낮은 결석제거술자세(low lithotomy)이어야 하며, 이 때 환자의 엉덩이는 테이블 끝에서 약간 돌출되어 있는 것이 좋다. 등자장치를 사용하여 다리를 고정하며, 환자의 허벅지는 가능하면 환자의 몸통과 수평을 유지하거나 엉덩이 관절의 굴곡을 최소한으로 하는 것이 중요하다. 이는 엉덩이 관절의 굴곡이 심할 경우에는 수술을 위해 트렌델렌버그자세로 변경 시 기구를 다루기 어려워지기 때문이다. 등자장치에 다리를 고정할 때는 종아리 신경(peroneal nerve)의 손상을 줄이기 위해 다리의 외측이 등자장치에 눌리지 않게 패드 등을 적용한다. 환자의 양측 팔은 내전(adduction), 회내(pronation)를 하는 것이 좋으며, 이는 팔신경얼기(brachial plexus)의 손상을 방지하고 집도의가 수술 시 편하기 하기 위해서이다. 이때 욕창을 방지하기 위해 팔에도 패드를 충분히 적용해야 한다. 가능하면, 어깨 부위에도 패드를 적용하는 것이 좋다.

복강경 수술을 시작할 때 복강 내로 접근하는 방법은 두 가지 방법이 있는데 하나는 베레스바늘(verres needle)을 이용하여 기복을 만든 후에 트로카를 삽입하는 것이며(그림 10-6), 다른 하나는 트로카 삽입예정 부위에 절개를 한 후 완전히 열어 삽입하는 방법이다.

베레스바늘을 이용하는 경우에는 피부에 작은 절개를 넣은 후 복벽을 들어올려 바늘을 삽입한다. 주로 배꼽 부위로 삽입을 하는데, 만약 과거 수술이나 다른 원인으로 인하여 배꼽 주위에 유착이 의심되는 경우에는 배꼽 이외의 부위에 삽입할 수 있으며, 주로 좌측 갈비모서리 부위로 접근을 한

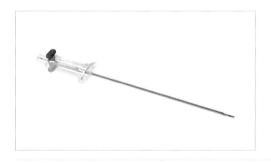 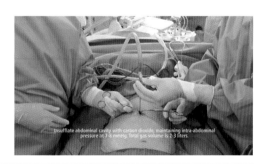

■ 그림 10-6. 베레스 바늘과 베레스 바늘을 이용하여 복강 내 가스 주입을 하는 모습.

다. 이때 위에 공기가 들어있을 가능성이 있어, L-tube를 이용하여 위 내 공기를 제거해야 한다. 베레스바늘 삽입 후 공기를 주입하기 전에 바늘을 주사기로 흡입하여 혈액이나 장내용물이 나오지는 않는지 확인한다. 베레스바늘에 생리식염수가 들어있는 주사기를 연결한 후에 복벽을 들어 복강 내 음압을 형성하였을 때 주사기 내의 생리식염수가 줄어드는 경우 올바르게 삽입되었다고 할 수 있다. 다른 방법으로 이산화탄소 주입선을 베레스바늘에 연결하여 복강안으로 삽입한 후 압력을 관찰

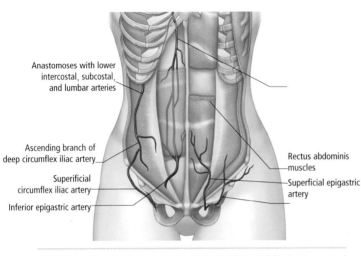

■ 그림 10-7. **복벽의 혈관 분포와 혈관 손상을 최소화할 수 있는 트로카 삽입 위치**

을 할 수 있다. 공기 주입 시에는 압력을 확인하여 압력이 급격히 올라가지는 않는지 확인한다 (주입 시 10mmHg를 넘지 않는지 확인한다). 가스 주입 시 복부가 좌우 균일하게 팽창하는지 확인해야 한다. 이는 잘못된 베레스바늘 삽입으로 복벽에 기종이 생길 가능성이 있기 때문이다. 트로카 삽입 전 이산화탄소를 얼마나 주입해야 하는지는 가스의 부피가 아니라 복강내 압력을 보고 삽입해야 한다. 복압은 수술 시 10-12mmHg를 유지하는 것이 적절하다.

트로카 삽입 시에는 혈관 손상을 주의해

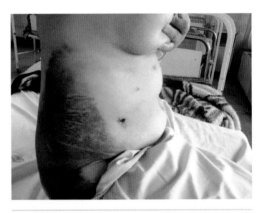

■ 그림 10-8. **트로카 삽입 시 발생한 혈관 손상으로 인한 피하 혈종**

ᅵ 자궁근종

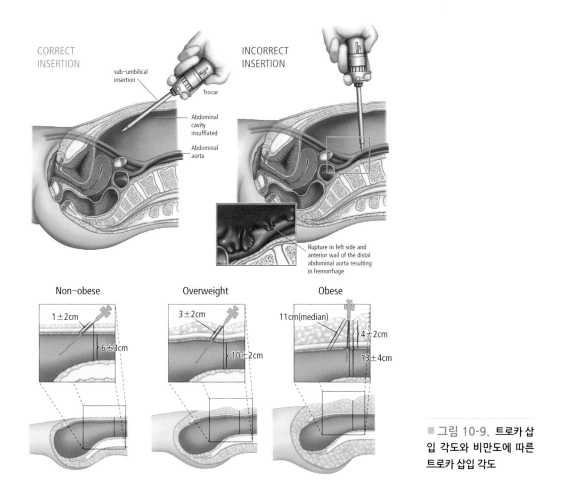

CORRECT INSERTION
sub-umbilical insertion
Trocar
Abdominal cavity insufflated
Abdominal aorta

INCORRECT INSERTION

Rupture in feft side and anterior wail of the distal abdominal aorta resulting in hemorrhage

Non-obese
1±2cm
6±3cm

Overweight
3±2cm
10±2cm

Obese
11cm(median)
4±2cm
13±4cm

▨ 그림 10-9. 트로카 삽입 각도와 비만도에 따른 트로카 삽입 각도

야 한다. 특히 대퇴혈관에서 분지한 얕은배벽혈관은 손상이 흔하게 일어난다. 이들 혈관의 위치는 정중배꼽인대와 원인대기 샅굴로 나오는 위치에 존재하며, 잘 보이지 않을 경우 정중배꼽인대의 3-4cm 외측이나 복직근의 외측 경계 부위에 트로카를 삽입한다. 그 외 깊은배벽혈관이나 깊은 엉덩휘돌이동맥, 얕은 엉덩휘돌이 동맥이 손상될 수 있다(그림 10-7, 10-8).

트로카 삽입 시에는 복벽의 혈관뿐만 아니라 복강 내 혈관 손상도 주의해야 하며, 그 중에서 대동맥 분지 부위의 손상의 가능성이 크다. 비만한 여성에서는 배꼽의 위치가 일반 여성보다 약 3cm 정도 하방에 위치하며, 이때는 척추와 직각을 이루도록 삽입을 한다. 마른 여성에서는 분지 부위와 배꼽의 위치가 비슷하기 때문에 환자의 다리 방향으로 45도 각도로 삽입한다(그림 10-9). 추가적인 트로카는 직접 삽입부위를 보면서 삽입하거나 위에서 설명한 위치에 삽입한다.

근종절제술 시 출혈량을 줄이기 위해 바소프레신을 사용할 수 있으며, 농도는 생리식염수 60-

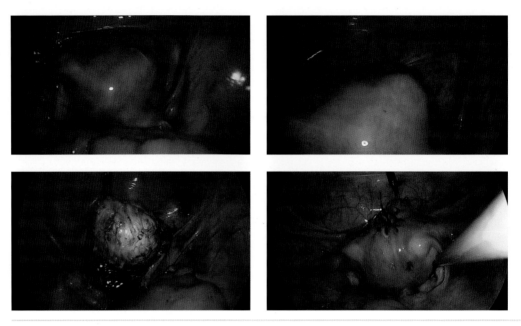

그림 10-10. 복강경하 자궁근종절제술 전과 후

400mL에 20U을 섞어서 사용하게 된다. 주입은 질을 통해 자궁경부 내에 주입하거나, 근종의 피막 내로 직접 주입하는 방법, 자궁근층에 직접 주입하는 방법이 있다. 바소프레신을 사용하는 양은 제한되어 있는데 이는 바소프레신 주입으로 인하여 심정지가 유발될 수 있기 때문이다. 바소프레신으로 인한 심정지는 다양한 농도에서 관찰되었으며, 보통은 총량이 10-15U보다 적을 경우 발생하지 않는다. 만약 좀 더 많은 양이 필요하다면, 생리식염수를 더 섞어서 농도를 낮추는 것이 좀 더 안전한 방법이 될 수 있다. 바소프레신의 반감기는 10-20분이기 때문에 축적되는 농도를 고려하여 재주입 시에 주의를 기울여야 한다. 근종절제술 시에는 자궁조작기(manipulator)를 이용할 경우 좀 더 쉬운 접근이 가능해 진다(예, Cohen manipulator, ZUMI (cooper surgical), RUMI (cooper surgical), Advincula Delineator (cooper surgical)). 자궁조작기의 풍선 부분은 자궁 안에서 기구를 안정화 시키는 역할을 하며, 자궁강의 확인 및 파열을 알 수 있다.

수술은 일반적으로 4포트를 이용하여 진행하며, 근종의 크기와 위치, 집도의에 따라 달라질 수 있다. 일반적으로 배꼽에 10mm 포트를 장착하며, 5mm 포트를 2개를 추가하게 된다. ASIS 위치에서 내측으로 장착하게 되며, 마지막으로 12mm 포트를 치골 직상방 위치에 장착하거나 5mm 위치와 바꿔서 적용하게 된다(그림 10-10, 10-11). 각 포트의 위치는 집도의에 따라 변경될 수 있다. 포트 위치를 결정하기 위해서는 근종의 크기와 위치도 고려하여 장착해야 한다. 만약 복강경을 통해 안전하게 수술이 진행되지 못할 가능성이 있는 경우 개복술 또는 미니개복술을 시행해야 한다. 개복

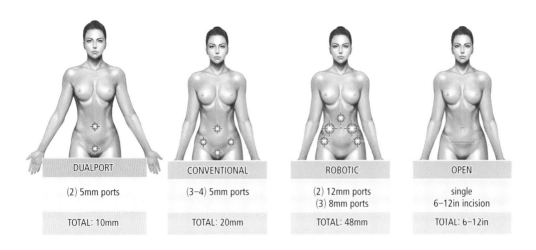

DUALPORT	CONVENTIONAL	ROBOTIC	OPEN
(2) 5mm ports	(3–4) 5mm ports	(2) 12mm ports (3) 8mm ports	single 6–12in incision
TOTAL: 10mm	TOTAL: 20mm	TOTAL: 48mm	TOTAL: 6–12in

■ 그림 10-11. **수술 방법에 따른 전체 피부 절개 길이**

술로의 전환은 집도의의 기술과 경험에 의해 결정된다. 골반 내에 자궁내막증, 유착, 난관난소고름집 등 다른 병변이 있는지 충분히 검사를 시행하여야 한다. Nezhat 등은 자궁내막증을 동반한 대부분의 환자는 향후 문제를 유발할 수 있기 때문에 반드시 자궁내막증도 같이 치료할 것을 권고하였다. 포트를 장착한 후에는 복강경용 needle tip을 이용하여 희석한 바소프레신을 조직이 하얗게 보일 때까지 장막하층이나 근층에 주입한다. 바소프레신을 이용한 수술방법은 논쟁이 있기는 하지만 일반적으로 사용되고 있다. 두 개의 전향적 무작위 연구에서 희석한 바소프레신을 이용하여 근종절제술을 시행할 경우 실혈량을 유의하게 줄었다. 바소프레신만을 이용하는 방법 이외에 0.25% 부피바카인을 에피네프린과 같이 주입하는 방법 또한 유사한 결과를 보여주었다. 다른 방법으로 수술적으로 복강경을 통하여 클립이나 에너지 기구를 이용하여 양측자궁동맥을 결찰하는 방법을 적용할 수 있다(그림 10-12). 이러한 방법은 자궁경부에 근종이 존재하는 것과 같이 도전적인 경우에 도움이 될 수 있다. 목이 있는 근종은 가장 다루기 쉬우며, 근종의 목 부위에 희석한 바소프레신을 주입한 후에 목 부위를 응고(coagulation)시킨 후 절제할 수 있다. 절제 시에 정상 자궁근층의 열손상을 줄이기 위해 자궁체부보다 근종에 최대한 가깝게 이루어져야 한다. Endoloop (Ethicon)를 이용하여 1-2회 목부위를 결찰한 후에 절제할 수도 있다. 전기수술을 이용할 경

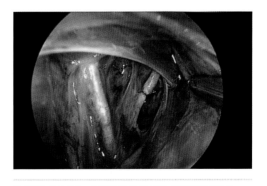

■ 그림 10-12. **출혈을 줄이기 위한 자궁동맥결찰술**

우에는 가능한 한 목부위에서 1~2cm 상방(자궁체부에서 근종방향으로)에서 절제를 하여야 한다. 목부위는 확실한 지혈을 위해 봉합을 시행할 수 있다. 이러한 방법은 차후에 목이 있는 근종에서 절제술을 시행한 후 임신 시 자궁파열을 최소화할 수 있다. 장막하근종의 제거는 심부근층 내 근종을 제거하는 것보다 상대적으로 쉽다. 희석한 바소프레신을 여러 곳의 자궁근층과 근종피막의 사이에 주입한다. 절개는 근종의 상부에 있는 장막부터 이루어지며, 단극전극(monopolar)이나 CO_2 레이저를 이용하거나 다른 에너지 도구를 이용하여 시행할 수 있다. 전통적으로 근종절제술 시에 절개는 자궁의 수직방향으로 시행되어 왔다. 일부 저자들은 절제와 봉합을 원활히 하기 위해 수평방향으로 절개를 시행한다. 한번 절개 방향이 결정되면 피막이 보일 때까지 연장한다. 절개를 하면 자궁근층의 수축으로 인해 근종이 돌출되게 된다. 유구겸자(tooth forceps)를 이용하여 자궁근층의 모서리를 고정하고 흡인세척기(suction irrigator)를 이용하거나 Kittner dissector (sponge stick과 유사)나 Maryland dissector, harmonic scalpel를 이용하여 피막으로부터 근종을 벗겨낼 수 있다(그림 10-13). 반대로 Myoma screw나 단구 tenaculum을 이용하여 당기면서 절제할 수도 있다. 또 다른 방법으로 12mm suprapubic 포트에 손가락을 넣어 직접 박리를 할 수도 있다. 눈에 보이는 혈관은 절제를 하기 전에 충분히 응고를 시킨 후에 절제를 해야 한다. 근종을 완전히 제거하고 나서는 자궁의 결손부위를 irrigation 하고 출혈이 관찰될 경우 위치를 정확히 확인한 후에 양극전극을 이용하여 지혈해야 한다. 하지만 과도하게 전기를 이용하여 지혈을 할 경우 자궁근층의 수복을 어렵게 하며, 조직의 회복을 방해하게 된다. 또한 자궁복강틈새(utero-peritoneal fistula)를 만들거나 차후 임신에서 자궁파

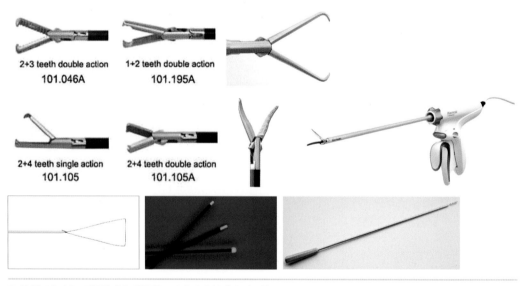

■ 그림 10-13. **근종절제에 사용하는 여러 가지 복강경 기구들**

열을 야기하게된다.

　대신에 지혈제를 사용할 수 있으며, 이는 실혈량을 감소시켜 준다. 자궁결손 부위의 모서리는 봉합을 시행을 시행하게 된다. 심부근층의 근종이나 광인대 부위의 근종이 가장 복강경으로 절제하기 어려운 근종이며 집도의의 숙련된 복강경적 봉합 기술이 필요한 부위이다. 환자가 나중에 임신을 계획하고 있는 경우 특히 중요하다. 기존 개복하 근종절제술에서는 자궁근층을 3개의 층으로 봉합하는 것이 권장되었으며, 기저부위는 사강(dead space)을 줄이기 위해 8자형이나 수평매트리스 봉합이 기본이었다. 두 번째 층은 자궁근층을 붙이기 위해 연속봉합을 하며, 마지막에 장막은 야구공 봉합을 한다. 봉합사는 합성 흡수성 봉합사를 이용하며(Vicryl, Ethicon, Somerville, NJ; Polysorb, USSC, Norwalk, CT) 이는 catgut보다는 염증반응을 줄여줄 수 있다.

　인대 내 근종이나 광인대 부위의 근종은 요관의 주행, 방광, 골반측벽의 혈관 위치를 면밀히 조사해야 한다. 근종의 위치에 따라 절개는 광인대 전엽이나 후엽에서 시행할 수 있다. 근종의 제거방법은 위에서 언급한대로 장막하근종이나 근층내근종을 절제하는 방법과 같다. 근종을 절제한 후에 요관의 위치를 반드시 확인한다. 지혈은 봉합이나 클립, 단극 또는 양극전극을 이용하여 시행할 수 있다. 광인대와 복막은 저절로 복구되기 때문에 반드시 닫을 필요는 없다. 배액관은 상황에 따라 거치할 수 있다. Stringer 등은 심부 근층을 봉합하는 간단한 방법을 제시하였는데 Endo Stitch automatic suturing device (United States Surgical, Norwalk CT)를 이용하는 것이다(그림 10-14).

　이 기구를 이용하여 연속맞물림봉합(continuous interlocking suture)으로 여러 층을 봉합할 수 있

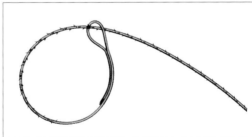
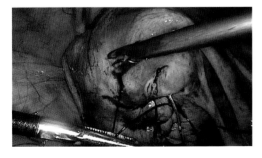

■ 그림 10-14. 일반적인 봉합사 외에 복강경 시 봉합을 쉽게 도와줄 수 있는 봉합사

다. 어시스트가 실을 팽팽하게 유지해야 하며, 마지막에 기구를 이용하여 복강 내 매듭을 시행한다. Endo Stitch는 반드시 10mm 포트를 사용해야 한다. 반직선바늘은 상대적으로 짧기 때문에 각 행위마다 적절한 정도의 자궁조직을 잡는 것이 중요하다. "V-LOC"(Covidien, Mansfield, M)을 이용하여 봉합하는 방법도 있으며, 미늘은 조직의 반발을 최소화하며, 연조직을 정확하게 붙일 수 있고, locking이나 8자형 봉합을 하지 않고 지혈을 할 수 있다. 미늘봉합은 수술시간을 줄여주며, 매듭결찰의 부작용 없이 쉽게 이루어질 수 있다. 미늘봉합의 장점은 매듭 없이 봉합을 빠르게 할 수 있으며, 수술시간 및 출혈량을 줄여준다. 게다가 실의 장력은 미늘에 의해 유지되며, 각 봉합부위에 좀 더 균일하게 힘을 배분하게 된다. 만약 이 봉합사를 이용하는 경우 자궁의 장막을 봉합할 때, 실이 남지 않도록 주의해야 한다. 이는 겉으로 노출된 미늘로 인하여 수술 후 장손상을 유발할 수 있기 때문이다.

복강경하 봉합을 하는 것이 어려울 수 있으나 조직을 제거하는 것이 가장 큰 도전이 되거나 종종 좌절감을 느끼게 할 수 있다. 다수의 작은 근종들은 백(lap bag)에 담아서 가장 큰 포트 위치로 꺼낸 후에 세절제거술(morcellation)을 시행한다(그림 10-15). 근종의 절제는 11번날을 이용하거나 가위를 이용한다. 지난 10년간 비교적 쉽게 제거가 가능한 전동세절기를 사용하였으나 복강경하 자궁근종 절제술을 받은 후에 안전성이 항상 걱정이 되어왔다. 악성세포나 자궁내막증이 포트 위치에 전이되는 것은 잘 알려진 부작용이다. 이는 세절된 근종 조직에 의해서도 포트 위치에 근종의 전이를 유발할 수 있다. 양성 자궁근종의 복강 내 파종은 증상이나 수술적 치료를 필요로 하는 기생 근종을 유발할 수 있다.

하지만 더욱 걱정되는 것은 예기치 못한 횡문근육종의 세절제거술이다. 육안상으로 근종과 육종을 구분하는 것은 어려우며, 만약 악성인 육종인 경우 조직을 복강 내에 파종시키게 되며, 질환의 병기와 병의 예후에 중요한 영향을 미치게 된다. 근종이 보이는 자궁에서 횡문근육종을 감별할 수 있는 믿을 만한 검사 방법이 없고 최근 횡문근육종의 전동세절술로 인하여 종양이 파종된 것에 기인하여 미국 FDA는 2014년 4월에 복강경하 전자궁절제술이나 근종절제술을 시행할 때 전동세절

■ 그림 10-15. 절제한 근종을 제거하기 위한 근종세절과 복강내 파종을 막기 위한 복강경용 백

기를 사용하는 것에 대해 경고하였다[Laparoscopic Uterine Power Morcellation in Hysterectomy and Myomectomy: FDA Safety Communication (http://www.fda.gov/MedicalDevices/Safety/AlertsandNotices/ucm393576.htm)]. 이것은 비단 FDA뿐만 아니라 the Society of Gynecologic Oncologists (SGO), the American Association of Gynecologic Laparoscopists (AAGL), American College of Obstetrics and Gynecology(ACOG)와 같은 다양한 기관에서도 똑같이 경고를 하였다. 그 결과 미국 내 대부분의 병원에서 전동세절기의 사용을 금지하고 있으며, 이는 우리나라에서도 동일하게 적용하고 있다. 조직을 제거하기 위한 다른 방법으로 후방질절개술을 이용하거나 때로는 전방질절개술을 이용하는 경우도 있다. 후방질절개술은 질쪽으로 접근하여 양측 자궁천골인대 사이와 자궁경부 하방으로 절개를 넣는 것이다. 일단 복막이 열리면 근종을 겸자(tenaculum)나 Leahy 클램프를 이용하여 백에 담은 후 그대로 제거하거나 점진적으로 코어링 기술을 이용하여 세절하여 제거할 수 있다. 복강경을 통하여 볼 때 자궁조작기나 질탐색자, 스펀지스틱을 이용하여 후원개 부위에 위치시켜 질의 위치를 파악할 수 있다. 질위치를 파악한 후에 복강경적으로 전기수술용 바늘, 가위, CO_2 레이저 등을 이용하여 절개를 시행한다. 이 방법의 단점은 기복이 빠르게 소실되어 근종을 더글라스와로 옮기기 힘들게 한다. 젖은 거즈 같은 것을 이용하여 막은 후에 다시 기복을 만들고 골반 내를 볼 수 있다. 최근에는 자동취입기(automatic insufflator)의 발달로 재기복을 만드는 것이 좀 더 용이해졌다. 근종을 제거한 후에는 복강경이나 질식으로 봉합을 할 수 있다. 아니면 동일하게 백에 담아 가장 큰 포트 위치로 백을 당긴 후에 칼이나 가위를 이용하여 절제할 수 있다. 다른 방법으로 엔도백을 복강 내로 넣은 후 백 안으로 공기를 주입한 후에 전동세절기를 사용하는 방법도 있다. 이는 위에서 언급한 과거 전동세절기를 이용하였을 때 발생할 수 있는 위험을 막을 수 있는 방법이다.

수술 전에 GnRH agonist의 역할은 아직 논란이 있다. 전자궁절제술 전이나 근종절제술 시행 전에 GnRH agonist를 사용한 무작위 대조군 연구의 문헌고찰에서 수술 전후의 출혈량 감소가 있으며, 근종의 크기가 줄어들었으며, 수술시간이 감소되었다. 근종의 크기가 줄어들게 되면 자궁에 더 작은 절개를 넣을 수 있고 세절술을 덜 시행할 수 있게 된다. 이에 따라 수술시간이 단축된다. 하지만 각각의 근종은 부드러워지고 약해져, 조직이 클램프에 의해 뜯어지게 되며 위쪽으로 당기기 어렵게 만든다. 이는 근종절제를 쉽게 하기 위해 사용한 원래의 목적과 반대의 결과를 낳게 되고 출혈량을 늘리게 된다. 하지만 이것 또한 근종을 부드럽게 하여 세절이 쉽도록 만들고, 수술 시간을 줄여주게 된다. 복강경이나 미니개복, 개복술 어느 방법으로 시행을 해도 동일하다. 빈혈이 있는 환자에서 수술 전 GnRH agonist 치료는 정상 혈색소로 회복이 가능하게 해주고, 근종의 크기를 줄여주며, 수혈의 가능성을 줄여주게 된다. 하지만 모든 연구에서 위에서 언급한 이익만 보여준 것은 아니다. 근종이 부드러워지기 때문에 근종의 구분을 어렵게 만들고, 절개 위치를 정하기 어렵게 만든다. 이것은 또한 보이지도 만져지지도 않게 한다. 최근 메타 분석에서 Chen 등은 복강경하 근종절제술 전에 GnRH agonist 사용이 수술 시간을 줄여주지 않는다고 발표했다. 하지만 수술 중 출혈은 통계적으로 적었다(평균 60mL, 95% CI 39-92). 수술 전후의 헤모글로빈의 농도도 차이가 있었다(평균 1.15g/dL, 95% CI 0.46-1.83).

근종절제술 후에 유착을 방지하는 것은 차후 임신에 영향을 줄 수 있는데 이에 대한 심도 있는 데이터가 부족하다. 절개가 하나이거나 수직, 전면, 중앙인 경우 다른 부위보다 유착이 적다. 비록 봉합 자체가 유착 성향을 갖게 만들지만 자궁의 결손 부위를 봉합하기 위해서는 필요한 과정이다. Seprafilm (Genzyme Corporation, Cambrige, MA)과 Interceed 둘 다 수술 후 유착을 줄여준다는 것을 보여주었다. 하지만 임신에의 효과는 이러한 연구들이 뒷받침이 되기에는 부족하다. 유착방지제를 사용함에도 불구하고 대부분 이러한 것들은 지혈에는 효과가 없다. Linsky 등은 baseball 봉합을 할 경우 자궁의 점막 부위의 지혈을 쉽게 해주고 경계의 노출을 최소한으로 줄여주어 유착을 줄여줄 수 있다고 하였다.

복강경하 근종절제술을 받고 난 후 임신을 한 경우 자연적으로 자궁 파열이 발생하는 경우가 유경근종, 점막하근종, 근층 내 근종등 모든 종류의 근종에서 발견되었으며, 주로 임신 2, 3분기에 발생하였다. 한 연구에서 복강경하 근종절제술 후 자궁파열 19례를 발표하였으며, 저자들은 파열의 위험을 줄이기 위해서는 전기소작을 제한하고 근층을 여러 층으로 봉합하는 기술을 익히고 고수할 필요가 있다고 하였다. 결손 부위의 완벽한 봉합은 아무리 강조해도 지나치지 않을 만큼 중요하다. 만약 환자가 임신을 계획하고 있다면 2-3회로 크게 interrupted 봉합을 시행할 경우 충분치 않다. 다른 연구에서도 근층의 결손부위를 충분히 봉합하지 않은 경우 차후에 자궁파열을 보고하였다. 최근 연구에서 과거 근종 절제술로 인하여 정규 제왕절개술 시행 시 자궁반흔이 관찰되었다고 보고하였다. 지혈을 위해 전기소작기를 사용하는 것 또한 자궁파열의 한 원인을 제공한다. 근종절제술을 받은 환자는 임신 중 어느 때고 자궁 파열이 일어날 수 있음을 알고 있어야 하며, 아기를 잃을 수도 있고 출혈이 조절되지 않을 경우에는 결국 자궁적출을 시행할 수 있음을 알고 있어야 한다. 이러한 환자들은 임신 중에 주의 깊게 관찰해야 하며, 복통에 대한 모든 증상들에 대하여 바로 검사를 시행해야 한다. 근거가 부족하지만 산과의사들은 대부분 근종수술 방법에 상관없이 근종절제의 병력이 있는 경우 제왕절개술을 권하게 된다. 특히 근종이 근층을 관통하여 있었던 경우에는 더욱이 권하게 된다.

3) 복강경 보조하 근종절제술(Laparoscopic assisted myomectomy)

부인과 술기 중에 자궁의 양성질환 중 개복술과 자궁절제술이 많은 부분을 차지하고 있다. 이러한 술기의 대부분은 복강경으로 변해가고 있다. 복강경으로 수술한 경우 개복술로 한 경우와 비교하여 효과는 비슷하나 입원 기간이 짧아지고 통증이 감소하며, 회복이 빠르며, 이는 경제적인 부담을 줄여주게 된다. 다른 접근 방법으로 복강경보조하 근종절제술 (laparoscopically assisted myomectomy/minilaparotomy myomectomy, LAM)을 할 수 있다. 이러한 방법은 1994년 Nezhat 등에 의해 처음

자궁근종

으로 보고되었다. 완전한 복강경하 근종절제술에 대한 부담은 줄여주면서 복강경의 이득을 얻을 수 있는 수술 방법이다. 즉, 마취 시간을 줄여주고, 출혈량을 줄여주며, 수술 후 유착 형성의 위험성을 낮춰주게 되고, 보호되지 않은 세절술이 이루어지지 않게 해준다. 복강경보조하 근종절제술은 근종을 체외에서 세절할 수 있어 빠르게 절제를 할 수 있으며, FDA에서 권장하지 않는 복강 내 근종세절술을 시행하지 않아도 된다는 장점이 있다. LAM의 기준은 수술 중에 복강경을 통하여 복강을 탐색한 후에 결정이 되며, 골반 내 다른 병변이 관찰될 경우 이상 부위를 먼저 해결한 후에 시행될 수 있다. LAM에 적합한 사례는 근종의 크기가 8cm가 넘거나, 광범위한 세절이 필요한 다발성 근종, 여러 층으로 봉합할 필요가 있는 깊고 큰 근층내근종이 있는 경우 시도할 수 있다. 복강경과 2-4cm 크기의 복부절개를 동반하여 복강경하 근종절제술을 좀 더 많은 부인과 의사들이 기술적으로 접근하기 쉽게 할 수 있다. 자궁내막증이나 유착이 있는 경우 복강경만 사용하는 경우보다 좀 더 쉽게 접근할 수 있으며, 근종의 빠른 세절과 자궁근층의 통합성을 보존할 수 있는 고식적 봉합술을 적용할 수 있다. 이러한 방법은 평균 수술시간을 감소시킬 수 있으며, 미늘봉합을 통하여 비슷한 이득을 얻을 수 있다. Glasser의 연구에서는 139명의 미니개복술을 이용한 근종절제술에서 66명은 LAM을 시행하였으며, 복강경을 이용하여 절개부위를 표시하고 유착박리를 시행하였다. 저자는 3~6cm 절개를 통하여 수술당일 퇴원이 가능하였을 뿐만 아니라 자궁을 직접 만져서 확인을 할 수 있고, 3층으로 봉합을 시행할 수 있는 장점이 있음을 언급하였다. 가장 큰 근종에 희석된 바소프레신을 3~7mL 주입을 하며, 절개는 근종의 표면 위치에 해당하는 장막에서 시작한다. 근종의 피막이 드러날 때까지 절개를 확장한다. 코르크스크류조작기를 이용하여 자궁을 정중치골상부 구멍으로 올릴 수 있게 해준다. 유구당기개(tenaculum)를 이용하여 똑같은 효과를 볼 수 있다.

피부에서 근막까지 4-6cm 횡절개를 시행하고, 복직근은 정중앙에서 종절개를 시행한다. 복막까지 연 후에 Alexis 상처견인기(applied medical)나 Mobius(뫼비우스) 복벽견인기(cooper surgical)를 이용하여 좀 더 복강으로의 접근을 쉽게 할 수 있다(그림 10-16). 근종을 기구를 이용하여 고정한 후 근종의 피막을 벗기고 세절을 시행한다. 근종을 완전히 제거한 후에는 근종이 있던 부위에 결손(defect)이 관찰될 것이다. 만약 다발성 근종인 경우 최소한의 절개를 시행하는 것이 중요하며 하나의 절개를 통하여 최대한 많은 근종을 제거한다. 만약 처음 절개를 통하여 나머지 근종의 절제가 어려운 경우 상처견인기 위로 글러브를 씌우고, 다시 복강경으로 접근하여 같은 방법으로 근종을 제거한다. 근종을 절제한 부위는 2-3층으로 수복을 시행한다. 복벽의 절개부위는 기존의 방법과 동일하게 봉합을 시행하며, 가능하면 피부 밑 봉합까지 시행한다. 마지막으로 복강경으로 확인하며, 출혈이 있는지 확인을 하고, 근종으로 인해 관찰되지 않았던 자궁내막증이나 유착 등이 발견된 경우 제거를 시행한다. 세척을 충분히 시행하여 혈종을 제거하고, Interceed (Gynecare, Somerville, NJ), Guardix (Dongsung, Seoul, Korea)등을 이용하여 자궁을 덮어 유착이 생기지 않도록 도움을 줄 수 있다.

복강경보조하 근종절제술은 진단되지 않은 육종의 파종 위험성을 피할 수 있고, 병기가 올라가는 것을 막을 수 있다. 또한 의인성 기생 근종의 발생과 장, 방광, 혈관과 같은 복강 내 장기 손상을 막을 수 있다. 복강경하 근종절제술은 케이스를 잘 선택할 경우 복강경하 근종절제술이나 개복하 근종절제술을 충분히 대체할 수 있는 안전한 수술 방법이다. 이러한 케이스는 근종이 다수 존재하거나 근종이 깊은 경우에 해당될 수 있다. 미래에 임신을 원하는 여성에 있어서 복강경보조하 근종절제술은 여러 층으로 촘촘히 봉합할 수 있고 과도한 전기소작기 사용을 줄일 수 있기 때문에 좀 더 적절한 선택이 될 수 있다.

수술 전 횡문근육종을 감별하기는 매우 어렵다. 자궁 내막 조직검사를 시행하여 횡문근육종으로 진단되는 경우는 38-62% 정도 밖에 되지 않으며, 선별검사로써 제한이 있다. 임상적인 관련 요인으로 고령, 폐경 후에 크기 증가, 갱년기에 새로 발견되는 경우에는 악성을 의심해야 한다. 진단되지 않은 신생물은 복강 내 세절을 통해서 암종이 복강 내 퍼질 위험이 있기 때문에 복강경보조하 근종절제술과 복강외 세절을 같이 시행하는 것이 좀 더 적합하다(그림 10-16).

향후 임신 계획이 있는 환자는 대부분의 집도의가 복강경적 접근을 시도하게 된다. 향후 자궁파열의 위험성은 자궁근층을 포함한 수술을 시행한 경우 더욱 더 큰 걱정거리가 되게 된다. 복강경을 통해 모든 층을 적합하게 봉합하는 것은 어려우며, 전기소작기를 이용해 지혈을 시행하는 것은 자궁파열의 위험성을 높이게 된다.

복강경하 근종절제술을 시행한 경우 모든 층을 꼼꼼하게 봉합하는 것은 어렵기 때문에 자궁복강 샛길도 발생할 수 있다. 지혈을 위해 전기소작기를 사용하는 경우 샛길 발생의 위험성을 더 높이게 된다. 봉합된 실이 점막층에 존재할 경우 수술후에 유착을 유발할 수 있다. 따라서 하나의 절개를 통해 최대한 많은 근종을 제거해야 한다. 복강경과 미니개복술을 병합하는 경우 이러한 문제들을 줄여줄 수 있다. 이 방법을 사용할 경우 수술방법이 더 간단해지며, 수술 시간을 줄여줄 수 있게 되고, 이는 더 많은 부인과의사가 수술을 시도해 볼 수 있게 해준다. 자궁의 봉합 또한 미니개복술을 시행한 경우 기존의 2-3층을 봉합하는 방법을 적용할 수 있으며, 자궁반흔열림, 샛길, 유착 등을 줄일 수 있게 해준다. 이 수술의 복강경적으로 접근을 할 때는 자궁내막증이나 유착 같은 부분을 진단하고 치료를 할 수 있게 해준다. 복강경하 근종절제술을 대체할 수 있는 안전한 방법이며, 기술적으로 상대적으로 쉽기 때문에 수술시간이 줄어들게 된다. 보통 복강경보조하 근종절제술을 결정하는 것은 진단적 복강경을 시행한 후에 수술방 안에서 결정하게 되고, 조직학적 결과에 따라 결정된다. 복강경보조하 근종절제술을 시행할 수 있는 기준은 근종의 크기가 5cm가 넘거나 근종의 개수가 많은 경우, 심부근층에 존재하는 경우, 여러 층으로 봉합해야 하는 경우 등에 시도해 볼 수 있다.

4) 자궁경하 근종절제술

점막하 근종은 때때로 생리양을 늘리거나 불임을 유발할 수 있으며, 주로 자궁경을 통해 제거를 시

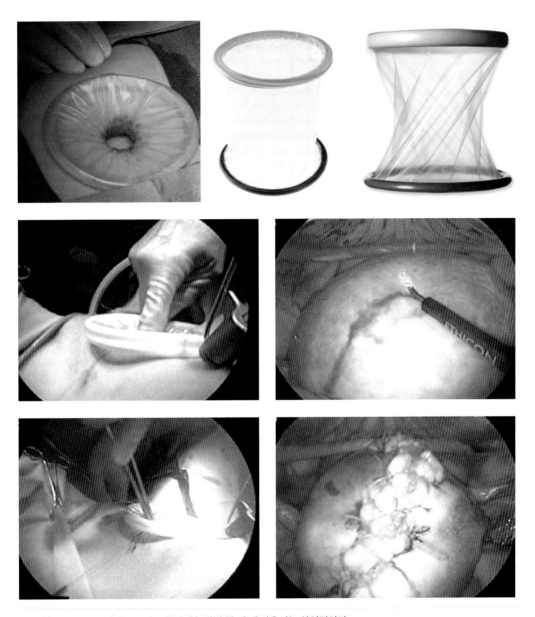

■ 그림 10-16. 복강경 보조하 근종절제술 방법 및 이 때 사용되는 상처견인기

행한다. 점막하 근종이 자궁강 내에 있을 때 class 0, 50% 이상 자궁강 내 있을 경우 class I, 50% 미만 노출된 경우 class II이다. 점막하 근종과 임신에 대한 메타분석에서 근종으로 인하여 자궁강의 변이가 있는 경우 임신유지/생존아 비율이 70%(RR 0.32;95% CI 0.12-0.85)이며, 근종절제술을 시행한

후 임신유지/생존아 비율이 상승하였다(RR 1.33;95% CI 0.96-1.33). 점막하근종과 비정상 자궁출혈에 대한 메타분석은 없지만 대부분의 연구에서 근종절제술을 시행한 후 출혈량이 줄었다.

자궁경하 근종절제술은 자궁경을 통해 근종을 직접보면서 절제를 하며(그림 10-17, 10-18), 이를 유지하기 위해 자궁강 내에 지속적인 관류를 시행하게 된다. 이 때 사용하는 용액은 고점도(high viscosity) 용액과 저점도(low viscosity)가 있다. 고점도 용액은 32% dextran 70 (hyskon)과 같은 용액이 있으며, 혈액과 잘 섞이지 않아 시야가 좋고, 점도가 높아, 자궁강 팽창 능력이 뛰어나다. 단점은 DIC나 ARDS와 같은 아나필락시스 반응을 유발할 수 있고, 1ml의 용액은 3ml의 용액을 끌어들이기 때문에 용액 과부하가 일어나기 쉬워 500ml 이상은 사용이 어렵다. 저점도 용액은 D5W, 3% sorbitol, 1.5% glycine, saline 등이 쓰이며, 아나필락시스가 없고, 등장성 용액이기 때문에 혈관 내로 들어갈 경우 비교적 안전하고, 값이 싸다. 지속적인 관류를 통하여 혈액과 조직들을 씻어내며 수술을 진행할 수 있다. 자궁강의 압력은 70-80mmHg가 적당하며, 최소 45mmHg는 유지되어야 한다. 환자보다 약 1m 상방의 높이에 용액을 위치하면 비슷한 압력을 유지할 수 있다(단, 환자의 평균혈압보다 낮아야 한다). 단점은 혈액과 섞여 시야가 좋지 않고, sorbitol이나 glycine이 흡수되어 저나트륨혈증을 유발할 수 있어, 1200mL 이상 사용할 경우 전해질 불균형이 생겼는지 검사가 필요하다. 고용량, 고속 시스템에 연결하여 사용하는 경우 자궁경련을 유발할 수 있다. 용액의 손실이 1000mL 이상 차이 나는 경우 전해질을 측정해야 하고, furosemide 투여를 고려해야 하며, 1500-2000mL 이상 차이가 날 경우에는 mannitol 혹은 furosemide를 투여하고 즉시 수술을 중단한다. 저점도, 비전도성 용액을 사용할 경우 특히 주의를 기울여야 한다(1.5% glycine, 3% sorbitol, 5% mannitol). 절제는 단극 혹은 양극소작기를 사용하게 되며, 단극을 사용할 경우 비전도성 용액(sorbitol 5%, sorbitol 3% with mannitol 0.5%, glycine 1.5%)이 필요하나, 양극성인 경우 일반수액을 사용할 수 있다.

생리식염수의 경우에는 많은 양이 흡수가 되어도 전해질 불균형을 유발하지 않으며, 과거에는 생리식염수의 전도성 때문에 단극성 기구를 사용할 수 없었으나, 현재는 양극성 기구의 개발로 사용이 가능하게 되었다.

자궁경을 사용하기 전에 보통 자궁경부 개대가 필요하다. Cytotec을 사용할 경우 이를 좀 더 용이하게 할 수 있다. Cutting loop를 사용 시에는 근종 너머로 loop를 보낸 후 집도의 쪽으로 이동 시에만 눈으로 보면서 절제를 시행한다. 근종절제 시 근층 위치까지 내려가야하며, 임신을 원하는 경우 근층의 손상을 최소한으로 해야 한다. 일반적으로 자궁수축으로 인하여 근종이 저절로 노출이 되며, 이로 인해 절제를 용이하게 할 수 있다. 근종의 조각들은 겸자나 자궁경의 loop를 이용하여 제거할 수 있다. G0, G1 근종의 경우 5cm까지 자궁경으로 절제를 시행할 수 있다.

자궁경부 개대나 자궁경을 삽입한 경우 자궁천공을 유발할 수 있으며, 이는 근층 깊이 들어갈 경우에도 발생할 수 있다. 자궁강을 조심스럽게 관찰해야 하며, 출혈이나 장 손상이 있는지 확인한다. 손상이 없는 것이 확실한 경우 수술을 마친다. 만약 천공이 발생한 경우 복강경을 이용하여 장이나 방광손상에 대하여 조심스럽게 조사한다. 지혈을 위해 기구를 사용하는 경우 기구의 열로 인하여 자궁 천공, 틈새, 장기 및 혈관 손상이 발생할 수 있다.

5) 질식 근종절제술

유경성 근종은 주로 부인과 진료 시 외래에서 질식을 제거를 시행하며, 자궁 경부 바깥으로 충분히 목이 보이는 경우 좀 더 쉽게 근종을 제거할 수 있다. 이러한 방법은 크기, 자궁근종 목의 두께, 길이에 따라 난이도가 천차만별이다.

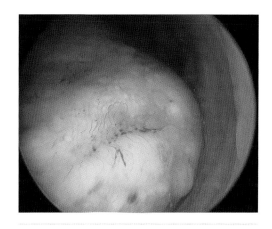

■ 그림 10-17. **자궁경으로 본 점막하근종**

어떤 근종은 단순히 돌려서 뗄 수 있지만 대부분은 결찰이나 응고를 시행한 후에 절제를 하는 것이 안전하다. 일부분의 경우 매듭을 위치시키는 것이 어려울 수 있으며, 때로는 endoloop를 이용하여 매듭을 질 수 있다. 하지만 질식 근종절제술은 질 안으로 근종이 나와 있지 않은 경우를 제외하고는

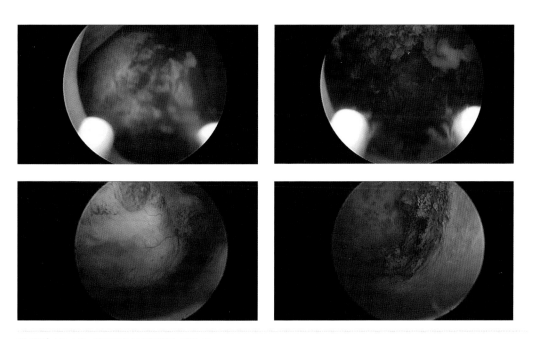

■ 그림 10-18. **자궁경하 근종절제술 전과 후**

잘 시행되지 않는다.

(1) Transcervical Vaginal Myomectomy (Adam Magos)

과거에는 광범위하게 이용되었던 질식 근종절제술에 대한 내용이 최근 부인과 수술에 있어서 질식 근종절제술에 대한 내용은 거의 언급이 되지 않는다. 단지 질 안으로 근종이 보이는 경우에 한해 절제하는 예에 대해서만 언급이 있다. 질식 근종절제술은 자궁 자체는 보존하면서 질을 통하여 하나 또는 다수의 근종을 제거하는 것이다. 종양의 종류는 근종형 폴립이나 점막하근종, 근층내근종 또는 복막하근종까지 절제할 수 있다. 근종은 자궁경부개대를 통하여 절제할 수 있다. 이러한 방법을 적용하기 위해서는 전방, 측방, 또는 후방으로 자궁절제가 필요할 수 있다. 복막하 근종을 절제하기 위해서는 전방 혹은 후방 질식개복술(colpoceliotomy)이 필요할 수 있다.

(2) 질식 근종절제술의 분류

질식 근종절제술은 여러 가지 과정을 포함하고 있으며, 질식 근종절제술의 다양한 방법에 대하여 실용적인 방법을 발견할 수 있다. 기본적으로 4가지 접근법이 있으며, 근종의 위치와 크기에 따라 적용할 수 있다. 근종이 점막하 근종으로 질 안으로 나와 있는 경우 자궁경부를 통하여 제거하는 것이 이상적이다. 근종의 위치가 높아 바로 제거가 어려운 경우 자궁경부개대나 자궁경부/자궁절제를 통하여 제거를 할 수 있다. 만약 근종이 자궁강 상부의 점막하근종이나 근층내근종인 경우, 장막하 근종인 경우 가장 잘 적용할 수 있는 전방 또는 후방 질절개를 통하여 접근할 수 있다.

6) Culdolaparoscopy

Culdolaparoscopy는 수술적 골반강경과 자연개구부를 이용한 복강경수술, 미니복강경수술을 병합한 하이브리드 방법으로 복강을 통해 골반 수술을 좀 더 용이하게 해준다. 이러한 방법은 경험이 많은 집도의에게는 쉬운 접근 방법이다. 환자군의 선택은 복강경과 동일하다. 환자는 후질원개를 통하여 접근이 용이해야 하며, 후더글라스와에 폐색이 없어야 한다. 환자는 수술 전에 예방적 항생제 투여를 받아야 하며, 관장을 시행해야 한다. 수술 시에는 집도의와 어시스트를 위한 모니터 2대가 있어야 한다. 집도의는 환자의 측면에서 다리 사이까지 움직일 수 있어야 한다. 환자는 변형 후쇄석위 자세를 취해야 하며, allen 타입의 다리걸이를 이용하여야 한다. 질은 소독제를 이용하여 소독을 시행하여야 하며, 소변줄을 삽입하고 자궁조작기를 삽입하여야 한다. 복강경을 통한 과정은 5mm를 넘지 않아야 하며, 3mm 정도가 적당하다. 질부위의 포트는 12mm 직경, 15cm 길이의 공기주입구멍이 있는 캐뉼라 안에 들어가는 10mm 직경의 46cm 길이의 플라스틱 막대가 필요하다(Port-Saver TM manufactured by ConMed). 질부위의 포트는 복강경하 또는 미니복강경하 조사 후에 삽입해야 한다. 자궁은 자궁조작기로 전방, 상방으로 밀어 더글라스와가 보일 수 있도록 해야 한다. 막대는 후질원개에 위치시켜야 하며, 막대의 끝이 더글라스와 중앙으로 돌출되는 것이 보여야 한다. 절개는 미니복강경용 스파툴라나 훅을 이용하여 시행한다. 막대에 부드럽게 압력을 주면 더글라스와로 캐뉼라가 안착하게 된다. 질부위의 포트는 예리한 트로카를 이용하여서도 설치할 수 있으나 위에서 기술은 뭉툭한 트로카를 이용한 경우보다 안전하지 않다. 어떠한 방법이 되어도 섬세한 기술이 필요하며, 관장이 필수이다. 질 부위 포트는 단단하게 고정이 되어야 하며, 잘 밀봉이 되어야 한다. 공기주입 라인은 질 포트에 연결을 한다. 환자의 다리는 허벅지가 수평에서 약 15도 정도 위로 올라와야 하며, 무릎은 약간 구부린 상태가 되어야 한다.

7) 실혈량의 최소화

점막하근종이나 근층내근종을 절제하는 경우 수술 시 출혈이 많이 발생할 수 있다. 종양의 크기나 위치에 따라 출혈 정도는 달라질 수 있다. 환자에게 수술이나 수술 후에 출혈이 있을 수 있음을 설명해야 하며, 개복으로 전환 가능성을 설명해야 한다. 빈혈이 있는 환자에서는 수술전에 GnRHa 치료를 시행할 수 있으며, 이는 정상 혈색소로의 회복을 도와줄 수 있고, 근종의 크기를 감소시켜 수혈의 가능성을 줄이는 데 도움이 된다. 수술중에 희석된 바소프레신을 사용하는 것은 출혈을 줄여줄 수 있으며, 종절개가 횡절개보다 출혈을 줄여줄 수 있다. 그리고 복강경으로 기복을 만드는 것이 출혈을 줄이는 데 도움을 줄 수 있다.

8) 수술 후 유착

임신력을 보존하기 위해 근종절제술을 시행했지만 수술 후 유착은 이러한 목적과 반대의 결과를 낳을 수 있다. 유착을 줄일 수 있는 몇 가지 방법이 있으며, 이는 단일 절개, 종절개, 전벽절개, 정중절개를 할 경우 유착의 가능성이 줄어들게 된다.

9) 자궁벽의 온전함 유지

근종절제술 후 자궁파열은 드물며, 모든 임신과 관련된 자궁파열 중 약 2% 정도에서만 설명이 가능하다. 벽을 적절치 못하게 봉합하거나 회복이 잘 안 될 경우 파열의 가능성을 높이게 된다.

10) 보호되지 않은 복강 내 근종 세절을 피하는 것과 그것과 관련된 합병증

복강 내 세절술 중 장과 혈관의 손상 합병증의 발생률은 보통 축소하여 발표하기 때문에 특정하기 어렵다. 또한 세절술은 진단되지 않은 악성종양을 복강 내 파종시키는 위험성이 있다. 미국 FDA에서는 대략 350명당 1명 정도로 근종절제술을 받은 후에 육종으로 진단된다고 보고있다. 유경근종이나 천부 점막하근종이 있었던 환자들 중에 이차 추시 복강경을 시행하였을 때 자궁이 완전히 회복된 것을 보여주었다. 이와는 대조적으로 근층 내 근종이나 심부 점막하근종이 있었던 경우에는 모서리를 맞춰서 봉합하지 않았던 경우에는 육아조직이나 근종이 절제된 부피만큼 자궁이 들어가 있는 모습을 보여주었다. 봉합사를 사용한 경우는 다른 경우보다 유착이 더 많이 발견이 되었다. 근층 내 근종이 있었거나 유의미하게 자궁벽의 결손이 있는 환자에 있어서 자궁내막과 점막 사이 샛길이 높은 비율로 나타난다. 개복하 근종절제술을 시행하는 동안 자궁강이 노출된 경우나 점막하 근종 혹은 큰 근층내근종을 절제한 경우 차후 임신 시에는 반드시 제왕절개술을 시행해야 한다.

11) 성선자극 호르몬 분비 호르몬 길항제(Gonadotropin-releasing hormone agonist)를 이용한 수술 전 치료

수술 전 GnRHa를 사용하는 것은 근종의 크기를 줄이며 수술 중 출혈량을 줄이는 데 이용되어 왔다. 또한 근종의 절제를 쉽게 해주며, 심한 빈혈을 치료하는 데 도움을 주었다. 하지만 GnRHa를 사용 후에 수술 중 실혈량 감소에 대한 몇몇 연구에도 불구하고 다른 연구에서는 전혀 그렇지 않다는 연구결과도 있다. GnRHa는 비용이 비싸며(우리나라에서 확인) 저에스트로겐혈증으로 인한 부작용도 경험하게 된다. 또한 자궁근종의 재발의 위험도 증가시키는 원인이 된다. 수술 전 GnRHa의 사용은 월경과다를 막는 것이 주목적이며, 자궁경하 근종절제술과 같이 덜 침습적인 수술을 위해 적용할 수 있다.

복강경하 근종절제술이 받아들여지기 전에는 몇 가지 우려가 있었지만 현재는 개복술을 대체하게 되었다. 개복술로 근종절제를 한 경우 자궁의 회복과 유착 형성이 더 많이 일어나기 때문이다. 만약 가임기 여성이 임신을 원하는 경우는 복강경보조하 근종절제술이나 개복을 하여 근종절제술을 하는 것이 좋으며, 복강경으로 시행할 경우 복강 내에서 세절을 시행할 때 복강 내에 파종이 되지 않도록 보호되어야 하며, 근층에 결손이 없도록 봉합해야 한다.

4. 자궁내막절제

자궁내막절제는 향후 출산계획이 없는 여성에서 비정상적인 질출혈을 멈추기 위해 단독 혹은 자궁경하 자궁근종절제술과 동반되어 시행된다. 무월경을 발생시켜 질출혈은 호전되나, 그 이외의 증상은 호전되지 않으며, 점막하 자궁근종에서만 시도할 수 있다.

평균 29개월(62-60개월) 동안 62명의 여성을 대상으로 한 연구에서 여성의 74%가 무월경이나 무월경을 경험했으며 12%만 자궁 절제술을 시행받았다. 자궁내막절제술은 4cm 이하의 점막하 근종을 가진 22명의 여성을 치료하는 데 사용되었으며, 91%는 최소 12개월의 추적 관찰 후 무월경, 희소월경 또는 정상월경을 보고했다. NovaSure 자궁내막 절제장치(Hologic, Bedford, MA)로 치료한 후 과다불규칙월경이 있고 유형 I 또는 II의 점막하근종(3cm까지)이 있던 65명 여성을 대상으로 한 연구에서 대부분 1년 이내에 대부분의 여성에서 정상 출혈 또는 무월경이 관찰되었다.

▰▰▰ **참고문헌**

1. Carlson, K.J, B.A. Miller, and F.J. Fowler Jr, The Maine Women's Health Study: I. Outcomes of hysterectomy. Obstetrics & Gynecology 1994;83:556-65.

2. Dubuisson, J.B, Lecuru F, Foulot H, et al. Myomectomy by laparoscopy: a preliminary report of 43 cases. Fertility and sterility 1991;56:827-30.

3. Dubuisson, J.-B, Fauconnier A, Chapron C, et al. Second look after laparoscopic myomectomy. Human Reproduction 1998;13:2102-6.

4. Fedele L, et al. Recurrence of fibroids after myomectomy: a transvaginal ultrasonographic study. Human Reproduction 1995;10:1795-6.

5. Fletcher H, Parazzini F, Luchini L, et al. A randomized comparison of vasopressin and tourniquet as hemostatic agents during myomectomy. Obstetrics & Gynecology 1996;87:1014-8.

6. Frishman, G, Vasopressin: if some is good, is more better? Obstetrics & Gynecology 2009;113:476-7.

7. Glasser MH, Zimmerman JD., The HydroThermAblator system for management of menorrhagia in women with submucous myomas: 12-to 20-month follow-up. The Journal of the American Association of Gynecologic Laparoscopists 2003;10:521-7.

8. Glasser, M.H, Minilaparotomy myomectomy: a minimally invasive alternative for the large fibroid uterus. Journal of minimally invasive gynecology 2005;12:275-83.

9. Greenberg JA, Einarsson JI., The use of bidirectional barbed suture in laparoscopic myomectomy and total laparoscopic hysterectomy. Journal of minimally invasive gynecology 2008;15:621-3.

10. Huang, J.Q., Lathi RB, Lemyre M, et al., Coexistence of endometriosis in women with symptomatic leiomyomas. Fertility and sterility 2010;94:720-3.

11. Jin C, Hu Y, Chen XC, et al. Laparoscopic versus open myomectomy: a meta-analysis of randomized controlled trials. European Journal of Obstetrics & Gynecology and Reproductive Biology 2009;145:14-21.

12. Kho KA, Nezhat C., Parasitic myomas. Obstetrics & Gynecology 2009;114:611-5.

13. Kjerulff K.H, et al. Effectiveness of hysterectomy. Obstetrics & Gynecology 2000;95:319-26.

14. Lieng M, Istre O, Langebrekke A., Uterine rupture after laparoscopic myomectomy. The Journal of the American Association of Gynecologic Laparoscopists 2004;11:92-3.

15. Luciano, A.A, Myomectomy. Clinical obstetrics and gynecology 2009;52:362-71.

16. Madhuri TK, Kamran W, Walker W, et al. Synchronous uterine artery embolization and laparoscopic myomectomy for massive

uterine leiomyomas. JSLS: Journal of the Society of Laparoendoscopic Surgeons 2010;14;120.

17. Malone, L.J. Myomectomy: recurrence after removal of solitary and multiple myomas. Obstetrics & Gynecology 1969;34;200-3.

18. Matsuoka S, Kikuchi I, Kitade M, et al. Strategy for laparoscopic cervical myomectomy. Journal of minimally invasive gynecology 2010;17;301-5.

19. Mints M, A. Radestad, and E. Rylander, Follow up of hysteroscopic surgery for menorrhagia. Acta obstetricia et gynecologica Scandinavica 1998;77;435-8.

20. Mukhopadhaya N, C. De Silva, and I.T. Manyonda, Conventional myomectomy. Best practice & research Clinical obstetrics& gynaecology 2008;22;677-705.

21. Nezhat C, Nezhat F, Silfen SL, et al. Laparoscopic myomectomy. International journal of fertility 1991;36;275.

22. Nezhat, C., Nezhat F, Bess O, et al., Laparoscopically assisted myomectomy: a report of a new technique in 57 cases. International journal of fertility and menopausal studies 1993;39;39-44.

23. Ostrzenski A. Uterine leiomyoma particle growing in an abdominal-wall incision after laparoscopic retrieval. Obstetrics & Gynecology 1997;89;853-4.

24. Park JY, Park SK, Kim DY, et al. The impact of tumor morcellation during surgery on the prognosis of patients with apparently early uterine leiomyosarcoma. Gynecologic oncology 2011;122;255-9.

25. Parker W.H. and I.A. Rodi. Patient selection for laparoscopic myomectomy. The Journal of the American Association of Gynecologic Laparoscopists 1994;2;23-6.

26. Rabischong B, Beguinot M, Compan C, et al. [Long-term complication of laparoscopic uterine morcellation: iatrogenic parasitic myomas. Journal de gynecologie, obstetrique et biologie de la reproduction 2013;42;577-84.

27. Reich H. Total laparoscopic hysterectomy: indications, techniques and outcomes. Current Opinion in Obstetrics and Gynecology 2007;19;337-44.

28. Sabbah R. and G. Desaulniers, Use of the NovaSure Impedance Controlled Endometrial Ablation System in patients with intracavitary disease: 12-month follow-up results of a prospective, single-arm clinical study. Journal of minimally invasive gynecology 2006;13;467-71.

29. Sawin S.W, Pilevsky ND, Berlin JA, et al. Comparability of perioperative morbidity between abdominal myomectomy and hysterectomy for women with uterine leiomyomas. American journal of obstetrics and gynecology 2000;183;1448-55.

30. Seidman, M.A, Oduyebo T, Muto MG, et al. Peritoneal dissemination complicating morcellation of uterine mesenchymal neoplasms. PLoS One 2012;7;50058.

31. Soto E, Lo Y, Friedman K, et al. Total laparoscopic hysterectomy versus da Vinci robotic hysterectomy: is using the robot beneficial? Journal of gynecologic oncology 2011;22;253-9.

32. Soto E, R. Flyckt,. Falcone, Minimally invasive myomectomy using unidirectional knotless barbed suture. Journal of minimally invasive gynecology 2014;21;27.

33. Takeuchi H. and R, Kuwatsuru. The indications, surgical techniques, and limitations of laparoscopic myomectomy. JSLS: Journal of the Society of Laparoendoscopic Surgeons 2003;7;89.

34. Torbě A, Mikołajek-Bedner W, Kałużyński W, et al. Uterine rupture in the second trimester of pregnancy as an iatrogenic complication of laparoscopic myomectomy. Medicina (Kaunas) 2012;48;182-5.

35. Tulandi T. and J.I. Einarsson, The use of barbed suture for laparoscopic hysterectomy and myomectomy: a systematic review and meta-analysis. Journal of minimally invasive gynecology 2014;21;210-6.

36. Venturella R, Mocciaro R, Morelli M, et al. Prophylactic salpingectomy does not affect short and long term surgical outcomes when associated to surgery for benign indications. Journal of Minimally Invasive Gynecology 2012;19;44.

37. Walid M.S, and R.L. Heaton. Laparoscopic myomectomy: an intent-to-treat study. Archives of gynecology and obstetrics 2010;281;645-9.

38. Wallach E.E. and N.F. Vlahos. Uterine myomas: an overview of development, clinical features, and management. Obstetrics & Gynecology 2004;104:393-406.

39. Wattiez A, S.B. Cohen, and L. Selvaggi. Laparoscopic hysterectomy. Current Opinion in Obstetrics and Gynecology 2002;14:417-22.

40. Worldwide, A.A.M.I.G., AAGL practice report: practice guidelines for the management of hysteroscopic distending media:(replaces hysteroscopic fluid monitoring guidelines. J Am Assoc Gynecol Laparosc 2000;7:167-8. Journal of minimally invasive gynecology 2013;20:137-48.

41. Yoon HJ, Kyung MS, Jung US, et al. Laparoscopic myomectomy for large myomas. Journal of Korean medical science 2007;22:706-12.

42. Zullo F, Palomba S, Corea D, et al. Bupivacaine plus epinephrine for laparoscopic myomectomy: a randomized placebo-controlled trial. Obstetrics & Gynecology 2004;104:243-9.

단일공 복강경 수술

Single-port access laparoscopy

| 성균관의대 산부인과　김태중 |

1. 서론

1) 싱글포트복강경 수술법의 등장 및 장점

싱글포트복강경 수술은 최소침습수술(MIS, minimally invasive surgery) 의 장점을 극대화하기 위하여 임상에 도입되었다. 이러한 접근법은 복강경 수술에 단 하나의 배꼽 절개창을 이용함으로써, 수술 후 흉터에 대한 만족도를 높이고, 투관침 삽입과 관련된 합병증을 줄이게 된다. 또한, 수술 후 복부 통증을 줄이고, 진통제 사용량을 감소시킬 것으로 기대되었다. 그렇지만, 이러한 환자 측면의 장점이 여러 전향적 연구에서 일관되게 증명되지는 않았다.

　이러한 환자 측면의 기대되는 장점 외에, 싱글포트 접근법은 주로 배꼽에 2-3cm 크기의 절개창을 이용하기에 다음과 같은 수술 기법 측면의 장점을 제공한다. 첫째, 검체의 복강 밖 제거가 용이하다. 절제된 근종의 경우, 배꼽 절개창을 통해 'contained bag knife morcellation' 이 가능하다. 전동쇄절기(power morcellator) 사용이 주저되는 상황에서 이러한 방법은 근종을 복강 밖으로 빼내는 데 매우 효율적인 방법이 된다. 둘째, 때로는 최소개복술(minilaparotomy)이 된다. 특히, 2-3cm 절개창에 창상견인기(wound retractor) 를 삽입하게 되면, 개복술처럼 수술을 진행할 수 있게 된다. 셋째, 창상견인기는 창상보호기(wound protector) 역할을 하게 되어 암세포의 포트 부위 전이(port site metastasis)를 예방하리라 기대된다. 넷째, 복강의 한 가운데 위치한 배꼽을 통해 수술을 진행하기 때문에, 자궁의 좌측과 우측 접근이 크게 다르지 않게 되며, 상복부 및 골반 접근 모두가 용이해진다.

　환자 측면과 수술 기법 측면에서의 장점들 때문에, 싱글포트복강경 수술은 부인과 영역에서 자궁절제술, 자궁부분절제술, 근종절제술, 난소 및 나팔관제거술, 난소낭종제거술, 림프절 절제술을 포함한 암 병기설정술 등에 적용되어 왔다.

2) 싱글포트복강경 수술법의 어려운 점

싱글포트복강경 수술은 카메라와 수술 기구들이 모두 하나의 통로를 이용하기 때문에 전통적인 복강경 수술의 개념인 삼각접근법(triangulation)이 소실되어, 수술자의 자세가 불편해진다. 또한, 기구들 간의 부딪침 현상이 발생할 수 있으며, 조직의 당김(traction)이 미약해질 수 있다. 근종제거술의 경우에는 많은 봉합이 필요한데, 봉합 술기는 싱글포트 접근법에서 특히 어려워진다.

3) 어려운 점의 극복

수술자가 편한 자세에서 수술할 수 있도록 수술장 환경을 조성하는 것이 무엇보다 중요하다. 가장 우선적으로로 고려할 사항은, 수술자의 위치이다. 골반에 위치한 자궁 수술을 위해 수술 기구들을

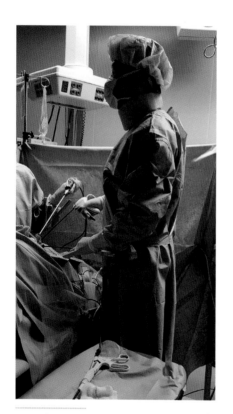

■ 그림 10-19

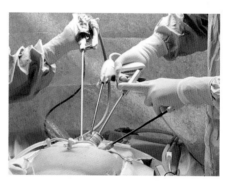

■ 그림 10-20

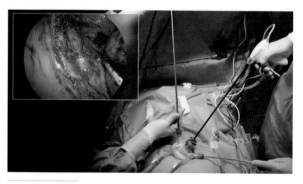

■ 그림 10-21

배꼽 구멍에 삽입해야 하는 상황에서, 수술자는 환자의 머리쪽에 위치하던가, 가능한 머리쪽에 가깝게 위치하는 것이 일반적이다. 특히 곧은(straight) 기구들만을 사용할 경우에는 더욱 그러하다. 이러한 일반적인 생각에서 벗어나, 구부러지는(articulating) 기구를 적절하게 사용한다면 수술자는 몸을 비틀지 않고, 정면의 모니터를 보면서 수술을 진행할 수도 있다(그림 10-19). 결국, 수술장 환경 및 사용하는 기구에 따라, 수술자가 편한 자세를 찾아가는 것이 싱글포트복강경 수술의 제한점을 극복하는 첫 단계라고 할 수 있겠다.

기구 간의 부딪힘을 감소시키는 방법으로, 구부러지는(articulating) 기구 사용, 긴(long) 기구 사용, 그리고, 작은 손잡이 기구 사용을 고려할 수 있다. 각도 있는 렌즈의 카메라를 사용하는 것도 부딪힘 감소에 큰 도움이 된다(그림 10-20).

근종나사(myoma screw)의 사용은 근종절제술 및 자궁절제술에 있어, 미약한 조직의 당김을 극복하는 데 도움이 된다. 근종나사의 손잡이가 작고, 가늘기 때문에, 기구들간의 부딪힘 현상도 줄어들게 된다(그림 10-21).

가시돋친실(barbed suture)의 등장으로 봉합의 어려움이 감소하였다. 자궁적출 후 질 봉합 시에 가시돋친실의 사용군에서 전통적인 실 사용군과 비교하여, 질 봉합 시간(11.4 대 22.5 분; p < .001) 및 전체 수술 시간(92.0 대 105.2 분분; p = .002)이 모두 감소되었다. 근종 절제술의 경우에도 가시돋친실 사용군에서 전통적인 실 사용군과 비교하여, 자궁 봉합 시간(19 vs 27 minutes; p = .001) 및 전체 수술 시간(69 vs 91 minutes; p = .003)이 감소되었으며, 수술자 피로도 또한 의미있게 감소되었다.

4) 싱글포트복강경 근종수술법의 종류

기존 복강경 또는 로봇 수술법과 마찬가지로, 절제되는 자궁의 범위에 따라, 전자궁절제술(total hysterectomy), 부분자궁절제술(subtotal hysterectomy), 그리고 근종절제술(myomectomy)로 나눌 수 있다.

전자궁절제술은 질식 술기의 정도에 따라, 복강경하질식자궁절제술(Laparoscopic Assisted Vaginal Hysterectomy, LAVH), 복강경자궁절제술(Laparoscopic hysterectomy, LH), 전복강경자궁절제술(Total laparoscopic hysterectomy, TLH)로 구분할 수 있겠다. 질식 자궁동맥결찰을 하게 되면 복강경하질식자궁절제술이 되며, 절제된 자궁의 제거 방식을 제외하고, 질 봉합을 포함한 모든 술기가 복강경수술로 진행되면 전복강경자궁절제술이라 하며, 그 중간이 복강경자궁절제술이 된다. 이러한 구분이 싱글포트복강경 수술법에서 특히 의미있는 이유는 질식접근법이 싱글포트복강경 기법의 어려움을 극복하는 데 도움이 되기 때문이다. 싱글포트 접근법에서는 자궁 하부가 근종으로 커진 경우에 질 절단을 복강경 시술로 완전히 하는 것이 쉽지 않다. 이 때 질식 접근으로 질 절단을 마무리할 수 있다. 싱글포트복강경하 질식자궁절제술은 기존 복강경하 질식자궁절제술과 크게 다르지 않아서, 비교적 쉽게 싱글포트 접근법을 적용시킬 수 있다.

부분자궁절제술은 전자궁절제술과 비교하여 출혈량이 적고, 합병증이 적으며, 환자의 회복이 빠르다. 싱글포트로 접근 시 고려할 점은 자궁체부와 경부사이를 수평으로 절단하는 것이 특히 어려우며, 이를 위해서는 구부러지는 기구 또는 자궁의 큰 움직임이 요구되기도 한다는 것이다. 절제된 자궁체부를 복강 밖으로 제거하는 방법으로, 배꼽 절개창, 질절개(colpotomy), 또는 자궁경관(trans-cervix)을 통한 제거가 있다.

근종절제술은 일반적으로 유경성(pedunculated) 근종 및 인대(ligamentary) 근종을 제외하고는 적출(enucleation), 봉합(suturing), 세절(morcellation) 과정으로 구분할 수 있다. 싱글포트 접근 시 고려할 사항은 봉합이 특히 어렵다는 점과 전동세절기없이 배꼽 절개창을 통해 'contained bag knife morcellation'이 용이하다는 사실이다.

자궁절제술 및 근종절제술에서 후복막 자궁동맥결찰술의 유용성에 관한 보고들이 있다. 근종으로 인해 커진 자궁에서는 자궁동맥도 발달하여 자궁으로의 혈류 공급이 늘어나기 마련이다. 특히, 자궁에 가까울수록 자궁동맥이 굵어지며, 질동맥(vaginal artery)과의 문합으로 인해 주변에 작은 동맥들이 발달하게 된다. 이 부위를 결찰하려 할 때, 싱글포트 접근법에서는 커진 자궁이 반대쪽으로 움직여야만 배꼽을 통해 들어간 수술기구의 접근이 가능할 것이다. 따라서, 자궁 동맥이 신전된 (stretched) 상태에서 에너지 기구로 결찰을 하게되므로, 출혈 발생 가능성이 높아진다. 후복막 자궁동맥결찰술을 시행하면, 보다 가는, 신전되지 않은 상태에서 혈관을 결찰할 수 있으므로 출혈 발생이 줄어들 것을 기대할 수 있다. 근종절제술의 경우에는 이러한 동맥결찰술이 근종이 있던 자리의 수술 중 출혈을 줄여주며, 근종의 재발도 감소시킨다.

본 단원에서는 싱글포트복강경 근종절제술에 관한 실제적인 내용 위주로 설명을 하고, 마지막 부분에 싱글포트복강경 자궁절제술에 관하여 별도로 간략하게 기술하겠다.

2. 환자 선택

싱글포트 근종절제술은 일반적인 복강경 근종절제술과 비교하여, 적출(enucleation)과 봉합(suturing) 과정이 어려울 수 있겠다. 따라서, 배꼽을 통한 기구들로 적출과 봉합이 용이한 환자들을 선별하는 것이 무엇보다 중요하다. 자궁의 뒷벽에 위치한 근종보다는 앞벽 근종이 적출과 봉합이 수월하며, 외측보다는 중앙에 위치한 근종이 용이하다. 적출을 위해 자궁을 절개할 때, 수직절개가 봉합에 편리하다는 점도 고려할 사항이다.

자궁근종

3. 수술기구 선택 및 수술자의 자세

1) 싱글포트 플랫폼의 선택

싱글포트복강경 수술법의 개념이 등장한 후, 대한민국에서는 초창기에 캐뉼라(cannula)를 삽입한 수술장갑을 창상견인기(wound retractor)에 덮어 씌워 이러한 수술을 할 수 있었다. 이후 관련된 여러 플랫폼들이 수입되어 사용할 수 있게 되었으며, 대표적으로 R-port (Olympus 사), SILS port (Medtronic 사), Gel port (Applied medical 사) 등을 예로 들 수 있겠다. 이러한 새로운 접근법의 활성화와 더불어 국내에서도 관련 제품을 생산하게 되었는데, 대표적으로 Octoport (Dalim surginet 사), LapSingle (Sejong medical 사), Gloveport (Nelis 사) 등이 있다. 이들을 창상견인기 기반과 그렇지 않은 것으로 구분할 수 있으며, 또는 일체형과 분리형으로도 구분할 수 있다. 수술자의 선호도와 비용 등을 고려하여 적절한 플랫폼을 선택하면 되겠다.

2) 카메라의 선택

싱글포트복강경 수술에서는 각진(angled) 카메라 또는 구부러지는(flexible) 카메라가 유리하다. 카메라와 수술기구들 간의 부딪힘 현상을 최소화할 수 있기 때문이다. 저자는 30도, 5mm, 긴 카메라를 선호하는데, 카메라 손잡이가 배꼽에서 멀리 떨어져 있으며, 광선(light cable)을 회전시켜 시야를 조정할 수 있기 때문에 수술 중 카메라 핸들을 수술자로부터 멀리 위치시킬 수 있어, 부딪힘 현상이 감소한다(그림 10-20). 구부러지는 카메라의 경우에도 카메라 렌즈 부위를 별도로 움직일 수 있기 때문에, 핸들을 수술자로부터 멀리 위치시킬 수 있어 부딪힘이 감소하는 개념은 동일하다.

3) 구부러지는(Articulating) 기구의 선택

구부러지는 기구의 적절한 사용이 수술자의 자세를 편하게 만들어 줄 수 있다. 특히 수술자가 환자의 머리 쪽에 위치할 수 없는 경우에는 더욱 그러하다. 여러 회사에서 구부러지는 기구를 생산하고 있으며, grasper, dissector, scissor뿐 아니라, 봉합기구(예, endostitch, Medtronic 사)와 advanced bipolar device(예, EnSeal Art, Ethicon 사)까지 이제 그 종류가 매우 다양하다. 수술자의 자세와 배꼽 절개창의 크기, 비용 등을 고려하여 사용 여부를 선택하면 되겠다.

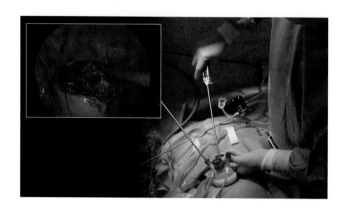

■ 그림 10-22

4) 봉합기구(Needle holder) 의 선택

구부러지는 봉합기구가 존재하지만, 많은 부인과 싱글포트복강경 수술의들은 곧고 긴 봉합기구를 선호한다. 자궁 및 질은 조직이 딱딱하고 질기기 때문에, 곧은 봉합기구가 봉합 시 힘을 전달하기에 유리하기 때문이다. 수술자와 배꼽의 위치를 고려하면, 핸들은 총(gun) 모양보다 둥근(round) 모양 또는 가위(scissor) 모양이 편리하다(그림 10-22).

5) 근종나사(Myoma screw)의 사용

복강경 근종수술만큼 강력한 당김이 필요한 수술은 없을 것이다. 근종나사를 근종에 삽입하여 강력한 힘으로 근종을 움직이면 정상 자궁으로부터의 적출이 용이해진다. 근종나사를 잡아당기는 동작뿐 아니라, 지렛대의 원리를 이용하여 근종나사를 조작하면 근종 절제면으로의 접근이 편리한 경우가 많다(그림 10-23). 근종나사의 위치는 근종이 적출되어가는 상황에 맞게 재조정이 필요하다. 근종

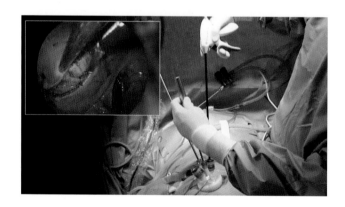

■ 그림 10-23

나사는 손잡이가 작고, 가늘기 때문에, 기구들 간의 부딪힘 현상도 드물다(그림 10-21).

4. 배꼽 열기 및 닫기

1) 배꼽 열기

흉터의 미용적 측면을 고려하여, 수직절개법
또는 오메가모양절개법이 대표적으로 사용된
다. 두 방식 모두 흉터를 배꼽 안쪽에 감추려는
목적이 있다. 수직절개법은 배꼽 모양 안쪽 부
위에 수직으로 약 2~3cm 절개하는 방식이며,
오메가모양절개법은 배꼽 둥근 경계의 내측면
을 따라 피부를 절개하는 방식이다.

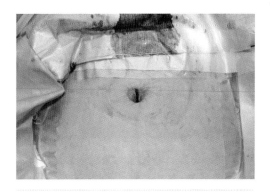

■ 그림 10-24

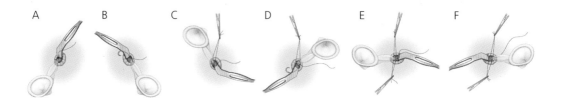

그림 10-25

    오메가모양절개법은 수술 상처를 배꼽 안쪽에 숨긴 채 보다 큰 절개창을 확보할 수 있는 장점이 있는 반면, 닫을 때 절개된 양측의 층을 맞추는 것이 어려울 수 있겠다. 저자는 수직절개법을 선호한다(그림 10-24).

2) 배꼽 닫기

절개창의 크기가 클수록 탈장의 위험성은 높아진다고 여겨진다. 그렇지만, 꼼꼼한 근막봉합을 시행한다면, 실제 탈장 발생율은 높지 않다. 창상견인기의 내부 고무고리를 활용하여 근막을 들어올리면, 근막이 잘 보이게 되므로, 꼼꼼한 근막봉합이 수월해진다(그림 10-25). 또한, 절개창의 크기가 작기 때문에 낚시바늘 모양의 바늘을 사용하여 근막봉합을 하는 것이 편하다. 저자는 피부접착제를 사용하여 배꼽 닫기를 마무리하여, 상처관리의 편의성을 향상시키고자 한다.

5. 싱글포트복강경 자궁근종절제술의 실제

1) 적출(Enucleation)

저자는 자궁절개(hysterotomy) 전에 혈관수축제인 vasopressin을 자궁에 직접 주사한다. Vasopressin (20IU/ml/ampule)을 500ml의 생리식염수에 희석한 후, 대개 200~300ml (0.04IU/ml)를 충분히 주사함으로써 자궁 내 혈관수축에 따른 혈류량 감소 효과뿐 아니라, 잠재적인 근종절제면의 수력 분리(hydrodissection) 효과를 기대한다.

    자궁절개는 가능한한 자궁에 수직절개를 한다. 수직절개가 수평절개보다 향후 봉합 시에 편하기 때문이다. 다시 말하면, 수직절개를 해야 봉합기구와 절제선이 평행하게 되어, 바느질이 용이해진다.

자궁절개를 통해 제거하고자 하는 근종이 보이게 되면, 근종나사와 같이 강력하게 움켜잡을 수 있는 기구를 사용하여, 근종을 움직이며 근종절제면을 박리해야 한다. 싱글포트 접근법의 경우, 기구 간의 부딪힘 현상을 방지하고, 조작의 편리성을 고려했을 때 근종나사의 적극적 사용이 권장된다. 자궁표면 수직절개 후, 근종나사로 근종을 잡아 올리거나, 절제하고자 하는 면 반대쪽으로 근종을 굴려가며 절제를 진행한다. 이 때 근종나사의 잦은 위치 조정이 필수적이다. 환자의 좌측에 서서 수술하는 저자의 경우, 근종의 우측면부터 가능한 한 많이 절제를 한 후, 좌측면 절제로 근종적출을 마무리하게 된다.

2) 봉합(Suturing)

캐뉼라(cannula)로 인해 기구의 움직임이 제한되는 복강경 봉합술은 별도의 연습이 필요한 어려운 술기이다. 싱글포트 접근법의 경우에는 기구들 간의 충돌로 움직임이 더욱 제한되고 원근감이 소실되기 때문에 봉합술이 더욱 어렵게 느껴질 수 있다. 특히 봉합기구로 바늘을 잡는 과정과 매듭을 만드는 과정이 어렵다.

저자는 주변 장기를 지지대로 이용하여 봉합기구 한손만으로 바늘을 잡는 방식을 사용한다. 싱글포트 접근법에서 양손을 동시에 움직이는 것이 매우 어렵기 때문이다. 골반벽, 방광, 장, 절제된 근종 등이 지지대로 이용될 수 있다.

매듭을 위해서는 구부러지는 기구의 사용, 단일섬유(monofilament) 실의 사용, 바늘 곡면의 활용, 매듭이 필요 없는 가시돋친실(barbed suture) 사용 등이 도움이 된다. 특히, 가시돋친실을 사용하여 연속 봉합을 하게 되면, 매듭과정이 필요 없으며, 봉합 도중에 조직견인력(tension)을 유지하기 쉽다. 이러한 가시돋친실을 사용한 다기관 전향적 무작위 비교 연구에서 싱글포트근종절제술의 총 수술시간 및 봉합시간이 기존 복강경근종절제술과 차이가 없음이 입증되었다.

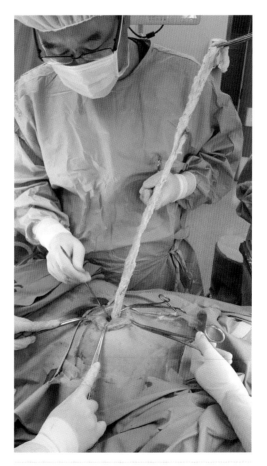

■ 그림 10-26

3) 세절(Morcellation)

세절은 근종절제술 시 싱글포트 접근법의 장점이 나타날 수 있는 술기이다. 기존 캐뉼라보다 큰 배꼽절개창을 통해 수술용 칼로 근종의 세절이 가능하다. 창상견인기는 이러한 작업을 용이하게 만들어 주며, 복강경 bag 을 사용하여 편리하게 'contained bag knife morcellation' 을 할 수 있다. 이러한 방법은 근종을 복강 밖으로 빼내는 데 안전하고 비용-효율적인 방법이 된다(그림 10-26).

6. 자궁동맥결찰술(Uterine artery ligation)

싱글포트복강경 수술에서는 수술 기구들이 복부의 중앙 부위, 즉 배꼽에서 출발하기 때문에 골반의 좌측 우측 접근에 큰 차이가 없다. 이 점은 후복막 자궁동맥결찰 시에도 적용되며, 특히 큰 자궁의 경우 이러한 장점이 뚜렷하게 느껴진다. 반면, 중앙 부위로부터의 접근법이 아닌 경우에는, 좌우측 접근에 따라 수술자의 몸 비틀림이 크게 요구되거나, 수술자가 위치를 바꾸거나, 보조의에게 의존할 수밖에 없게 된다.

자궁동맥기시부 결찰을 위한 첫 번째 단계는 골반누두인대(infundibulopelvic ligament)를 내측으로 잡아 당기는 것이다. 즉, 요관을 골반누두인대 및 광인대와 함께 내측으로 이동시키는 것이다. 다음 단계로 후복막을 열고, 요관을 찾은 후에 요관의 외측을 따라 조직을 박리하다 보면, 직장옆공간(pararectal space)을 확보하게 된다. 확보된 직장옆공간에서 환자의 배쪽(ventral side)으로 박리를 진행하면 자궁동맥을 만나게 된다. 이후 자궁동맥의 배쪽에 있는 방광옆공간(paravesical space)을 확보한 후에, 자궁동맥을 고립시키고 이를 결찰한다. 때로는 폐쇄배꼽인대(obliterated umbilical ligament)를 잡아 당김으로써, 내측장골동맥(internal iliac artery) 및 자궁동맥 기시부가 함께 움직이는 것을 보고 자궁동맥임을 재확인할 수 있다.

저자는 근종으로 인해 큰, 특히 하부가 커진 자궁절제술의 경우, 유착이 심한 자궁절제술의 경우, 향후 출산을 원하지 않는 여성의 근종절제술의 경우, 이러한 방식으로 자궁동맥기시부 결찰을 먼저 시행한다.

7. 자궁절제술(Hysterectomy)

싱글포트복강경 자궁절제술에서는 두 개의 구멍을 이용할 수 있다. 배꼽 절개창과 질 개구이다. 따라서, 자궁절제술이란 복강경 술기와 질식 술기를 이용하여, 자궁으로 향하는 네 개의 혈관, 즉 양측 자궁동맥과 양측 난소동맥을 결찰하고, 자궁주위인대 및 질을 절단한 후, 절제된 자궁을 질식 또는 배꼽을 통해 복강 밖으로 제거하는 것이다. 싱글포트 접근법의 어려움을 질식 접근으로 보완할 수 있는 특징이 있다.

저자의 경험을 비추어 봤을 때 싱글포트 전복강경자궁절제술(TLH)의 가장 어려운 술기는 질 절단이다. 그 이유는, 배꼽으로 들어간 기구가 질 절단을 하려면, 자궁의 현격한 움직임이 요구되는데, 이로 인해 질 절단 과정에서 이산화탄소 가스가 질 밖으로 새어 나가 기복(pneumoperitoneum) 유지가 어려워지기 때문이다. 자궁하부가 커진 자궁의 경우 이러한 불편함은 더욱 뚜렷해진다. 또한, 질 절단 시 발생하는 수술 연기(surgical smoke) 제거가 싱글포트 접근법에서는 원활하지 않기 때문에 시야 혼탁이 쉽게 발생한다. 질 절단 시 구부러지는 기구가 큰 도움이 될 수 있다. 질 절단 다음으로 어려운 술기는 질봉합이었지만, 가시돋친실의 사용으로 어려움이 극복되었다.

8. 결론

싱글포트복강경 수술은 국내에서 이미 활발히 시행되고 있으며, 국내에서 진행된 다기관 전향적 비교연구결과 근종절제술 및 자궁절제술에 있어서 기존 복강경수술법과 유사한 수술 결과를 보여준다.

싱글포트복강경 수술법은 분명 배우기가 어려우며, 여러 단점이 존재한다. 이를 극복하기 위하여 적합한 수술 기구와 수술 자세에 관한 이해가 절실히 요구된다.

싱글포트 접근법의 환자측 장점이라 기대되는 흉터만족도와 통증은 여러 연구에서 일관되게 증명되지 않았지만, 큰 배꼽절개창을 이용한 중앙접근(midline access)이라는 수술기법 측면에서의 장점이 존재한다. 이러한 장점은 큰 자궁을 수술할 때와 절제된 근종을 복강 밖으로 제거할 때 특히 나타난다. 전동세절기 사용의 위험성이 부각된 현 시점에서, 싱글포트복강경 수술의 어려움을 이미 극복한 의사들에 의한 싱글포트복강경 근종 수술은 앞으로도 활발히 시행되리라 기대된다.

▬▬▬ 참고문헌

1. Alborzi S, Ghannadan E, Alborzi S, et al. A comparison of combined laparoscopic uterine artery ligation and myomectomy versus laparoscopic myomectomy in treatment of symptomatic myoma. Fertil Steril 2009;92:742-7.
2. Bae JH, Chong GO, Seong WJ, et al. Benefit of uterine artery ligation in laparoscopic myomectomy. Fertil Steril 2011;95:775-8.
3. Chen YJ, Wang PH, Ocampo EJ, et al. Single-port compared with conventional laparoscopic-assisted vaginal hysterectomy: a randomized controlled trial. Obstet Gynecol 2011;117:906-12.
4. Hoyer-Sorensen C, Vistad I, Ballard K. Is single-port laparoscopy for benign adnexal disease less painful than conventional laparoscopy? A single-center randomized controlled trial. Fertil Steril 2012;98:973-9.
5. Jo EJ, Kim TJ, Lee YY, et al. Laparoendoscopic single-site surgery with hysterectomy in patients with prior cesarean section:

comparison of surgical outcomes with bladder dissection techniques. J Minim Invasive Gynecol 2013;20:160-5.

6. Jung YW, Lee M, Yim GW, et al. A randomized prospective study of single-port and four-port approaches for hysterectomy in terms of postoperative pain. Surg Endosc 2011;25:2462-9.

7. Kim TH, Kim CJ, Kim TJ, et al. Retroperitoneal Approach in Single-Port Laparoscopic Hysterectomy JSLS 2016;20.

8. Kim TH, Kim TJ, Yoo HN, et al. Is laparoendoscopic single-site surgery (LESS) retroperitoneal hysterectomy feasible?: Surgical outcomes of the initial 27 cases. Taiwan J Obstet Gynecol 2015;54:150-4.

9. Kim TJ, Lee YY, An JJ, et al. Does single-port access (SPA) laparoscopy mean reduced pain? A retrospective cohort analysis between SPA and conventional laparoscopy. Eur J Obstet Gynecol Reprod Biol 2012;162:71-4.

10. Kim TJ, Lee YY, Kim MJ, et al. Single port access laparoscopic adnexal surgery. J Minim Invasive Gynecol 2009;16:612-5.

11. Kim TJ, Shin SJ, Kim TH, et al. Multi-institution, Prospective, Randomized Trial to Compare the Success Rates of Single-port Versus Multiport Laparoscopic Hysterectomy for the Treatment of Uterine Myoma or Adenomyosis. J Minim Invasive Gynecol 2015;22:785-91.

12. Kim TJ, Song T, Choi CH, et al. Comparison of laparoendoscopic single-site hysterectomies: laparoscopic hysterectomy with some vaginal component versus laparoscopically assisted vaginal hysterectomy. J Laparoendosc Adv Surg Tech A 2014;24:254-9.

13. Lee JH, Ji HY, Yuk JS. Single-Port Laparoscopically Assisted-Transumbilical Ultraminilaparotomic Myomectomy (SPLA-TUM) Versus Single Port Laparoscopic Myomectomy: A Randomized Controlled Trial. J Minim Invasive Gynecol 2015;22:42.

14. Lee JR, Lee JH, Kim JY, et al. Single port laparoscopic myomectomy with intracorporeal suture-tying and transumbilical morcellation. Eur J Obstet Gynecol Reprod Biol 2014;181:200-4.

15. Lee YY, Kim TJ, Kim CJ, et al. Single-port access laparoscopic-assisted vaginal hysterectomy: a novel method with a wound retractor and a glove. J Minim Invasive Gynecol 2009;16:450-3.

16. Park JY, Kim DY, Kim SH, et al. Laparoendoscopic Single-site Compared With Conventional Laparoscopic Ovarian Cystectomy for Ovarian Endometrioma. J Minim Invasive Gynecol 2015;22:813-9.

17. Park JY, Kim DY, Suh DS, et al. Laparoendoscopic single-site versus conventional laparoscopic surgical staging for early-stage endometrial cancer. Int J Gynecol Cancer 2014;24:358-63.

18. Park JY, Kim TJ, Kang HJ, et al. Laparoendoscopic single site (LESS) surgery in benign gynecology: perioperative and late complications of 515 cases. Eur J Obstet Gynecol Reprod Biol 2013;167:215-8.

19. Song T, Cho J, Kim TJ, et al. Cosmetic outcomes of laparoendoscopic single-site hysterectomy compared with multi-port surgery: randomized controlled trial. J Minim Invasive Gynecol 2013;20:460-7.

20. Song T, Kim TJ, Kim WY, et al. Comparison of barbed suture versus traditional suture in laparoendoscopic single-site myomectomy. Eur J Obstet Gynecol Reprod Biol 2015;185:99-102.

21. Song T, Kim TJ, Lee SH, et al. Laparoendoscopic single-site myomectomy compared with conventional laparoscopic myomectomy: a multicenter, randomized, controlled trial. Fertil Steril 2015;104:1325-31

22. Song T, Lee SH. Barbed suture vs traditional suture in single-port total laparoscopic hysterectomy. J Minim Invasive Gynecol 2014;21:825-9.

23. Yoon A, Kim TJ, Lee YY, et al. Laparoendoscopic single-site (LESS) myomectomy: characteristics of the appropriate myoma. Eur J Obstet Gynecol Reprod Biol 2014;175:58-61.

24. Yoon G, Kim TJ, Lee YY, et al. Single-port access subtotal hysterectomy with transcervical morcellation: a pilot study. J Minim Invasive Gynecol 2010;17:78-81.

자궁근종
UTERINE LEIOMYOMA

로봇 수술

Robotic surgery

| 가톨릭의대 산부인과 이민경, 김미란 |

복강경 수술이 도입된 이후 적은 출혈, 낮은 유착 발생률, 수술 후 통증 감소, 짧은 입원기간과 일상생활로의 복귀가 빠르다는 장점으로 인해 개복수술보다 복강경 수술이 선호되어 왔다. 하지만 보다 복잡하고 힘든 수술에 있어서는 기술적인 한계로 인해 복강경을 적용시키기 어려웠다. 1980년대 이후 의료용 로봇들이 도입되어 복강경 수술의 한계를 극복한 로봇 수술이라는 최소침습수술의 새로운 장이 열렸다.

1985년 PUMA 560이라는 로봇이 전산화단층촬영을 이용한 뇌정위 수술에 사용되었고, 1988년 영국에서는 PROBOT이라는 로봇을 이용하여 전립선수술을 시행하였으며, 1992년 ROBODOC을 이용하여 고관절대치술이 시행되었다. 이후 da Vinci Surgical System과 Computer Motion의 AESOP과 ZEUS robotic surgical system을 통하여 로봇시스템이 더욱 활발히 개발되기 시작하여, 1999년 산부인과 영역에서도 이들 로봇을 이용한 난관재문합수술이 최초로 시행되었다.

이러한 로봇수술은 고식적 복강경 수술에 비해 많은 장점을 가지고 있다(표 10-1). 먼저 술자의 손과 손목의 움직임을 로봇 팔의 7방향, 360도 회전을 통해 미세움직임으로 변환하여 정확히 재현하며 손떨림까지 보정할 수 있다. 또한 10~15배의 확대된 3D HD 시야를 제공하여 월등히 선명한 시야 확보가 가능하며 수술 중 초음파, 자궁경 등의 화면을 동시에 확인하여 정교한 수술이 가능하게 한다.

표 10-1. 고식적 복강경 수술과 로봇 도움 하 복강경 수술의 비교

고식적 복강경 수술	로봇 도움 하 복강경 수술
2차원 화면	3차원 HD 화면
손떨림 보정되지 않으며 기구의 각도가 고정되어 있음	손떨림 보정 및 7각도, 360도 회전을 통해 미세움직임 가능
술자의 불편감	인체공학적인 콘솔로 움직임이 편리
박리의 어려움	정교한 박리가 가능
일부 위치의 봉합 어려움	위치에 관계없이 봉합이 쉬움
긴 Learning curve	짧은 Learning curve

그러나 로봇 시스템은 촉각이 없어 감각의 피드백을 전적으로 시각에 의존하여야 하는 단점이 있다. 또한 로봇시스템은 육중하여 많은 공간이 필요하고 기존 복강경에 비해 투관침 부위의 크기가 8mm로 크다. 근래에는 이러한 단점을 보완하기 위해 촉각을 전달하는 기술력을 가진 로봇이 개발되어 상용화되어 있으며 단일공 로봇 수술 시스템 또한 개발되어 있다(그림 10-27).

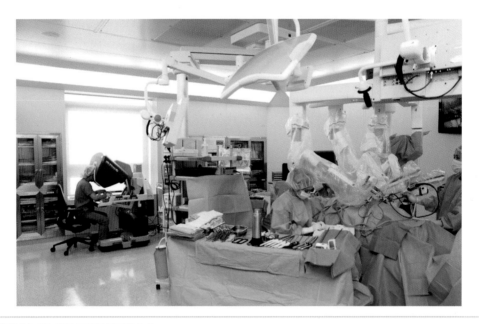

■ 그림 10-27. 로봇 도움하 복강경 수술

| 자궁근종

최근 혼인 연령 및 초산 연령이 높아짐에 따라 자궁을 보존하고자 하는 환자들이 늘어나 자궁근종 절제술의 요구도가 점차 높아지고 있다. 자궁근종 절제술 시행 시 자궁근종을 자궁으로부터 잘 절제해내는 것과 더불어 중요한 것은 절개 부위를 꼼꼼하고 세심하게 층별로 잘 봉합하는 것이다. 자궁근종 절제술은 다른 부인과 수술에 비해 상대적으로 출혈이 많은 수술이며 수술 후 유착이 발생하는 비율도 높기 때문에 정밀한 봉합으로 출혈을 최소화하고 유착을 방지하는 것이 중요하다.

고식적 개복 자궁근종 절제술은 오래 전부터 표준 수술법으로 여겨져 왔는데 복강경 수술에 비해 자궁근종에의 접근이 쉽고 큰 근종을 제거하는 것이 용이하며 절개 부위의 정밀한 봉합이 가능하다. 하지만 복강경 수술에 비해 피부 절개가 크고 재원 기간이 길며 수술 후 진통제 사용량이 많은 단점이 있다. 1979년부터 자궁근종 절제술에도 복강경 수술이 적용되기 시작하면서 복강경 자궁근종 절제술과 개복 자궁근종 절제술을 비교하는 연구들이 발표되어 왔다. 이에 2009년 발표된 메타분석에 의하면, 복강경 자궁근종 절제술은 출혈이 적어 수혈을 피할 수 있고, 수술 후 통증이 적어 입원기간이 단축되는 결과를 가져왔다. 또한 고식적 개복 자궁근종 절제술과 비교하여 수술 후 재발율이나 임신율에서 큰 차이가 없었고 수술 후 유착에 대해서 복강경 자궁근종 절제술이 개복 시보다 적은 것으로 보고되고 있다. 따라서 절개부위의 봉합과 근종의 완벽한 제거라는 목표를 똑같이 이룰 수 있다면 복강경 수술이 보다 환자에게 이롭다 볼 수 있겠다.

앞서 기술한 바와 같이 로봇수술은 고식적 개복 수술과 같은 수술효과를 보장하면서 유착과 출혈이 적으며 입원 기간이 짧은 복강경 수술의 장점까지 같이 지닌다. 그러므로 봉합에 많은 주의를 기울여야하는 자궁근종 절제술에 로봇수술이 유용하다고 예측할 수 있는데 실제 로봇 자궁근종 절제술과 고식적 개복 자궁근종 절제술을 비교한 여러 논문에서 개복수술에 비해 로봇수술에서 출혈이 적고 합병증 발생률도 낮으며 입원 기간이 짧은 것으로 나타났다. 반면 수술 시간이 더 오래 걸리고 많은 비용이 드는 것은 로봇수술의 단점으로 지적되었다.

로봇 자궁근종 절제술 후 장기간의 예후에 대해서는 아직 연구된 바가 많지 않다. 2016년 Kang 등은 근층 내 깊이 위치한 자궁근종에 대해 로봇 자궁근종 절제술을 시행받은 100명의 환자에 대한 예후를 조사하였는데 평균 수술시간은 276분, 콘솔시간은 146분이었으며 모든 환자가 특별한 합병증 없이 회복되었다. 전체 수술 환자 중 12명이 임신을 원했으며 그중 75%인 9명의 환자가 임신에 성공하였다. 또 다른 31명의 자궁내막 손상 환자의 임신율을 조사한 연구에서 68%의 환자가 임신이 되었으며 그 중 55%의 환자는 자연임신이었다. 로봇 자궁근종 절제술 후 임신한 107명을 조사한 연구에서 자궁 파열의 빈도는 1%로 복강경 수술과 비슷하게 나타났으나 골반 내 유착 발생률은 11%로 복강경 수술을 받은 환자에 비해 낮게 나타났다.

따라서 자궁 보존을 원하는 여성에서 자궁근종의 크기가 크거나 위치가 좋지 않아 개복 수술을 할 수밖에 없는 경우 그 대안으로 로봇 복강경하 자궁근종 절제술을 시행해볼 수 있으며 복강경 수술의 장점을 살리면서 동시에 개복수술과 유사한 안정성을 가진다고 할 수 있겠다. 이렇게 로봇수

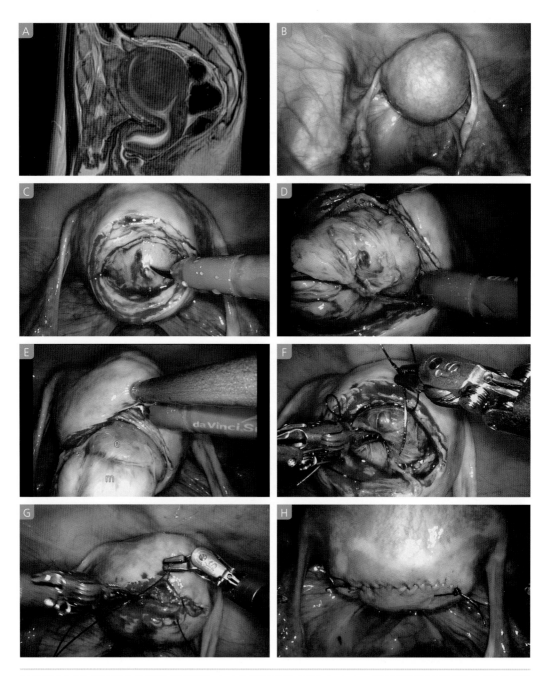

■ 그림 10-28. **로봇 도움 하 자궁근종 절제술 A.** 수술 전 자기 공명 영상. **B.** 6x6cm 크기의 점막하 자궁근종이 자궁의 뒷벽에서 관찰된다. **C.** 바소프레신 주입 후 근종 주변의 장막과 정상 근육 조직을 절개한다. 이 때 열손상을 방지하기 위해 전기소작 없이 가위로만 절개한다. **D.** Tenaculum과 가위를 이용하여 자궁근종을 제거한다. **E.** 자궁근종과 자궁내막의 경계가 확인되면 자궁내막 손상이 없도록 주의하여 박리한다(m: 자궁근종, e: 자궁내막). **F.** PDS 2-0를 이용하여 안쪽 근층을 연속봉합한다. **G.** 바깥쪽 근층 역시 PDS 2-0를 이용하여 연속봉합한다. **H.** 유착을 방지하기 위해 장막층을 PDS 2-0 이용하여 baseball 연속봉합법으로 닫아준다.

| 자궁근종

술이 고식적 복강경 수술에 비해 가지는 장점이 명확함에도 불구하고 복강경 수술을 완전히 대체하지 못하고 있는 것은 로봇수술이 가지는 가장 큰 한계점인 비용 때문일 것으로 생각된다. 장비개발 능으로 로봇수술에 소요되는 비용이 점차 감소되고 로봇수술의 장점이 더욱 강화된다면 향후 자궁근종 절제술의 분야에서 로봇수술의 적용 범위가 더욱 확대될 것이다(그림 10-28).

참고문헌

1. Advincula AP, Xu X, Goudeau S 4th, et al. Robot-assisted laparoscopic myomectomy versus abdominal myo-mectomy: a comparison of short-term surgical outcomes and immediate costs. J Minim Invasive Gynecol 2007;14:698-705.

2. Ascher-Walsh CJ, Capes TL. Robot-assisted laparoscopic myomectomy is an improvement over laparotomy in women with a limited number of myomas. J Minim Invasive Gynecol 2010;17:306-10.

3. Carbonnel M, Goetgheluck J, Frati A, et al. Robot-assisted laparoscopy for infertility treatment: current views. Fertil Steril 2014;101:621-6.

4. Davies BL, Hibberd RD, Ng WS, et al. The development of a surgeon robot for prostatectomies. Proc Inst Mech Eng H 1991;205:35-8.

5. Falcone T, Goldberg J, Garcia-Ruiz A, et al. Full robotic assistance for laparoscopic tubal anastomosis: a case report. J Laparoendosc Adv Surg Tech A 1999;9:107-13.

6. Jin C, Hu Y, Chen XC, et al. Laparoscopic versus open myomectomy: a meta-analysis of randomized controlled trials. Eur J Obstet Gynecol Reprod Biol 2009;145:14-21.

7. Kang SY, Jeung IC, Chung YJ, et al. Robot-assisted laparoscopic myomectomy for deep intramural myomas. Int J Med Robot 2016. doi: 10.1002/rcs.1742.

8. Kwoh YS, Hou J, Jonckheere EA, et al. A robot with improved absolute positioning accuracy for CT guided stereotactic brain surgery. IEEE Trans Biomed Eng 1988;35:153-60.

9. L€onnerfors C, Persson J. Pregnancy following robot-assisted laparoscopic myomectomy in women with deep intramural myomas. Acta Obstet Gynecol Scand 2011;90:972-7.

10. Luciano AA. Myomectomy. Clin Obstet Gynecol 2009;52:362-71.

11. Muhlstein J, Monceau E, Lamy C, et al. Contribution of robot-assisted surgery in the management of female infertility. J Gynecol Obstet Biol Reprod (Paris) 2012;41:409-17.

12. Mukhopadhaya N, De Silva C, Manyonda IT. Conventional myomectomy. Best Pract Res Clin Obstet Gynaecol 2008;22:677-705.

13. Nash K, Feinglass J, Zei C, et al. Robotic-assisted laparoscopic myomectomy versus abdominal myomectomy: a comparative analysis of surgical outcomes and costs. Arch Gynecol Obstet 2012;285:435-40.

14. Paul HA, Bargar WL, Mittlestadt B, et al. Develop-ment of a surgical robot for cementless total hip arthroplasty. Clin Orthop Relat Res 1992:57-66.

15. Pitter MC, Gargiulo AR, Bonaventura LM, et al. Pregnancy outcomes following robot-assisted myomectomy. Hum Reprod 2013;28:99-108.

16. Quaas AM, Einarsson JI, Srouji S, et al. Robotic myo-mectomy: a review of indications and techniques. Rev Obstet Gynecol 2010;3:185-91.

17. Takeuchi H, Kinoshita K. Evaluation of adhesion formation after laparoscopic myomectomy by systematic second-look microlaparoscopy. J Am Assoc Gynecol Laparosc 2002;9:442-6.

18. Tulandi T, Murray C, Guralnick M. Adhesion formation and reproductive outcome after myomectomy and second-look laparoscopy. Obstet Gynecol 1993;82:213-5.

자 궁 근 종
UTERINE LEIOMYOMA

CHAPTER

11

중재적 치료

Interventional management

자 궁 근 종
UTERINE LEIOMYOMA

고주파 자궁근종용해술

Radiofrequency myolysis

| 가톨릭의대 산부인과 조현희 |

1. 서론

고주파 자궁근종용해술(이하 자궁근종용해술)은 초음파 유도하에 자궁근종의 중앙부에 고주파를 발생시키는 바늘을 삽입하여 근종을 열치료하는 방법이다.

자궁근종용해술에 사용되는 고주파 에너지는 10 ~ 900KHZ 정도의 빈도를 보인다. 고주파 에너지는 근종 세포 내부의 물을 가열하여 세포 사망을 유도하는데, 이때 심부의 온도는 약 90도~99도에 이른다. 고주파 에너지가 세포사망을 유도하는 원리는 여러 가지가 있는데, 그 중 frictional heating으로 인한 세포사망이 가장 큰 영향을 주는 것으로 생각된다. 세포의 온도가 50도 이상 상승하는 경우 세포막이 녹으면서 합쳐지고, 단백질이 변성되며 비 가역적인 세포사망이 유도된다. 고주파 용해술은 간 종양의 치료 목적으로 사용이 되어 오던 시술로, 수술로 제거가 불가능한 간 종양을 고주파로 치료한 뒤 조직학적인 변화에서 무균성괴사 소견을 보인다는 증거가 있다.

고주파 에너지로 인해 발생되는 열은 전도되면서 주변 조직으로 퍼져나가게 되며, 주변의 근종 먹이혈관을 응고시키고, 혈관 내부 혈액들이 응고되면서 부분적인 미세 색전증의 효과를 갖게 된다. 열의 전도 정도는 근종의 크기나 바늘의 크기에 따라 달라질 수 있으며, 근종 내분의 수분 함량이나 이차 변성 등 근종의 상태에 따라 차이가 날 수 있다.

2. 자궁근종용해술의 방법

자궁근종용해술은 전신마취 혹은 수면마취하에 시행하며, 마취 없이 시행하는 경우도 있다. 그러나 시술의 성격상 고주파 발생 바늘을 근종에 삽입해야 하기 때문에 환자가 움직일 가능성이 없도록 마취를 시행하는 것을 권장한다.

환자는 근종의 위치에 따라 접근이 용이한 자세를 취하는데 supine이나 lithotomy 모두 가능하다. 자궁근종용해술은 초음파 유도하에 시행하는 시술이며, 복강경으로 자궁근종용해술을 하는 경우에도 시술의 모니터링은 초음파로 시행해야 한다. 시술 중 초음파는 경복부, 경질 혹은 경직장으로 보면서 시행하게 되며, 바늘의 접근 방법도 경복부로 직접 삽입하거나 복강경 포트를 통해 접근하는 방법, 경질 접근(더글라스 와 혹은 vesicouterine junction을 통한 접근), 경 자궁경부 접근 등이 가능하다. 따라서 초음파를 어떤 접근 방법을 시행할 것인가, 그리고 고주파 발생 바늘을 어떤 경로로 삽입할 것인지에 따라 환자의 자세를 결정해야 한다.

더글라스 와 혹은 vesicouterine fold를 통해 접근하는 경우, 초음파 유도 하에 질경으로 질을 벌린 상태에서 시행하거나 혹은 경질 초음파에 가이드를 붙여 사용하기도 한다. 이러한 접근 방법은 방광 혹은 직장에 손상을 입힐 가능성이 있기 때문에 경 자궁경부 접근법이나 복강경을 통해 접근하는 방법보다 더 많은 주의를 요한다.

초음파상 자궁근종의 위치를 확인하고 접근 방법을 정한 후, 근종을 디자인하여 한 번에 치료를 할 것인지, 아니면 여러 번 삽입을 할 것인지 등을 정한다. 이때 주의할 점은 근종이 한번 가열되면 세포 내 수분이 수증기로 변하면서 초음파상 hyperechoic한 상태가 되기 때문에, 그 근종의 아래 쪽(초음파 탐촉자와 면쪽)은 shadowing되어 수 분간 보이지 않는 상태가 된다. 따라서 근종을 여러 번에 나눠 가열해야 하는 경우에는 근종의 아래쪽(초음파에서 면쪽)에서 위쪽으로 이동하면서 가열해야 한다. 자궁근종용해술의 평균 시술시간은 5~20분 정도로, 근종의 크기와 위치, 열의 전도 속도에 따라 다르다. 바늘을 적절한 위치에 삽입하는데, 바늘의 끝이 어디에 위치하는지 반드시 전 과정을 초음파로 모니터링해야 하며, 삽입 후 바늘의 끝 부분이 근종의 외부로 나가지 않았는지 longitudinal view와 transverse view에서 이중 확인을 반드시 시행한다. 위치가 명확하지 않은 경우에는 절대 가열을 실시해서는 안 되며 필요시 바늘을 다시 제거하고 재위치시킨다. 가열을 시작한 후에는 원하는 근종 부위에서 반응이 나타나는지 확인하며, 만약 예상한 근종 부위에 반응이 없는 경우 바늘 끝이 다른 곳에 가 있을 가능성이 있으니 신속히 중단하고 제거한다.

용해술을 복강경으로 시행하는 경우에는 바늘의 끝 부분이 육안으로 확인이 안 되므로, 일단 복강경하에서 바늘이 근종을 통과하지 않았는지 뒷쪽을 확인한 후, 바늘을 넣은 상태에서 가스를 일부 제거하고 초음파로 위치를 확인한다. 가열 후 약 5분에서 20분 정도(여러 번 삽입이 필요한 경우 더 걸릴 수 있음) 대부분의 5-6cm 미만의 근종들은 가열이 완료된다. 근종의 반응 정도는 초음파로 실시간 확인하며, 근종의 90% 이상이 가열되었다고 생각되면 치료를 종료한다. 가열을 많이 하는 경우에는 시술의 결과는 좋으나 주변 장기 손상 등의 합병증이 있을 수도 있으므로 항상 주의를 요한다.

3. 자궁근종용해술 환자의 선택

자궁근종용해술은 향후 임신을 원하지 않는 여성에서 증상이 있는 자궁근종이나 자궁선근증을 대상으로 한다. 자궁선근증의 경우에는 병변이 국소적으로 몰려있는 경우에 시행한다. 자궁근종의 위치에 따른 선택은 점막하 자궁근종의 경우 가장 추천되며, 장막하 근종이나 장막하 peduncleated myoma이 경우 외부장기 손상율이 증가할 수 있어 추천되지 않는다. 점막하 자궁근종의 경우 시술 후 부피 감소율과 증상 개선율이 가장 좋다.

근종의 크기는 지름 5~6 cm 이하의 근종을 추천하며, 지름이 7cm 이상 되는 근종의 경우 시술 후 재수술률이 유의하게 증가하고 환자 만족도도 감소하며, 근종의 부피 감소율이 유의하게 감소하기 때문에 추천하지 않는다.

자궁근종용해술의 금기증은 근종이 악성이 의심되는 경우, 원인미상의 자궁출혈을 동반하는 경우, 급성 골반 내 염증성질환이 있는 경우, 임신 중인 여성, MRI상에서 이차 변성이 진행된 근종은 시술 금기증이다. 임신을 원하는 여성 혹은 7cm 이상의 근종은 상대적 금기증이며 시술 전 주의를 요한다.

4. 자궁근종용해술의 결과

고주파 자궁근종용해술 후 근종의 부피 감소율은 1개월째 41.5%, 3개월째 59%, 6개월째 77%로 보고된 바 있으며, 국내 보고에서도 6개월째 부피 감소율 53.5%~ 65.6% 로 보고되었다. 18개월 후 평균 부피 감소율은 73% 정도이다. 근종의 부피 감소율은 초기 부피에 따라 유의한 차이를 보이므로, 지름 7cm 이상의 근종에서는 용해술을 권장하지 않는다.

5. 합병증

고주파 자궁근종용해술은 열치료의 일종으로, 고열로 인한 장기 손상이 발생할 수 있어 시술 시 주의를 요한다. 고주파 발생 침으로 인한 방광이나 장의 천공이 생길 수 있으며, 천공 후 가열 시 이로 인한 열손상이나 복벽화상이 생길 수 있다. 기타 출혈, 질 분비물의 증가, 통증, 감염 등이 발생할 수 있다.

시술 후 가장 흔한 합병증은 질출혈, 질 분비물 증가, 골반통 등이며, 질 분비물의 증가 현상은 시술 후 1~2개월 이상 지속적으로 나타날 수 있다. 출혈은 대부분 소량이며, 시술 2~3일만에 자연적으로 멈춘다. 통증은 별다른 처치 없이 1시간 이내에 자연 소멸되는데, 자궁선근증의 경우 통증이 오래 지속될 수 있으므로 주의를 요한다. 시술 후 통증은 대증적 요법으로 관리한다. 시술 후 자궁 내 염증반응은 3-4주 정도 지속되는데, 이 기간 내의 생리는 도리어 생리통을 심하게 만들거나 생리양이 많을 수도 있으므로 가능하면 생리를 하지 않도록 약물 복용 및 호르몬 억제 주사를 사용하는 것을 권장한다.

합병증의 예방을 위해서는 다음과 같은 주의사항을 따른다.

초음파 유도하에 시행하는 경우, 고주파 발생 침이 자궁을 관통하여 다른 장기를 손상시키지 않도록 끝을 주의 깊게 살펴본다. 침을 위치시키고 고주파를 발생시키고 난 후에는, 고열로 인한 hyperechogenisity가 자궁근층 혹은 자궁근종 내에서 발생되는지 확인하고, 관통이 의심되는 경우 바로 중지해야 한다. 초음파로 침의 말단부가 확인이 어려운 경우 복강경을 시행한다. 복강경 사용 시 침이 자궁을 관통하여 반대쪽 장기를 손상시킨 사례가 있으며, 항상 침의 말단부를 육안 혹은 초음파를 이용하여 확인하고 가열을 실시해야 한다.

가열시에는 자궁내막이 열손상을 받지 않도록 주의하는데, 임신을 더이상 원하지 않거나 생리양이 많은 여성에서는 자궁내막을 열소작하여 치료 효과를 노리기도 한다.

■■■ **참고문헌**

1. 김진홍. 자궁근종의 사례별 맞춤 치료 치침서. 서울 : 서창기획; 2008.

2. Kaiyun C, Shuguang Z, Guoan X, et al. Ablation effects of noninvasive radiofrequency field-induced hyperthermia on liver cancer cells. Saudi Pharm J 2016;24:329-32.

3. Arcangeli S, Pasquarette MM. Gravid uterine rupture after myolysis. Obstet Gynecol 1997;89:857.

4. Cho HH, Kim JH, Kim MR. Transvaginal radiofrequency thermal ablation: a day-care approach to symptomatic uterine myomas. Aust N Z J Obstet Gynaecol 2008;48:296-301.

5. Cho HH, Kim MR, Kwon DJ, et al. Enlarged leiomyoma after myolysis with radiofrequency. Korean J Obstet Gynecol 2006;49:236-9.

6. Kim JW, Kim TH, Kim SM, et al. Spontaneous uterine rupture during second trimester. Korean J Obstet Gynecol 2009;52:91?5.

7. Luo X, Shen Y, Song WX, et al. Pathologic evaluation of uterine leiomyoma treated with radiofrequency ablation. Int J Gynecol Obstet 2007;99:9.

8. Nkemayim DC, Hammadeh ME, Hippach M, et al. Uterine rupture in pregnancy subsequent to previous laparoscopic electromyolysis. Case report and review of the literature. Arch Gynecol Obstet 2000;264:154-6.

9. Vilos GA, Daly LJ, Tse BM. Pregnancy outcome after laparoscopic lectromyolysis. J Am Assoc Gynecol Laparosc 1998;5:289-92.

자궁근종
UTERINE LEIOMYOMA

고강도초음파집속술

High-intensity focused ultrasound

| 민트영상의학과 김영선 |

1. 서론

고강도초음파집속술(High-intensity focused ultrasound, HIFU)는 매우 높은 출력의 초음파를 작은 한 점에 집속(focusing)시킴으로써 발열 등의 치료효과를 유도하는 최신 치료법이다. HIFU는 진단용 초음파와 마찬가지로 인체 조직을 투과하기 때문에 피부를 치료 창에 접촉시킨 상태에서 완전히 비침습적인 방식으로 몸 속의 자궁근종을 치료할 수 있다. 이러한 비침습성에 의해 경감된 신체적 부담 및 빠른 회복 속도, 그리고 바늘조차 사용하지 않는다는 심리적 장점으로 최근 시행이 급증하는 추세이다. HIFU는 자궁, 전립선, 췌장, 뇌, 간, 신장 등 다양한 장기에 적용되고 있으나, 세계적으로 근종 등의 양성 자궁 질환의 치료를 위해 가장 활발한 임상적용이 이루어지고 있다.

2. 개요

1) HIFU의 물리

초음파가 인체에 흡수되면 조직 분자의 운동이 유발되며, 이로 인해 분자간 마찰열이 발생하는데 이것이 HIFU에 의한 발열의 원리이다. 초음파가 한 점에 모이면 수초 내 에너지 수준이 충분히 증가해 조직의 온도 상승을 유발할 수 있다. 햇볕을 돋보기로 모아 불을 지피는 것과 비슷한 원리이다 (그림 11-1).

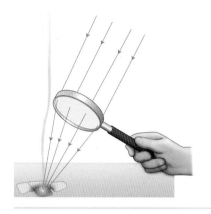

Sunray = Ultrasound

Magnifying glass = HFU transducer

Paper = Target organ

Fire = Hyperthermia

Air = Intervening tissue

■ 그림 11-1. HIFU치료의 원리

초음파 집속은 오목한 형태의 초음파변환자(ultrasound transducer)를 사용하여 유도할 수 있으며, 초기에는 단일소자(single element) 초음파변환자를 사용했으나, 최근에는 위상배열원리(phase array principle)를 활용한 다소자(multi-element) 초음파변환자가 활용된다. 단일소자 방식은 초점을 이동시키기 위해 초음파변환자를 기계적 방식으로만 움직여야 하나, 다소자 방식은 기계적, 전자적 방식을 모두 활용해 초점을 보다 넓은 범위로 빠르게 움직일 수 있어 최근 주로 활용되고 있다.

이같은 방식으로 집속된 초음파가 얼마나 높은 출력으로 조직 내의 특정 면적을 흐르는지를 설명하는 지표가 음향강도(acoustic intensity)이다. 음향강도의 단위는 W/cm^2이다. 높은 음향강도를 유도하기 위해서는 한 번에 소작할 수 있는 조직영역이 작은 것이 효과적이므로 HIFU치료는 초점을 옮기며 반복적으로 시행해야 한다. 음향강도는 조직 온도상승과 선형적으로 비례한다.

초음파는 인체 조직을 투과하므로, HIFU치료는 피부를 치료창에 접촉하는 것만으로 적용 가능해, 완전 비침습적 치료라는 큰 임상적 장점을 지닌다.

2) 자궁근종 HIFU치료의 원리

자궁근종을 포함한 양성 및 악성 종양은 특정 수준 이상의 열량(thermal dose)을 받으면 단백질 변성(denaturation)이 유도되어 비가역적 응고괴사(coagulation necrosis)가 유발된다. 일반적 생체 조직에서 이러한 변화를 일으키는 열량을 치사열량(lethal thermal dose)이라 지칭하는데, 240 EM (equivalent minutes, 섭씨 43도의 열을 적용한다 가정했을 때 같은 열량을 주기 위해 필요한 시간(분))이며, 섭씨 65도의 경우 1~2초면 유도될 수 있다. 즉, HIFU로 섭씨 65도로 온도를 올리면 순간적으로 생체조직의 비가역적 응고괴사를 유도할 수 있다는 의미이다.

자궁근종의 HIFU치료 시, 이러한 온도 상승의 정도는 몇몇 내부적, 외부적 요인에 의해 영향을 받는 것으로 알려져 있다. 가장 중요한 인자는 근종조직의 평활근세포(smooth muscle cell) 성분과 콜라젠섬유(collagen fiber) 성분의 조성비이다. 평활근세포는 비열(specific heat capacity)이 높은 물성분이 많은 반면 콜라젠섬유는 비열이 낮은데7, 이로 인해 물 성분이 많은 세포성근종(cellular myoma)은 HIFU로 온도상승을 유발하기 힘들고 따라서 높은 출력의 HIFU를 사용해야만 응고괴사가 유도될 수 있다, 반면, 콜라젠섬유 성분이 풍부한 근종은 상대적으로 낮은 출력의 HIFU에도 쉽게 온도 상승이 유도될 수 있다. 이러한 근종의 구성성분의 차이는 자기공명영상(이하 MRI)의 T2 강조영상에서 쉽게 평가할 수 있다.

자궁근종의 HIFU치료 시 온도 상승에 영향을 미치는 또 다른 중요한 내부인자는 근종의 혈류량(vascularity)이다. Penne의 생체열역학 공식(bio-heat equation)에 의하면 혈류량이 많을수록 고열치료(hyperthermic therapy)에 의한 온도상승이 어려운데 이는 체온으로 유지되는 혈류가 조직에 가해지는 열을 빼앗는, 소위 "열씻김 현상"(heat sink phenomenon) 때문이다. 즉, 혈류량이 많은 근종은 온도 상승이 어렵고, 그만큼 높은 출력의 HIFU를 사용해야 적절한 치료를 할 수 있다.

HIFU도 일반적인 진단용 초음파처럼 인체의 정상조직에 의해 감쇄(attenuation) 현상이 일어난다. 예를 들어, 복벽의 피하지방층이 두껍거나 근종이 피부로부터 너무 깊은 골반강에 위치하면 HIFU 에너지가 감쇄되어 실제 초점영역에서는 상당량의 에너지가 소실된다. 이러한 외부인자도 HIFU에 의한 온도상승에 영향을 미친다.

3) HIFU치료의 영상유도

HIFU 초점을 근종의 적절 부위에 위치시키고, 이로 인한 치료 반응을 평가하기 위해 적절한 영상유도(guidance) 및 감시(monitoring)가 필요하다. 이를 위해 현재 임상에서 활용되는 HIFU장비들은 초음파영상 혹은 자기공명영상을 사용한다.

초음파영상유도 HIFU(이하 US-HIFU)에서는 HIFU치료 중 조직의 물 성분이 끓거나 음향공동현상(acoustic cavitation, HIFU로 유도된 강한 음압에 의해 조직 내 용해되어 있던 기체성분이 기화되는 현상)에 의해 고에코의 변화가 생기는데, 이를 통해 치료 위치를 추정할 수 있다. 초음파영상은 실시간 관찰이 가능하며, 운동에 영향을 받지 않는다는 장점을 지닌다. 또한, 치료와 영상을 위해 동일한 물리현상을 사용하기에 HIFU의 체내 전달상태를 정확히 예측할 수 있는 장점을 지닌다. 하지만, 초음파는 자기공명영상에서 가능한 체내 온도 측정이 불가능하며, 치료가 지속될수록 치료부위 영상의 질이 저하될 수 있다는 단점을 지닌다.

MRI유도 HIFU(이하 MR-HIFU)는 치료 전 혹은 치료 중 MRI의 해부영상을 촬영하고 이를 바탕으로 HIFU의 초점을 병변에 위치시킨 후 치료한다. 또한, MRI는 치료 중 거의 실시간으로 체내

표 11-1. US-HIFU와 MR-HIFU의 비교

	US-HIFU	MR-HIFU
치료 중 온도측정	불가능	가능
Closed-loop feedback control	불가능	가능
조직대조도	낮음	높음
영상범위	좁음	넓음
타장기 관찰능	낮음	높음
실시간 영상능	높음	낮음
장기 운동에 대한 취약성	없음	높음
치료 시간/횟수	차이 없음	
공간 요구도	낮음	높음
장비가격 및 운용비용	낮음	높음

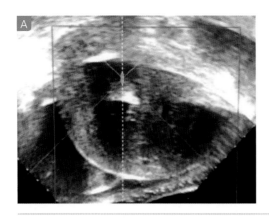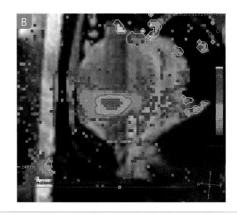

■ 그림 11-2. **HIFU치료의 영상유도방식** US-HIFU(A, 이지스여성의원 이재성원장 제공)는 초점 부위 고에코변화를 통해 치료부위를 알 수 있으며, MR-HIFU(B)는 치료 부위 온도변화를 측정해 치료부위를 알 수 있다.

온도측정이 가능하다는 큰 장점을 지닌다. 이는 치료부위 뿐 아니라 주변장기에도 적용되어 HIFU 치료효과를 실시간으로 평가할 수 있을뿐 아니라 합병증의 예방에도 중요한 의미를 지닌다. MR-HIFU 장비는 실시간 온도정보를 바탕으로 HIFU출력의 강도/시간을 실시간으로 조정하는 기능(closed-loop feedback control)을 제공해 보다 안정적인 가열을 할 수 있다. 하지만, MRI는 상대적으로 영상획득시간이 길어 시간해상도가 떨어지며(2~3초마다 영상 갱신), 간혹 장의 연동운동 같은 운동의 영향을 받을 수도 있다 (표 11-1, 그림 11-2).

3. 환자 선택(Patient Selection)

1) 적응증 및 비적응증

HIFU치료는 기본적으로 증상을 유발하는 자궁근종을 지닌 폐경전 여성에게 실시한다. 치료속도 제한에 의해 한 번에 치료할 수 있는 근종의 크기는 장비마다 다르지만 일반적으로 직경 10~12cm 이다. 초음파의 특성 상 석회화를 지닌 근종은 치료할 수 없으며, HIFU치료는 기본적으로 변성(degeneration)을 유도하는 치료이므로 이미 상당부분 변성된 근종은 치료의 의미가 없다. 또한, 이전의 수술이나 기타 원인에 의해 HIFU조사 부위에 초음파를 반사시키는 물질(수술용 클립 등)이 있는 경우 HIFU를 시행하면 안 된다. MR-HIFU의 경우 심박동기와 같은 MRI의 비적응증도 동일하게 적용된다.

과세포성 혹은 과혈관성 근종은 치료효과가 떨어져 상대적 비적응증에 해당되어 치료에 주의를 요한다. 복벽 지방층이 두꺼운 비만환자도 치료효과가 떨어질 수 있음을 고려해야 한다. 하복벽 치료부위에 이전 수술에 의한 상처가 있는 경우 화상이나 피하지방층 열손상 합병증이 발생할 수 있어 주의가 필요하다. 모든 HIFU장비는 초점을 형성할 수 있는 깊이 제한이 있어 대상 근종이 매우 크거나 자궁이 후굴되어 있는 경우 사용하는 장비의 치료가능 깊이를 고려한 치료여부 결정이 필요하다. 대상근종 전방에 소장 혹은 대장이 위치한 경우 장을 이동(displacement)시키거나 피할 수 있는 방법이 있는지 고려해야 한다. 또한, 향후 임신 및 출산 가능성이 있으면 의료진과의 충분한 상담 후 손익을 고려해 치료를 결정해야 한다.

2) 치료반응 예측

전술한 여러 조건 중 증상, 폐경 여부, 임신계획 여부 등 임상적 정보를 제외한 대부분의 조건은 MRI를 통해 평가가 가능하므로, 치료 전 MRI 시행은 필수이다. 초기연구에 의하면 자궁근종에 대한 HIFU치료는 치료를 요하는 근종환자의 약 16-25%에서만 가능하다 보고하였으나, 최근 여러 기술의 발달로 그 비율은 높아졌으나 여전히 다른 치료법에 비해 낮은 편이다. 임상 정보 및 MRI 소견을 기반으로 한 적절한 환자선택은 불필요한 치료를 방지하고, 최종적으로 우수한 임상결과를 도출하는 데 매우 중요한 의미를 지니므로 신중을 기해야 하며, 치료 결과가 불량할 것으로 예상되면 자궁동맥색전술이나 수술 등 다른 치료를 선택하는 것이 중요하다.

MRI 소견 중 가장 중요한 것으로 알려진 것은 T2강조영상에서의 근종의 신호강도이다. Funaki 등은 근종의 T2신호강도에 따라 근종을 I, II, III형으로 분류하였는데, I형은 골격근과 비슷한 낮은 신호강도를 지닌 근종, II형은 골격근보다는 높지만 자궁근층보다 낮은 신호강도를 지닌 근종, III형

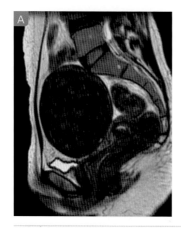 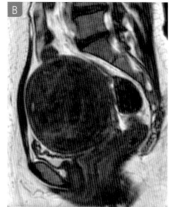 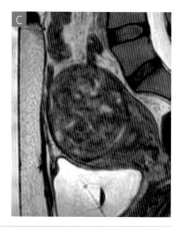

■ 그림 11-3. **자궁근종의 자기공명영상** 자궁근종은 자기공명영상의 T2강조영상(시상면)에서 보이는 신호강도에 따라 I형 (A), II형(B), III형(C)으로 구분되며, 치료반응 예측에 중요하다.

은 자궁근층과 비슷하거나 높은 신호강도를 가진 근종으로 정의하였으며, I형이 가장 좋고, III형이 가장 나쁜 초기 및 중장기 치료결과를 보인다고 하였다(그림 11-3). 이 분류법은 간편하고 가장 널리 사용되나 주관적이며, 자궁근층의 신호강도가 다양하여 간혹 분류가 모호해진다는 단점이 있다. 이를 극복하기 위해 골격근과의 신호강도비를 이용해 근종 신호강도를 정량화하기도 한다. 어떤 방법을 사용하든지 T2 신호강도가 너무 높은 근종은 치료반응이 나쁘므로 치료에서 제외해야 한다. 조직학적 분석결과 근종의 T2신호강도는 근종 내의 콜라젠섬유 대비 평활근세포 성분비를 반영하는 것으로 알려져 있다.

치료 결과에 영향을 주는 또 다른 속성인 혈류량 역시 관류MRI로 평가가 가능하다. 역동적 조영 증강 MRI (dynamic contrast-enhanced MRI)의 Ktrans 수치 및 반정량적 관류MRI (semiquantitative perfusion MRI)의 상대적최고조영증강치(relative peak enhancement, RPE)가 높을수록 치료결과가 나쁜 것으로 알려져 있어 치료 결정 시 반드시 고려해야 한다. RPE는 자궁내강으로 돌출한 형태의 첨막하근종을 제외한 대부분의 경우 T2신호강도와 비례하는 것으로 알려져 있어 굳이 관류MRI를 시행하지 않아도 대부분 근종의 혈류량을 추정할 수 있다.

Kim 등은 T2신호강도, 관류MRI 소견 및 피하지방 두께를 모두 고려한 조기치료결과예측모델을 제시한 바 있으며 이를 활용하면 MRI를 활용한 환자선택 유용할 것으로 보인다.

| 자궁근종

4. 치료 및 치료 후 평가

1) 치료 준비

통증 혹은 장시간 시술로 인한 환자 상태저하로 시술 중 구토가 생길 수 있어 시술 당일 금식이 추천된다. 하복벽 제모는 화상예방을 위해 중요하다. 시술 중 직장을 통해 초음파 젤을 주입하는 경우를 대비해 좌약을 이용한 관장을 시행하는 것이 좋으며, 시술 중 소변에 의한 근종 운동방지 및 소장/대장 이동을 위해 배뇨관을 삽입한다. 또한, 투약 및 응급상황 대처를 위해 정맥혈관 확보도 필요하다.

2) 치료

사용하는 장비에 따라 다르나 환자는 엎드리거나 눕는 자세를 취한다. 초음파검사처럼 치료부위에 음향 커플링을 위해 물이나 초음파젤을 도포한다. 이때 피부화상을 방지하기 위해 접촉면에 이물질이나 공기방울이 끼어들지 않도록 주의해야 한다. MR-HIFU의 경우 피부 접촉면을 촬영함으로써 이물질이나 공기방울을 매우 민감하게 찾을 수 있다(그림 11-4).

HIFU조사 시 환자는 다양한 정도의 통증을 호소하는데, 일반적으로 생리통 정도이며, 동시에 피부 접촉면의 열감이 느껴진다. 이러한 피부 발열을 저하시키고자 일부 장비는 적극적 냉각(active cooling)을 시행하기도 한다. HIFU가 천골을 자극하면 골반 후방 혹은 미골에 조이는 느낌이나 통증을 느끼기도 한다. 때로 좌골신경이 자극되어 다리에 저린 느낌, 열감, 통증 등의 다양한 증상이

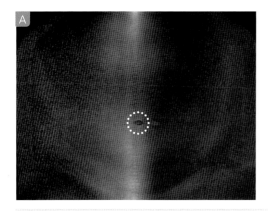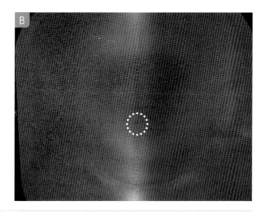

■ 그림 11-4. **피부 접촉면의 공기방울의 자기공명영상** 환자의 피부 접촉면에 생긴 공기방울(A, 점선)이 피부를 재접촉시킨 뒤 사라졌다(B).

나타나기도 한다. 이러한 증상은 HIFU조사가 끝나면 즉시 사라지며, 증상이 남는 경우 합병증의 발생을 의심할 수 있다. 이렇게 시술 중 환자 증상을 통해 합병증을 예측할 수 있어 진통제를 이용한 통증조절은 필요하지만 수면마취나 전신마취는 추천되지 않는다.

HIFU치료는 1회 소작병변이 작아 반복적으로 소작병변을 쌓아가는 식으로 치료한다. 일부 장비는 HIFU초점을 전자적 방식으로 회전시킴으로써 한 번에 더 큰 용적을 소작시킬 수 있는 용적소작방식

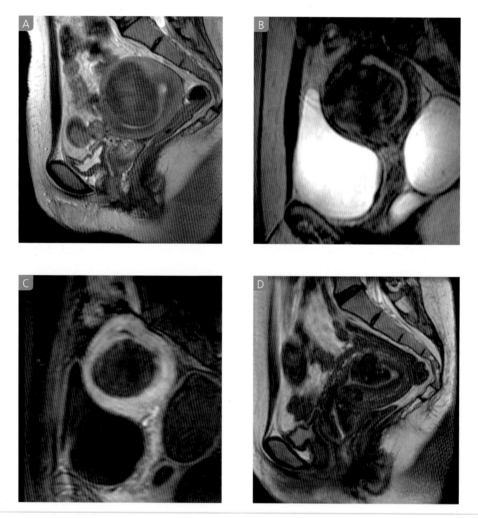

■ 그림 11-5. **생리과다 증상을 호소하는 44세 환자의 HIFU치료 A.** 스크리닝 MRI에서 후굴 자궁에 직경 6cm의 점막하근종이 관찰된다. **B.** 치료 당일 HIFU의 안전한 경로를 확보하기 생리식염수를 방광에 채웠고, 자궁을 전방으로 밀기 위해 직장에 초음파젤을 채웠다. **C.** 치료직후 시행한 조영증강 MRI상 근종은 완전히 괴사되었다. **D.** 4개월 추적검사에서 근종은 치료전대비 17%로 작아졌고 생리과다 증상은 사라졌다.

(volumetric ablation technique)을 채택하기도 하였다. 각 HIFU조사 사이에는 피부화상이나 신경손상 등의 합병증을 예방하기 위해 냉각시간이 필요한데 용적소작방식은 더 긴 냉각시간이 필요하다. 장비에 따라 치료속도 차이가 있지만 대상 근종이 클수록 치료시간은 오래 걸리며, 경험을 통해 1회 치료로 소작 가능한 근종의 크기를 인지하는 것이 중요하다. 용적소작방식은 더 긴 냉각시간을 고려할지라도 고식적 방식보다 전반적 치료속도는 향상되었다.

치료 후 1~2시간의 관찰 후 퇴원할 수 있고 대개 1일 후 정상생활로 복귀한다.

3) 치료 후 평가

치료 후 근종의 응고괴사 여부 및 정도를 평가하기 위해 조영증강 초음파나 조영증강 MRI를 시행한다. 이러한 조영증강영상에서의 비관류용적(non-perfused volume, NPV)이 조직의 응고괴사를 반영하는 것으로 알려져 있고, 치료결과의 평가에 가장 중요한 지표이다. 근종용적 대비 NPV의 비율을 비관류용적비(non-perfused volume ratio, NPV ratio)라 정의하는데 이 수치가 100%에 가까울수록 근종의 완전한 괴사를 의미한다. 비관류용적비를 정량적으로 계산하고 내부 장기의 열손상 등의 합병증의 발생여부를 알기 위해서는 조영증강 MRI가 필요한데, MR-HIFU의 경우 치료 후 그 자리에서 시행할 수 있는 장점이 있다(그림 11-5). US-HIFU의 경우 초음파조영제를 사용하여 치료 직후 그 자리에서 비관류용적을 평가할 수는 있으나 정확한 정량화는 어렵다.

시술 직후 조영증강 MRI를 통해 평가된 비관류용적비는 중장기적 근종의 용적 감소 및 환자의 증상 호전과 유의한 상관관계가 있음이 밝혀져 시술 후 임상결과를 예측에 있어 가장 중요한 지표이다.

5. 시술 후 증상 및 합병증

1) 시술 후 증상

시술 후 치료부에 경미한 통증이 수일간 지속될 수 있으며, 경구진통제를 통해 조절할 수 있다. 시술 후 다양한 기간에 걸쳐 몸살과 비슷한 쇠약감, 미열 등의 전신 증상이 나타나는 경우가 있으며 대증적인 치료를 시행한다.

2) 피부화상, 피하지방 열손상

강한 에너지를 지닌 HIFU가 충분한 냉각기간 없이 반복적으로 적용되면 열축적에 의해 피부 혹은 피하지방에 온도가 상승해 화상 및 피하지방 열손상을 유발할 수 있으며, 가장 흔한 합병증으로 알려져 있다. 대부분 피부화상은 1도 혹은 2도이다. 이전 수술로 인한 상처는 초음파 흡수율이 높고 혈류가 적어 본 합병증의 위험이 높다. 예방을 위해 충분한 냉각기간을 지키는 것이 중요하며, 필요시 HIFU를 완전히 반사하는 반흔패치(scar patch)를 붙이거나 MR-HIFU의 경우 beam shaping 기능으로 위험을 줄일 수 있으며, 최근의 일부 장비에서는 피부접촉면에 찬물을 순환시키는 적극적 냉각(active cooling)방식을 채택하기도 한다.

3) 좌골신경 열손상

근종이 크거나 후방으로 치우쳐 있어 HIFU 초점이 좌골신경과 가까운 상태에서 HIFU가 반복적으로 시행되면, HIFU가 직접 좌골신경(sciatic nerve)을 자극하거나 HIFU에 의해 가열된 골반뼈에 의해 신경의 열손상이 발생할 수 있다. 이러한 좌골신경의 자극은 시술 중 환자의 하지 증상을 통해 인지할 수 있는데, 이는 본 합병증의 예방에 매우 중요하다. 좌골신경 손상이 발생하면 치료 후 하지 통증, 저림, 감각저하 증상이 나타나며, 심한 경우 드물게 발목끌림(foot drop)과 같은 운동장애를 유발하기도 한다. 대부분 보존적 치료를 통해 다양한 기간 경과 후 회복된다. 예방을 위해 시술 중 하지자극 증상이 있을 때 냉각기간을 충분히 확보하는 것이 가장 중요하고, 출력을 낮추고, 조사각도를 조정하거나 직장에 초음파젤을 채우면 도움이 된다.

4) 비뇨생식기계 합병증

일부 환자에서 시술 후 다양한 기간 동안 질분비물이나 질출혈이 발생하는 경우가 있으며, 점막하 근종 치료 후 상대적으로 흔하며 대개 보존적 치료 후 호전된다. 간혹 괴사된 점막하근종의 부스러기 혹은 전체가 질을 통해 배출되는 경우도 있다.

방광이 치료대상 근종에 가까운 경우 방광벽이 HIFU에 의해 열손상을 받을 수 있다. 특히 배뇨관의 끝부분과 방광벽의 접촉부위가 HIFU조사경로에 포함된 경우 열손상의 위험이 증가할 수 있다. 대부분 일시적 혈뇨를 유발하는 미세한 손상이며 수일 후 저절로 호전된다. 방광벽의 열손상에 의한 천공은 보고된 바 없다. 배뇨관에 의해 요로감염이 유발될 가능성도 있다.

5) 소장/대장 열손상

소장 혹은 대장이 HIFU조사 경로에 포함된 상태로 치료가 반복되면 근위부 열축적에 의해 장관이 열손상을 받을 수 있다. 특히 장내공기가 존재할 경우 공기와의 계면에서 많은 열이 발생해 매우 위험하며 장관은 연동운동에 의해 항상 움직일 수 있기 때문에 영상을 통해 장관의 위치를 확실히 파악하는 것이 중요하다. 장관이 HIFU경로에 포함된 경우, 만약 환자가 엎드려 있는 상태라면 탈기수를 채운 풍선이나 볼록한 형태의 젤패드를 사용하면 장을 밀어낼 수 있는 경우가 있고, 만약 환자가 누운 상태라면 HIFU치료용 변환자로 복부를 압박하면 도움이 될 수 있다. 그 외에 방광에 식염수를 채우고 직장에 초음파젤을 채운 뒤 방광을 비우는 수기를 시행하면 장관을 밀어낼 수도 있다. 장관의 열손상에 의한 천공이 발생하면 보통 수일 후 복통 및 발열을 동반한 복막염 증상으로 발현되며 수술적 치료가 필요하다.

6. 예후

Gizzo 등은 메타분석을 통해 치료 직후 비관류용적비는 16.3~98.0%, 치료 후 근종의 용적감소율은 19.9%에서 80%까지 매우 다양하며, 시술 후 UFS-QoL (uterine fibroid symptom and health-related quality of life)설문의 증상점수(symptom severity score)는 치료 전 평균 56.3에서 치료 6개월 후 31.0으로 감소됨을 보고하였다. 본 보고의 일부 연구에서 보인 낮은 괴사율은 아마 임상시험초기 안전을 고려한 괴사용적 제한(근종용적의 33%) 때문으로 보이며, 현재는 이러한 제한은 없어졌다.

Funaki 등은 2년 재치료율(re-intervention rate)이 I형과 II형에서는 14.0%, III형에서는 21.6%임을 보고하였으며, Gorny 등은 3년과 4년 누적재치료율을 각각 19%와 23%로 보고하였는데, 본 연구에서는 나이가 작을수록, T2신호강도가 높거나 불균질한 경우 재치료율이 높았다.

다양한 연구를 통해 치료 직후 NPV가 높을수록 근종의 용적 감소율이 높고 증상호전의 정도가 커진다고 밝혀졌으며, 따라서 시술 중 안전이 허용하는 범위에서 근종의 괴사율을 100%에 가깝게 높이는 노력이 좋은 임상결과를 도출하는 데 가장 중요하다. Mindjuk 등은 NPV율이 80% 이상인 그룹에서 임상적 성공율 및 재치료율이 유의하게 낮았음을 보고하였고, Park 등은 NPV율이 80%이상인 경우 근종의 용적감소율이 3개월 43%로 유의하게 높아져, 깊은 시점에서의 자궁동맥색전술 후 용적감소율과 비슷하다고 보고하였다.

7. GnRH 길항제 전처치

자궁근종의 약물요법에 사용되는 GnRH (gonadotropin-releasing hormone) 길항제를 HIFU치료 전 사용하면, 근종의 용적을 줄여 치료시간을 감소시킬 뿐 아니라 혈류를 감소시켜 치료반응을 향상시켜 도움이 되는 것으로 알려져 있다. 약물치료 시 사용되는 일반적인 용법과 동일하게 4주 간격으로 3회 피하주사로 주입하며, 마지막 주사일이 시술예정일의 2~3주 전이 되도록 일정을 조정한다. GnRH길항제 사용 후 근종의 용적감소율은 환자에 따라 다양한데 평균적으로 25% 정도이다.

8. 결론

자궁근종 HIFU치료는 환자에게 새로운 선택권을 제공한다는 점에서 큰 임상적 의의를 지닌다. HIFU치료는 완전히 비침습적으로 시행되어 출혈이나 감염과 같은 합병증의 위험이 없고, 회복기간이 빨라 외래기반으로 시술할 수 있는 큰 장점을 지녀 사용이 급증하고 있다. 반면, 본 치료를 통해 의미 있는 치료효과를 경험할 수 있는 환자 범위가 상대적으로 적으며, 시술 전 환자선택의 적절성 및 시술자의 숙련도에 따라 임상결과가 매우 다양하다는 특성을 지닌다.

본 치료를 통해 좋은 임상결과를 도출하기 위해 높은 괴사율을 달성할 수 있는 적절한 조건을 지닌 환자를 MRI를 통해 잘 선별하는 것이 가장 중요하고, 시술 시에는 안전이 허용하는 범위에서 근종의 완전괴사를 위해 노력해야 한다. 다른 치료법에 비해 합병증의 빈도와 정도가 낮으나, 드물지만 장천공과 같은 중증합병증도 발생할 수 있음도 유념해야 한다.

■■■ 참고문헌

1. Funaki K, Fukunishi H, Funaki T, et al. Mid-term outcome of magnetic resonance-guided focused ultrasound surgery for uterine myomas: from six to twelve months after volume reduction. J Minim Invasive Gynecol 2007;14:616-21.

2. Funaki K, Fukunishi H, Sawada K. Clinical outcomes of magnetic resonance-guided focused ultrasound surgery for uterine myomas: 24-month follow-up. Ultrasound Obstet Gynecol 2009;34:584-9.

3. Gizzo S, Saccardi C, Patrelli TS, et al, Noventa M, Fagherazzi S, et al. Magnetic resonance-guided focused ultrasound myomectomy: safety, efficacy, subsequent fertility and quality-of-life improvements, a systematic review. Reprod Sci 2014;21:465-76.

4. Gorny KR, Borah BJ, Brown DL, et al. Incidence of additional treatments in women treated with MR-guided focused US for symptomatic uterine fibroids: review of 138 patients with an average follow-up of 2.8 years. J Vasc Interv Radiol 2014;25:1506-12.

5. Hindley J, Gedroyc WM, Regan L, et al. MRI guidance of focused ultrasound therapy of uterine fibroids: early results. AJR Am J Roentgenol 2004;183:1713-9.

6. Kennedy JE. High-intensity focused ultrasound in the treatment of solid tumours. Nat Rev Cancer 2005;5:321-7.

7. Kim YS, Bae DS, Park MJ, et al. Techniques to expand patient selection for MRI-guided high-intensity focused ultrasound ablation of uterine fibroids. AJR Am J Roentgenol 2014;202:443-51.

8. Kim YS, Kim BG, Rhim H, et al. Uterine fibroids: semiquantitative perfusion MR imaging parameters associated with the intraprocedural and immediate postprocedural treatment efficiencies of MR imaging-guided high-intensity focused ultrasound ablation. Radiology 2014;273:462-71.

9. Kim YS, Lee JW, Choi CH, et al. Uterine Fibroids: Correlation of T2 Signal Intensity with Semiquantitative Perfusion MR Parameters in Patients Screened for MR-guided High-Intensity Focused Ultrasound Ablation. Radiology 2016;278:925-35.

10. Kim YS, Lim HK, Kim JH, et al. Dynamic contrast-enhanced magnetic resonance imaging predicts immediate therapeutic response of magnetic resonance-guided high-intensity focused ultrasound ablation of symptomatic uterine fibroids. Invest Radiol 2011;46:639-47.

11. Kim YS, Lim HK, Park MJ, et al. Screening Magnetic Resonance Imaging-Based Prediction Model for Assessing Immediate Therapeutic Response to Magnetic Resonance Imaging-Guided High-Intensity Focused Ultrasound Ablation of Uterine Fibroids. Invest Radiol 2016;51:15-24.

12. Kim YS, Rhim H, Choi MJ, et al. High-intensity focused ultrasound therapy: an overview for radiologists. Korean J Radiol 2008;9:291-302.

13. Kim YS. Advances in MR image-guided high-intensity focused ultrasound therapy. Int J Hyperthermia 2015;31:225-32.

14. Kohler MO, Mougenot C, Quesson B, et al. Volumetric HIFU ablation under 3D guidance of rapid MRI thermometry. Med Phys 2009;36:3521-35.

15. LeBlang SD, Hoctor K, Steinberg FL. Leiomyoma shrinkage after MRI-guided focused ultrasound treatment: report of 80 patients. AJR Am J Roentgenol 2010;194:274-80.

16. Lenard ZM, McDannold NJ, Fennessy FM, et al. Uterine leiomyomas: MR imaging-guided focused ultrasound surgery--imaging predictors of success. Radiology 2008;249:187-94.

17. Meshorer A, Prionas SD, Fajardo LF, et al. The effects of hyperthermia on normal mesenchymal tissues. Application of a histologic grading system. Arch Pathol Lab Med 1983;107:328-34.

18. Mindjuk I, Trumm CG, Herzog P, et al. MRI predictors of clinical success in MR-guided focused ultrasound (MRgFUS) treatments of uterine fibroids: results from a single centre. Eur Radiol 2015;25:1317-28.

19. Mougenot C, Kohler MO, Enholm J, et al. Quantification of near-field heating during volumetric MR-HIFU ablation. Med Phys 2011;38:11.

20. Oguchi O, Mori A, Kobayashi Y, et al. Prediction of histopathologic features and proliferative activity of uterine leiomyoma by magnetic resonance imaging prior to GnRH analogue therapy: correlation between T2-weighted images and effect of GnRH analogue. J Obstet Gynaecol (Tokyo 1995) 1995;21:107-17.

21. Park MJ, Kim YS, Keserci B, et al. Volumetric MR-guided high-intensity focused ultrasound ablation of uterine fibroids: treatment speed and factors influencing speed. Eur Radiol 2013;23:943-50.

22. Park MJ, Kim YS, Rhim H, et al. Safety and therapeutic efficacy of complete or near-complete ablation of symptomatic uterine fibroid tumors by MR imaging-guided high-intensity focused US therapy. J Vasc Interv Radiol 2014;25:231-9.

23. Park MJ, Kim YS, Rhim H, et al. Technique to displace bowel loops in MRI-guided high-intensity focused ultrasound ablation of fibroids in the anteverted or anteflexed uterus. AJR Am J Roentgenol 2013;201:761-4.

24. Pennes HH. Analysis of tissue and arterial blood temperatures in the resting human forearm. J Appl Physiol 1948;1:93-122.

25. Smart OC, Hindley JT, Regan L, et al. Gonadotrophin-releasing hormone and magnetic-resonance-guided ultrasound surgery for uterine leiomyomata. Obstet Gynecol 2006;108:49-54.

26. Stewart EA, Gostout B, Rabinovici J, et al. Sustained relief of leiomyoma symptoms by using focused ultrasound surgery. Obstet Gynecol 2007;110:279-87.

27. ter Haar G. Therapeutic applications of ultrasound. Prog Biophys Mol Biol 2007;93:111-29.

28. Ueda H, Togashi K, Konishi I, et al. Unusual appearances of uterine leiomyomas: MR imaging findings and their histopathologic backgrounds. Radiographics 1999;19:131-45.

29. Ur'yash VF, Sevast'yanov VI, Kokurina NY, et al. Heat capacity and physical transitions in collagen and solubility of water in it. Russian J Gen Chemistry 2006;76:1363-7.

30. Voogt MJ, Trillaud H, Kim YS, et al. Volumetric feedback ablation of uterine fibroids using magnetic resonance-guided high intensity focused ultrasound therapy. Eur Radiol 2012;22:411-7.

31. Yamashita Y, Torashima M, Takahashi M, et al. Hyperintense uterine leiomyoma at T2-weighted MR imaging: differentiation with dynamic enhanced MR imaging and clinical implications. Radiology 1993;189:721-5.

32. Yoon SW, Lee C, Cha SH, et al. Patient selection guidelines in MR-guided focused ultrasound surgery of uterine fibroids: a pictorial guide to relevant findings in screening pelvic MRI. Eur Radiol 2008;18:2997-3006.

33. Yoon SW, Seong SJ, Jung SG, et al. Mitigation of abdominal scars during MR-guided focused ultrasound treatment of uterine leiomyomas with the use of an energy-blocking scar patch. J Vasc Interv Radiol 2011;22:1747-50.

34. Zaher S, Gedroyc WM, Regan L. Patient suitability for magnetic resonance guided focused ultrasound surgery of uterine fibroids. Eur J Obstet Gynecol Reprod Biol 2009;143:98-102.

35. Zhang L, Chen WZ, Liu YJ, et al. Feasibility of magnetic resonance imaging-guided high intensity focused ultrasound therapy for ablating uterine fibroids in patients with bowel lies anterior to uterus. Eur J Radiol 2010;73:396-403.

36. Zhang L, Zhang W, Orsi F, et al. Ultrasound-guided high intensity focused ultrasound for the treatment of gynaecological diseases: A review of safety and efficacy. Int J Hyperthermia 2015;31:280-4.

37. Zhao WP, Chen JY, Chen WZ. Effect of biological characteristics of different types of uterine fibroids, as assessed with T2-weighted magnetic resonance imaging, on ultrasound-guided high-intensity focused ultrasound ablation. Ultrasound Med Biol 2015;41:423-31.

38. Zhou XD, Ren XL, Zhang J, et al. Therapeutic response assessment of high intensity focused ultrasound therapy for uterine fibroid: utility of contrast-enhanced ultrasonography. Eur J Radiol 2007;62:289-94.

자궁동맥색전술

Uterine artery embolization

| 가톨릭의대 산부인과 정윤지 |

1. 서론

자궁동맥색전술은 자궁 근종에 의한 증상을 완화시키고 자궁 근종을 치료하는 최소침습시술 중 하나이다. 또한 자궁동맥색전술은 자궁근종절제술과 같이 자궁을 보존할 수 있는 자궁근종의 치료 방법 중 하나로, 더이상 임신 계획이 없는, 자궁 보존을 원하는 환자들이 선택할 수 있는 효과적인 치료 방법 중 하나이다. 증상이 있는 자궁근종 환자의 치료를 위해 자궁동맥색전술을 시행한 것은 1995년 Ravina 등이 처음 보고되었다. 그 이후 자궁동맥색전술은 자궁근종 치료를 위해 미국에서는 연간 22,000건 이상 시행되고 있을 정도로 많이 시행되고 있는 시술이다. 자궁동맥색전술은 시술 후 유착을 만들지 않고, 모든 자궁 근종을 동시에 치료가 가능하며, 시술 24시간 이내에 90%에서 과다 질출혈이 조절되는 등 여러 가지 장점을 지니고 있는 자궁근종의 비수술적 치료 방법이다.

2. 자궁동맥색전술의 적응증 및 금기증

자궁동맥색전술은 증상이 있는 자궁근종 환자에서 전자궁절제술이나 자궁근종절제술 등의 수술적 처치가 어려운 기저질환을 가진 환자 또는 수술을 꺼리는 환자의 경우 적응증이 되며, 특히 월경 과다, 심한 월경통 또는 빈혈이 있을 때 적응증이 된다. 또한 자궁근종이 통증을 일으키거나 크기가 커서 방광이나 장을 눌러서 생기는 증상이 있을 때도 적응증이 된다. 금기증으로는 현재 임신 중이거나, 여성생식기에 현재 감염증이 있는 경우, 여성 생식기 악성 종양, 면역력이 저하된 경우, 자궁동맥으로의 접근에 제한이 있는 심각한 혈관 질환, 조영제 알러지가 있는 경우, 신기능이 저하된 경우 등이다. 조기난소부전, 생식력 및 임신에 대한 자궁동맥색전술의 영향은 아직 불확실하므로 향후 임신을 원하는 여성에서는 권하지 않는 것이 좋겠다.

3. 환자 선택 및 준비

자궁동맥색전술의 대상자들은 숙련되고 경험 많은 산부인과 전문의에게 평가받아야 하며, 인터벤션 영상의학과 의사와의 긴밀한 협력을 통하여 치료를 시행해야 한다.

시술 전 초음파 또는 MRI를 통하여 자궁근종을 진단하고 다른 질환을 배제해야만 한다. 자궁동맥색전술에 적합한지를 확인하기 위해서는 Gadolinium 조영제를 이용한 MRI가 가장 좋은 영상학적 검사이다. MRI는 초음파에 비해 자궁근종의 개수와 위치에 대한 정보를 더 많이 준다.

월경 과다가 있는 환자에서는 최근의 혈액검사결과가 있어야 한다. 기저 응고 장애가 의심되는 경우 관련된 추가적인 피검사가 필요하다. 고위험 환자의 경우 신기능 검사가 필요하다. 신기능이 저하된 환자(eGFR < 60ml/min/1.73m2)의 경우, 가이드라인에 따라 치료해야 한다.

4. 자궁동맥색전술 술기

경험이 있고 적절히 숙련된 인터벤션 영상의학과 의사에 의해서 대퇴 동맥을 경피 천자한다. 내장골동맥은 대동맥 분지를 통하여 반대쪽으로 접근하는 것이 쉽다. 자궁동맥은 내장골 동맥의 전반부 두 번째 분지이다. 조영제 주입을 통해서 카테터가 제 위치에 들어갔는지, 난소동맥과 같은 측부 순환은 없는지, 골반이나 하지의 비 타겟 기관에 색전이 되도록 하는 역류는 없는지 확인하게 된다. 질 괴사를 피하기 위해서는 자궁경부 분지의 색전을 피하는 것이 중요하다고 보고하고 있다. 그렇게 하기 위해서는 색전용 카테터를 혈관 분지의 원위부에 위치시킨다. 난소동맥에 의해 혈관 공급을 받는 자궁근종의 경우, 선택적인 미세 카테터 색전술을 고려한다. 카테터 위치가 적절하다면 Polyvinyl alcohol particle (PVA particle)을 주로 이용하여 자궁동맥색전술을 시행하게 된다. 자궁동맥색전술은 자궁동맥이 완전히 막히거나 혈류가 느려질 때까지 시행한다(그림 11-6). 총 방사선 조사량은 15cGy 정도인데, 이것은 CT를 1~2회 정도 찍거나 Barium enema를 시행할 때의 방사선 조사량과 비슷하다.

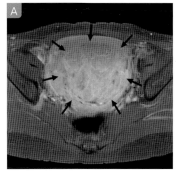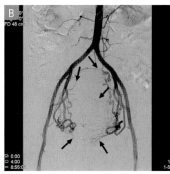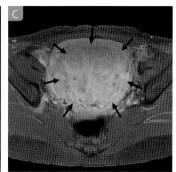
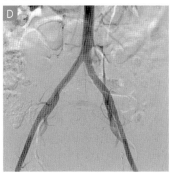

■ 그림 11-6. A. 시술 전 골반 MRI에서 T1 강조 조영제 증강 축면 영상에서 9.8cm 근층 내 자궁근종이 관찰됨. B. 자궁동맥색전술 시행 전 혈관조영술에서 비대해진 자궁근종의 영양혈관(검은 화살표)이 관찰됨. C. 자궁동맥색전술 시행 전 혈관조영술에서 자궁근종의 실질에 염색된 조영제가 관찰됨. D. 자궁동맥색전술 시행 후 양측 자궁동맥이 차단된 소견 보임.

5. 자궁동맥색전술 시술 전, 후 관리

자궁동맥색전술에 의한 조직의 이차성 허혈은 시술 후 통증을 유발하게 되는데, 이는 보통 입원하여 하루 정도의 통증 조절을 필요로 하게 된다. 시술 전날 자정 이후 금식하게 되고, 시술 전 요관 삽입을 통하여 시술 전 후 불편감을 예방한다. 정맥 주사로를 확보하여 필요시 약물 투여가 용이하게 준비하도록 한다. 예방적 항생제를 투여하는 경우도 있으나 반드시 필요하다는 증거는 없다.

　자궁동맥색진술 후 통증 조절 프로토콜이 여러 가지 보고되고 있는데 Fentanyl과 midazolam을 이용한 얕은 진정 요법, Fentanyl 또는 morphine을 이용한 자가통증조절 장치(PCA, patient-controlled analgesia), 경막외마취, 전신마취 등을 이용한다. 자궁동맥색전술 후 자궁근종과 주변 자궁 근층의 허혈성 변화에 의해 시술 후 통증을 유발할 수 있다는 것을 이해하는 것이 중요하다. 또한 통증은 시술 중에 경험하지는 않지만 시술 직후부터 시작되며 시술 후 첫 24시간 동안 가장 심하며 UAE 후 7시간 이내에 최고점을 경험하게 됨을 알고 있어야 한다. 환자 교육, 사전 동의서, 정주 자가통증조절장치와 항생제가 적절히 겸비된다면, 대부분의 환자들은 UAE 시술 전, 후 만족스러운 통증 조절이 가능하다. 드물게 통증이 조절되지 않는 경우에는 경막외 마취를 이용하기도 한다.

6. 자궁동맥색전술 시술 후 관리 및 합병증

NSAID와 같은 진통제를 1~2주간 복용하고, 다수의 여성들은 1~3주 이내에 일상생활로 복귀하게 된다. 약 5~10%의 여성은 2주 이상 통증이 지속된다. 10%의 여성은 자궁동맥색전술 후 증후군을 경험하게 되는데, 광범위한 복통, 오심, 구토, 미열, 무력감, 식욕 부진, 백혈구 증가 등의 증상을 나타낸다. 정맥 내 수액요법, NSAID 복용 및 통증 조절 치료로 2~3일이면 증상이 좋아진다. 자궁동맥색전술 후 증후군은 합병증은 아니다. 지속적인 발열 시 항생제 치료가 반드시 필요하다. 항생제 치료에 실패한 경우는 패혈증을 시사하며, 이때는 전자궁절제술을 동반한 적극적인 치료가 필요하다.

7. 자궁동맥색전술의 효과

대규모 전향적 연구 결과, 자궁동맥색전술 시술 3개월 후 85%에서 월경 과다가 호전되었고, 77%에서 월경통이 호전, 86%에서 빈뇨가 개선되었다. 자궁동맥색전술 시술 3개월 후, 가장 큰 자궁근종의 평균 용적은 33% 정도 감소하였다. 무작위 대조군 연구에서는 자궁동맥색전술과 자궁근종절제술 모두 의미 있게 삶의 질이 개선되었다. 자궁동맥색전술은 재원기간이 짧고 주요 합병증이 적었지만 재시술 비율이 높았다. 자궁동맥색전술과 전자궁절제술에서의 주요 합병증은 드물고 차이가 없었다. 주요 합병증은 시술 후 첫달에 5%까지 보고되고 있다. 폐색전증 및 심부정맥혈전증은 1% 미

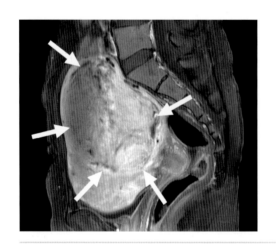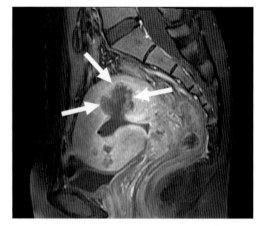

■ 그림 11-7. **A.** 자궁동맥색전술 시술 전 T1 강조 조영제 증강 시상면 9.8cm 근층 내 자궁근종이 관찰됨. **B.** 자궁동맥색전술 시술 3개월 후 T1 강조 조영제 증강 시상면 영상에서 자궁근종은 2.9cm으로 크기가 많이 줄어즌 상태로, 조영증강이 되지 않는 괴사 상태를 보임. 자궁근종 조직은 자궁동맥색전술 시행 후 2개월 후 일부 만출 되었음.

| 자궁근종

만에서 보고되고 있다. 무월경은 약 4%의 여성에서 나타났고, 영구적인 경우는 2% 미만이었다. 자궁근종 조직이 자궁경부를 통해서 만출되는 경우, 5% 전후에서는 수술적 치료가 불가피하고, 2.5%에서는 주요 감염이 발생하였다. 자궁동맥색전술이 시행되던 초기에는 자궁근종 조직이 만출되는 것을 합병증이라 여겼으나, 최근에는 치료 과정으로 보는 견해가 많아지고 있다(그림 11-7).

8. 조기난소부전

자궁동맥색전술 후 조기난소부전의 위험도는 추후 연구가 더 필요하다. 일시적인 무월경은 많게는 15% 정도까지 보고되고 있다. 특히 45세 이상의 여성에서는자궁동맥색전술 후 7%에서 난소부전이 보고되었다. 자궁동맥색전술 시행 직후 도플러 초음파를 이용하여 난소 동맥의 관류 정도를 측정한 결과, 35%의 여성에서 감소한 양상을 보였으며, 54%에서 완전히 관류가 소실된 소견을 보였다. 비록 자궁동맥색전술 후 대부분의 여성에서 FSH, E2, 난소 용적, antral follicle count가 정상이지만, 이러한 검사 결과가 폐경이 일찍 시작되는 것을 예측할 수는 없다. 젊은 여성에서, 난소에 다수의 난포를 가지고 있는 경우, 난포가 상당수 파괴되더라도 정상 FSH 농도를 유지할 수 있으나, 이것이 향후 생식력에 문제를 일으킬지는 불분명하다. 난포가 파괴되는 것은 예상보다 이른 나이에 폐경이 오는 원인이 될 수 있다. 향후 자궁동맥색전술을 시행한 여성의 장기적인 관찰이 필요하겠다.

9. 자궁동맥색전술 후 생식력과 임신

난소기능 저하의 가능성이 있고, 임신과 관련된 합병증의 가능성이 있으므로, 향후 임신을 원하는 여성은 자궁동맥색전술을 시행하지 않아야 한다. 자궁동맥색전술 후 잠재적 생식력은 불확실하다. 4cm 이상의 근층 내 자궁근종을 가진 여성을 후향적으로 연구하여, 무작위로 자궁동맥색전술 또는 자궁근종절제술을 시행하였더니, 수술을 시행한 경우가 자궁동맥색전술 시행군에 비해 임신율이 더 높았고 유산되는 경우도 더 적었다. 자궁동맥색전술 후 자궁벽의 결손, 괴사, 그리고 누공이 보고되기도 하였고, 임신중이나 출산 중 자궁벽의 integrity에 대해서는 여전히 알 수 없다.

10. 결론

자궁동맥색전술은 증상이 있는 자궁근종 환자에서 자궁을 보존하는 방향의 치료를 원하거나, 수술 및 전신마취의 위험도를 피하기 원하는 환자에서 하나의 좋은 대안이 될 수 있는 치료 방법이다. 자궁근종절제술 및 전자궁절제술과 비교하여 삶의 질의 개선 정도 및 증상 완화, 주요 합병증 발생율 등에서 큰 차이가 없으며, 자궁동맥색전술에서 실혈량이 적고 재원일수가 짧으며 일상생활로의 복귀가 빠른 장점을 가지고 있다. 그러나 자궁동맥색전술 후 난소기능 저하의 가능성이 있고, 임신과 관련된 합병증의 가능성이 있으므로, 향후 임신을 원하는 여성에서는 자궁동맥색전술 시행 여부는 신중하게 고려해야만 한다. 또한 흔하지는 않지만 자궁의 악성 종양의 가능성을 배제할 수 없으므로 시술 후에도 면밀히 추적관찰을 하는 것이 필요하다.

■■■■ **참고문헌**

1. Gupta JK, Sinha A, Lumsden MA. Uterine artery embolization for symptomatic uterine fibroids. Cochrane Database Syst Rev 2014;CD005073.

2. Ravina JH, Herbreteau D, Ciraru-Vigneron N, et al. Arterial embolisation to treat uterine myomata. Lancet (London, England) 1995;346;671-2.

3. Scheurig-Muenkler C, Koesters C, Powerski MJ, et al. Clinical long-term outcome after uterine artery embolization: sustained symptom control and improvement of quality of life. J Vasc Interv Radiol 2013;24;765-71.

4. SOGC clinical practice guidelines. Uterine fibroid embolization (UFE). Number 150, October 2004. International journal of gynaecology and obstetrics: the official organ of the International Federation of Gynaecology and Obstetrics 2005;89;305-18.

5. Stewart EA. Clinical practice. Uterine fibroids. N Engl J Med 2015;372;1646-55.

6. ACOG Committee Opinion. Uterine artery embolization. Obstetrics and gynecology 2004;103;403-4.

7. Spielmann AL, Keogh C, Forster BB, et al. Comparison of MRI and sonography in the preliminary evaluation for fibroid embolization. AJR American journal of roentgenology 2006;187;1499-504.

8. Andrews RT, Spies JB, Sacks D, et al. Patient care and uterine artery embolization for leiomyomata. J Vasc Interv Radiol. 2009;20;307-11.

9. Geenen RW, Kingma HJ, van der Molen AJ. Contrast-induced nephropathy: pharmacology, pathophysiology and prevention. Insights into imaging 2013;4;811-20.

10. van Overhagen H, Reekers JA. Uterine artery embolization for symptomatic leiomyomata. Cardiovasc Intervent Radiol 2015;38;536-42.

11. Zupi E, Pocek M, Dauri M, et al. Selective uterine artery embolization in the management of uterine myomas. Fertility and sterility 2003;79;107-11.

12. Roth AR, Spies JB, Walsh SM, et al. Pain after uterine artery embolization for leiomyomata: can its severity be predicted and does severity predict outcome? J Vasc Interv Radiol 2000;11;1047-52.

13. de Blok S, de Vries C, Prinssen HM, et al. Fatal sepsis after uterine artery embolization with microspheres. J Vasc Interv Radiol 2003;14;779-83.

14. Pron G, Cohen M, Soucie J, et al. The Ontario Uterine Fibroid Embolization Trial. Part 1. Baseline patient characteristics, fibroid burden, and impact on life. Fertility and sterility 2003;79;112-9.

15. Ananthakrishnan G, Murray L, Ritchie M, et al. Randomized comparison of uterine artery embolization (UAE) with surgical treatment in patients with symptomatic uterine fibroids (REST trial): subanalysis of 5-year MRI findings. Cardiovasc Intervent Radiol 2013;36;676-81.

16. Spies JB, Myers ER, Worthington-Kirsch R, et al. The FIBROID Registry: symptom and qualityof-life status 1 year after therapy. Obstetrics and gynecology 2005;106:1309-18.

17. Ryu RK, Chrisman HB, Omary RA, et al. The vascular impact of uterine artery embolization: prospective sonographic assessment of ovarian arterial circulation. J Vasc Interv Radiol 2001;12:1071-4.

18. Tropeano G, Di Stasi C, Litwicka K, et al. Uterine artery embolization for fibroids does not have adverse effects on ovarian reserve in regularly cycling women younger than 40 years. Fertility and sterility 2004;81:1055-61.

19. Tulandi T, Salamah K. Fertility and uterine artery embolization. Obstetrics and gynecology 2010;115:857-60.

20. Mara M, Maskova J, Fucikova Z, et al. Midter m clinical and first reproductive result s of a randomized controlled trial comparing uterine fibroid embolization and myomectomy. Cardiovasc Intervent Radiol. 2008;31:73-85.

21. Godfrey CD, Zbella EA. Uterine necrosis after uterine artery embolization for leiomyoma. Obstetrics and gynecology 2001;98:950-2.

미래의 치료

Future treatment

CHAPTER

12

자 궁 근 종
UTERINE LEIOMYOMA

미래의 치료

Future treatment

| 권상훈 |

1. 자궁근종의 현재 치료

대부분의 근종은 임상적으로 증상이 없으며 치료가 필요하지 않다. 하지만 20-50%에서는 증상이 나타나며, 비정상 출혈, 철 결핍성 빈혈, 골반 통증, 골반 압박감, 수태능력 감소, 유산 증가 등의 다양한 증상을 유발한다.

자궁근종의 전통적인 치료는 전자궁절제술 및 근종제거술이다. 더이상 출산할 필요가 없는 여성에 있어서 증상이 있는 자궁근종은 전자궁절제술이 완전한 해결책이 될 수 있겠다. 그러나 현재의 많은 여성들은 늦은 나이까지 임신을 연기하려는 경향을 보이므로 전자궁절제술은 증상이 있을 시 임신을 고려하는 경우 환자에게 부담이 되는 것이 사실이다. 수태능력을 보존하려는 여성에서 근종제거술은 치료의 대안(option)으로 시행하고 있으나 근종제거술 이후 51%까지 재발을 보고하고 있으며, 이 중 15~20%의 경우에 부가적인 치료가 필요하다. 또한, 자궁근종 수술 이후 많은 환자군에서 골반 유착이 일어날 가능성이 있으며 이것은 향후 임신에 문제를 야기할 수 있다.

이외에 새로운 자궁근종 치료 방법으로 자궁동맥색전술과 자궁근종융해술이 있다. 자궁동맥 색전술은 영상의학적 접근을 통해 자궁동맥을 막는 시술로 자궁근종을 줄여주는 효과가 있다. 수술에 비해 비침습적이며 자궁근종의 크기를 감소(10~30%)시키며 증상을 호전시켜 준다. 하지만 입원을 필요할 정도로 통증이 심하며 5%까지 무월경 및 폐경이 되는 사례가 있어 임신을 원하는 여성에서는 사용하기 적절하지 않다. 자궁근종융해술은 단극성 혹은 양극성 전기소작술을 사용하여 주변 근종으로 가는 혈관을 막는 시술로서 근종의 크기를 감소시킨다. 하지만 자궁파열의 위험성이 있기 때문에 임신을 원하는 여성에서는 추천되지 않는다.

또한 최근에 고강도 초음파 집속술이라는 시술을 근종의 수술적 치료의 대안으로 많은 기관에서 시행하고 있다. 고강도의 초음파에너지를 한 곳에 모아 초점에서 발생하는 65~100℃의 고열을 이용해 근종을 태워 없애는 시술로서 출혈, 빈혈, 통증 등의 증상 있는 18세 이상의 근종 및 자궁선근증을 가진 여성을 대상으로 시행한다. 근종의 크기 감소 및 증상 호전에 효과가 있지만 근종의 크기가 12cm이 초과하고 다발성 근종의 경우 상대적 금기이며 합병증으로 초음파가 지나가는 부위의 출혈, 통증 및 피부 화상이 발생할 수 있다. 특히 시술 후에 임신한 여성에서 자궁파열 및 신생아 사망에 대한 보고가 있어 임신을 하지 않은 여성에서 안전성에 대한 충분한 근거가 없는 관계로 시행하기에 적절하지 않으며 향후 이에 대한 추가적인 연구 결과가 필요할 것으로 생각된다.

수술적 치료에 대안으로 약물치료가 있지만 약물의 중, 장기적 효능과 부작용으로 인해 제한되어 있다. 현재 약물치료로 널리 쓰이고 있는 성선자극호르몬방출호르몬 효능제(GnRHa)는 치료 시작 3개월 안에 증상 개선효과와 더불어 40%까지 크기를 줄일 수 있는 것으로 보고되었다. 하지만 이러한 효과는 일시적 (3-6개월)이며 다양한 부작용으로 인해 제한된 경우에만 사용된다. 골다공증, HDL 콜레스테롤의 감소, 심혈관계 손상, 신경학적 기능의 손상 등 장기간 사용 시 부작용이 많아서 장기간 사용의 단점을 지니고 있다. 또한 성선자극호르몬방출호르몬 효능제를 사용한 후 치료 전보다 근종의 크기가 갑작스럽게 증가하는 부작용이 있다. 성선자극호르몬방출호르몬 효능제와 호르몬 치료를 동시에 하는 경우 골밀도 감소를 예방하고 폐경기 증상을 최소화할 수 있는 장점이 있으나 이러한 처치는 2년까지의 효과를 보고하고 있다. 게다가 성선자극호르몬방출호르몬 효능제의 사용은 임신을 원하는 환자에게는 적절하지 못하다.

Elagolix는 경구용 비펩타이드 성선자극호르몬 방출 호르몬 길항제 (GnRH antagonist)로서, 뇌하수체-난소 축을 투여량 의존적으로 억제하는데, 저용량에서는 부분 억제가 일어나고, 고용량에서는 완전 억제가 일어나게 된다. 현재 Elagolix는 자궁내막증과 관련된 통증을 효과적으로 감소시키는 약제로 미국 FDA에서 승인받은 상태로, 자궁근종으로 인한 월경과다의 치료에도 효과가 있는 것으로 보고되고 있다. 최근 보고된 임상 2상 및 3상 연구 결과에 의하면 elagolix 300mg을 하루 2회 복용하면 자궁근종으로 인한 월경과다의 개선에 효과가 있는 것으로 나타나 향후 elabolix의 장기간 안전성과 효능에 대한 추가적인 연구가 이어진다면 자궁근종으로 인한 월경과다의 장기 치료제로서 이용을 생각해볼 수 있겠다.

다음으로 선택적 에스트로겐 수용체 조절자(SERMs)으로 이것은 유전자 발현을 통한 조직 특이적 에스트로겐 수용체(estrogen receptor, ER) 작용제 또는 길항제 에스트로겐 작용을 나타내는 비스테로이드성 ER 리간드이다. 자궁 근종 치료에서 가장 일반적으로 연구 된 SERM의 두 가지 약제는 타목시펜과 랄록시펜이다. 유방암의 치료에 사용되는 타목시펜은 자궁내막 ER에 작용제적 기전을 가지며 자궁내막 조직에 변형을 일으킬 수 있다. 1건의 작은 무작위, 맹검 대조 연구는 증상이 있는 자궁 근종을 가진 여성에서 타목시펜 20mg과 위약을 비교했다. 환자들은 6개월간 치료를 받았고 타목시펜을 투여받은 사람들은 생리혈 손실이 유의하게 개선되었지만 자궁 크기 또는 자궁 부피는 개선되지 않았다. 연구 대상자들은 고열, 현기증, 양성 자궁 내막 비후 등 많은 부작용이 있음을 보고했다. 따라서 부작용이 타목시펜 요법의 치료적 효과를 능가하며 증상이 있는 자궁 근종 치료에는 사용하는 것을 추천하지는 않는다.

타목시펜(tamoxifen)과 달리 랄록시펜(raloxifen)은 근종에 항에스트로겐 효과를 보인다. 근종 세포 성장을 억제하며 자궁내막에도 영향을 끼치지 않는다. 하지만 3개의 무작위 대조군 연구에서 215명을 대상으로 한 2개의 연구에서 raloxifen의 효과를 확인하였으나 나머지 1개의 연구에서는 효과가 확인되지 못했다. 아마도 폐경 전 여성에서 에스트로겐 수용체 조절자 투여 후에 증가된 에스트라디올(E2)로 인한 것으로 생각되며 이런 결과는 raloxifen의 제한적 효능을 보여준다.

다음으로 선택적 프로게스테론 수용체 조절자(SPRMs)으로 이것은 프로게스테론 수용체 (progesterone receptor, PR)에서 조직 특이적 효과를 가지며, 이들은 완전한 PR 작용제 또는 길항제 또는 혼합된 작용제 / 길항제 작용 중 하나를 가진다. 이러한 약제들에는 미페프리스톤(mifepristone), 텔라프리스톤(telapristone), 오나프리스톤(onapristone), 아소프리스닐(asoprisnil)과 같은 약제들이 있으며 자궁 근종으로 인한 증상 완화를 위해 사용되어져 왔다. 이 중에서도 미페프리스톤은 최초의 PR 길항제였으며 현재 25년 이상 임상적으로 사용되어 왔다. 선택적인 프로게스테론 조절제를 사용하는 초기 임상 연구의 대부분은 미페프리스톤 및 아소프리스닐이었다. 두 약제 모두 자궁 근종의 크기를 줄이고 근종 관련 증상을 개선하는 데 효과가 있는 것으로 나타났다. 하지만, 미페프 리스톤을 증상이 있는 자궁 근종의 치료로 평가한 3건의 무작위 대조 연구에 대한 Cochrane의 검토에서 미페프리스톤 사용자의 출혈과 삶의 질이 현저하게 감소했지만 근종 부피의 유의한 감소는 보이지 않았다. 그래서 근종의 부피를 감소시키는 목적으로써 사용은 추천되지 않게 되었다.

최근에 널리 사용되는 UPA (ulipristal acetate)는 선택적 프로게스테론 수용체 조절자(SPRM)로서 가임기 여성에서 증상이 있는 근종의 치료로 2010년 미국 FDA 승인을 받은 약물이다. UPA 10mg을 3달간 2차례 사용했을 경우 88.5%에서 무월경이 발생하게 되며 43.5%의 근종 크기가 감소하는 효과를 가진다. 하지만 부작용으로 오심, 구토, 유방 압통, 두통, 권태감등이 발생할 수 있어 신중한 접근이 필요하다. 약물 치료는 증상이 있는 근종을 가진 가임기 여성에서 증상을 호전하는 데 도움이 되지만 이는 수술 전 혹은 한시적으로 사용이 제한되며 역시 임신을 원하는 여성에서 사용하기는 어렵다. 또한, 현재 임상 연구가 진행 중인 빌라프리잔(vilaprisan)이라는 강력한, 고도의 선택적인 프로게스테론 수용체 조절자(SPRM)가 있다. 현재 임상 3상 연구가 진행 중으로 최근 완료된 2상 임상 연구의 결과에서 증상이 있는 자궁 근종이 있는 여성에게 투여하였을 때 효과적인 출혈 조절이 가능하며 3개월만에 근종의 부피를 줄이는 것으로 보고되었다. 향후 자궁근종의 약물적 치료제로써 기대가 크다고 할 수 있다.

이처럼 여러 가지 약물치료의 장기간 효용성 저하 및 부작용으로 미국 내에서는 근종으로 인하여 연간 250,000건의 자궁절제술, 35,000건의 근종제거술이 시행되고 있다. 앞으로도 여러 사회경제적 요인들로 인해 많은 여성에서 임신 시기가 늦어질 가능성이 높으며 이는 임신을 시도할 시기에 증상 있는 근종을 가진 여성이 증가하게 됨을 말한다. 근종에 대한 안전하며 효과적인 비수술적 치료의 개발이 많은 여성에게 큰 이점을 줄 수 있으나 현재까지의 개발된 치료법은 없다. 가임력을 보존하기 위한 비수술적 치료 방법은 배란에 영향을 주지 않으며, 자궁으로 향하는 혈류를 감소시키지 않아야 한다. 가임력을 보존하길 원하는 여성에서 전신적 혹은 국소적인 유전자 치료 통한 약물치료의 개발이 향후 근종의 치료에 요구된다.

2. 자궁근종과 유전자 치료

유전자 치료란 표적세포로 유전적 산물(DNA 혹은 RNA)을 이입시켜 치료적인 효과를 달성하는 것을 말하는데 치료적인 효과는 어떤 유전자의 기능을 방해하거나 손상된 기능을 회복하거나 새로운 기능을 얻어서 달성될 수 있다. 근종은 여러 가지의 내재된 생물학적 특징으로 인해 유전자 치료에 있어서 선호할 만한 표적이 될 수 있다. 근종 자체는 국소화되어 있으며 주변 정상조직과 경계가 지어져 있어서 초음파 혹은 컴퓨터 단층촬영를 통한 직접적접근이 가능하여 표적주사를 시행할 수 있다. 또 다른 장점으로 천천히 자라는 양성 종양으로 커진 근종의 용적으로 인해 골반 압박감, 요도 폐쇄, 빈뇨, 변비등을 유발시키는데 유전자 치료를 통해 그 크기만 줄이기만 해도 환자의 만족감은 크다. 자궁 근종의 악성 변화는 거의 드물기 때문에 자궁 근종의 크기가 줄어드는 것으로 치료가 된 것과 동등한 효과를 보인다 할 수 있겠다. 유전자 치료는 주요한 수술적 처치 없이 자궁 근종의 크기를 줄일 수 있을 것이라 생각된다.

　자궁 근종의 치료에 처음으로 보고된 유전자 치료는 1998년에 Niu.등이 비바이러스성 벡터를 사용한 것으로 근종 세포에 thymidine kinase를 사용하여 세포사를 유도한 것이다, 이 연구에서 단지 5%의 근종세포 감염만으로 근종의 세포사를 증명하였지만 근종 세포 배양을 통한 생체외 연구는 제한되었다. 다른 초기 연구로 인간과 쥐에서 얻은 근종 세포(ELT3)에 아데노바이러스를 감염시켜 근종 세포를 억제하는 것을 증명하였다. 근종의 성장에 있어서 에스트로겐은 밀접한 역할을 하는데 이런 에스트로겐 경로를 방해하는 아데노바이러스에 의한 에스트로겐 음성 수용체(Ad-DNER)를 통한 변이보상 방식이 연구되고 있다. 생체외 동물연구에서 Ad-DNER은 근종 세포의 사멸을 유도하며 TUNEL분석을 통한 세포자멸사를 유도하였고 이로 인해 전체적인 근종의 용적을 감소하게 하였다. 주목할 만한 것은 국소적으로 주입된 Ad-DNER은 단지 간세포와 주입된 동물자궁에만 파종되었다. 이를 바탕으로 바이러스 벡터에 대한 근종의 유전자 치료는 현재 연구가 진행 중이다.

　유전자 치료에 있어서 치료 목적을 달성하기 위해서 몇몇 기준들이 충족되어야 하는데 우선 표적세포로 적절하게 치료적 유전자 전이를 위한 매개체가 있어야 하며 유전자 전이가 이루어진 후에는 치료적 유전자의 표현이 표적 조직에서 적절한 수준으로 나타나야 한다. 그리고 가장 중요한 점은 치료적 유전자의 전이 및 발현이 환자나 주변조직에 해가 되어서는 안 된다. 최근에 많은 노력들이 이런 단점들을 극복하기 위해 시행되고 있는데 그것은 이상적인 벡터(vector, 매개체)를 찾고 유전자 표적에 적절한 수준으로 나타나기 위한 노력들이다.

1) 유전자의 전이 방법

현재 유전자 치료의 가장 큰 문제는 제한된 유전자 전이와 유전자 이입의 낮은 효율성을 들 수 있다. 전이 기술의 비약적 발달에도 불구하고 이상적인 벡터 시스템은 아직 갖추어지지 않았다. 이상적인 유전자 전이를 위한 벡터의 조건은 다음과 같다. 1) 벡터는 높은 역가를 가져서 작은 용적으로도 전이가 쉽게 발생해야 하고 상업화된 공정 및 생산이 가능해야 하며, 2) 지속적으로 전이유전자(transgene)를 표현할 수 있어야 하며, 3) 면역적으로 비활성 상태로 반복된 접종이 가능해야 한다. 4) 표적 세포에 특이적이어야 하며, 5) 옮길 수 있는 유전적 물질의 크기 제한이 없어야 하며, 6) 표적 세포의 유전체 안에서 특이적 위치에 통합되어야 한다. 7) 분화하는 그리고 분화하지 않는 세포 모두에게 감염시킬 수 있는 능력을 가져야 한다. 표적 세포에 유전자를 삽입하는 방법은 크게 두 가지가 있다. 하나는 화학적(인산칼슘과 지질을 이용) 혹은 물리적(전기 처리 등)인 조작을 통하여 세포에 유전자를 도입하는 비 바이러스 운반체를 이용하는 것이며 다른 하나는 바이러스가 본래 가지고 있는 세포침입기구를 이용하는 바이러스성 운반체를 이용하는 것이다. 대부분의 비 바이러스 벡터 방법은 낮은 유전자 전달 효율과 일시적인 유전자 발현의 단점을 갖는다. 최근의 대부분의 유전자 치료는 두 번째 범주인 바이러스 벡터를 이용하고 있으며, 이때 사용되는 바이러스는 어떠한 병원성도 없는 결함 바이러스이다.

(1) 비 바이러스 벡터 (non-viral vector)

다른 운반체 없이 국소 조직 혹은 전신으로 naked DNA 주입은 유전자 치료에 있어서 가장 간단하며 안전한 접근이다. 그러나 현재 이런 방식은 효율적인 측면에서 이용이 제한되어 있다. 다음의 종류들이 현재 사용되는 방법들이다.

① 미세주입 (microinhjection)

가장 간단한 유전자 이입의 방법이며 naked DNA를 세포질 분해(cytoplasmic degradation)없이 핵산(nucleus) 안으로 직접 미세주입을 하는 것으로 세포질 내 주입(intracytoplasmic injection)보다 높은 유전자 표현을 가능하게 한다. 하지만 이 방법은 생체 내 유전자 적용에 있어서 사용하기에 비효율적이다. 더욱이 생체외 실험에서 진행하기에 힘든 작업으로 따로따로 1가지 세포에만 주입되어져서 실험마다 몇백 개의 세포만 형질이입할 수 있다. 그러므로 미세주입은 현재의 기술수준으로 생체 내 실험에 적용하기에 무리가 있다.

② 유전자 총 (Gene gun)

미세입자 포격(particle bombardment)으로도 불리며 유전자 총(gene gun)이라는 장치를 사용하여 naked DNA를 가속화된 입자 운반체로서 표적 세포로 이동하게 하는 것이다. 미세입자(금 혹은 텅스텐)로 쌓여진 DNA를 헬륨 가스를 이용한 압력으로 세포 내로 밀어넣게 되며 DNA를 운반하게 된다. 이렇게 세포막을 통과한 미세입자는 미토콘드리아 내 endosomal 부분을 통과하여 핵산으로 들어가게 된다.

이 유전자 치료의 장점은 다른 세포 유형과 조직에 적용가능하며 보다 큰 규모의 DNA를 옮길 수 있다는 점이다. 하지만 유전자 표현이 일시적이며 세포로의 흡입이 낮으며 안 정적인 유전자 통합의 빈도가 낮다는 제한점이 있다.

③ 전기천공법(electroporation)

전기천공법은 세포막 투과성을 일시적으로 변화시키기 위해 전기 자극을 사용하며 DNA에 전기영동 효과를 발생시켜 polyanionic molecule를 불안정화되어 있는 세포막을 통과할 수 있게 한다. 이런 전기를 사용하여 DNA를 옮기는 것을 전기 유전자 이동이라고 하며 이 방법은 생체 내 혹은 생체외 모두에서 효과가 있다고 보고하였다. 생체 내 DNA 전기 이동의 적용은 바이러스 벡터의 사용 없이 조직으로 유전자를 이동할 수 있게 하기 때문에 의미 있는 연구가 될 전망이다.

④ 합성 벡터(synthetic vector)

합성 벡터(cationic lipids & polymers)는 손쉽게 제조가능하며, 향상된 안전성 및 효율성을 보인다. 일반적으로 DNA와 복합체를 구성하여 유전적 물질을 수십에서 수백 나노미터 크기의 작은 입자 안으로 응축하게 되며 이 작은 입자들은 세포 내로 진입을 유도하여 유전자를 이동 가능하게 한다. 기술적으로 이런 합성 벡터들은 쉽게 조작이 가능하므로 DNA/RNA의 어떠한 크기에도 사용한 가능한 크기로 적용 가능하며, 분열하지 않는 세포(non-dividng cell)에도 세포감염이 가능하다. 하지만 이런 여러 가지의 장점에도 불구하고 비효율적인 유전자 이동은 문제가 되며 이질적인 합성 벡터로 인해 지속적이고 높은 수준의 전이유전자를 필요로 하는 임상 시험에는 적용이 어려운 문제가 있다.

(2) 바이러스 벡터(viral vector)

바이러스 벡터의 기본 개념은 감염된 세포 내로 유전적 물질을 옮기는 바이러스의 선천적 능력을 이용하는 것이다. 바이러스 벡터는 RNA 혹은 DNA genome으로부터 얻을 수 있으며 통합하는 혹은 통합하지 않는 벡터 모두를 나타낸다. 바이러스 벡터는 야생형 바이러스 유전자의 대부분, 혹은 일부 필수 유전자를 없애 증식 불가능하게 만들고 치료 유전자를 집어넣어 제조하는 것으로 이렇게 재조합된 바이러스는 세포 내로 들어갈 수 있는 능력을 유지하고 있다. 그러나 바이러스 벡터의 문제점은 삽입 가능한 유전자의 크기가 바이러스 벡터크기에 의해 제한되어 있고 대량 생산이 어려우며, 독성의 위험성이 있다는 것이다. 많은 수의 재조합된 viral vector가 현재 유전자의 전달 효율, 안정성에 대해 연구되고 있다. 바이러스 벡터는 레트로바이러스(retrovirus), 아데노바이러스(adenovirus), 아데노바이러스 연관 바이러스(Adeno-associated virus, AAV), 레오바이러스(reovirus), 단순 헤르페스 바이러스(herpes simples virus)를 포함한다. 위의 바이러스 각각은 분열하는 세포에서 전이유전자의 지속적인 표현을 유도하는 숙주 세포에서의 통합성, 유전자의 최대 크기, 면역성, 벡터의 굴성이 다르다. 이 중에서도 근종의 유전자 치료에 활발히 연구되고 있는 바이러스로 아데노바이러스가 있는데 여기에 대해 간단히 소개하고자 한다.

① 아데노바이러스(Adenovirus)

아데노바이러스는 숙주의 염색체에 삽입되지 않으며, 광범위한 종류의 인간 세포들을 감염시킬 수 있는 36kb 크기인 이중가닥의 DNA 바이러스 이다. 인간 아데노바이러스에 의한 인체 감염은 그리 심각한 질환을 유발시키지 않는다. 또한 넓은 범위에서 바이러스의 감염이 일어나 이미 70-80%의 성인이 아데노바이러스 혈청형 2와 5에 대한 항체를 가지고 있으며 이는 주로 어린 시절 감염에 의해 생겨난 것이다.

아데노바이러스의 벡터로서의 사용은 여러 가지 장점을 가진다. 분열하는 세포와 분열하지 않는 세포 모두에서 우수한 유전자 이동을 가능하게 하며 생체 내 안정성이 뛰어나고 비 종양원성으로 안전하며 7.5kb까지 큰 전이유전자를 축적할 수 있다. 또한 뛰어난 세포 특이적 감염을 시켜 핵산 내에서 높은 표현이 가능하며 아데노바이러스에 의해 유도되는 세포성 면역(cell-mediated immunity)은 암 치료의 경우 크게 문제시되지 않거나 오히려 이점이 될 수도 있다는 점 또한 장점으로 부각되어 왔다.

그러나 재조합 아데노바이러스 혈청형 5(Ad5)의 유전자 치료의 효율성에 있어서 몇 가지 단점이 있다. 우선 표적 세포로의 유전자 이입을 억제하는 아데노바이러스 중화항체의 인체 내 생성으로 벡터의 활동이 제한되며 Ad5에 대한 국소 면역반응으로 인해 짧은 수명을 가지는 유전자 발현 그리고 근종을 포함한 종양 내의 콕사키-아데노바이러스 수용체(Cozasackie/Ad receptor, CAR) 부족으로 인해 표적세포로의 형질 도입의 어려움 등이 있다.(28,30) 이 중에서도 효과적인 유전자 이동을 위해서 벡터는 콕사키-아데노바이러스 수용체 의존적인 면을 가지는데 비표적화 세포에서는 콕사키-아데노바이러스 수용체가 높게 발현되는 반면, 근종에서는 콕사키-아데노바이러스 수용체는 부족하다. 이에 대한 해결책으로 높은 양의 바이러스 벡터를 주입하는 방법이 있으나 이는 벡터와 연계된 부작용의 증가와 이상 면역 반응으로 나타날 수 있으며 더욱이, 근종에 직접 주사한 아데노바이러스가 표적하지 않은 간과 같은 다른 장기에서 표현이 된다는 문제점도 나타났다.

벡터의 표적화하는 능력을 향상시키기 위해 콕사키-아데노바이러스 수용체에 대한 의존성을 낮추는 방법을 연구하게 되었고 생체 내 실험으로 아데노바이러스 벡터 고리에 arginine, glycine 그리고 aspartate로 구성된 21개 아미노산(RGD-4C)을 붙임으로써 콕사키-아데노바이러스 수용체에 비의존적인, 보다 향상된 재조합 아데노바이러스 벡터를 확인했다. 이러한 변형된 재조합 아데노바이러스 혈청형 5 벡터(Ad5-RGD)를 이용한 연구에서 종양 내를 표적으로 하는 재조합 아데노바이러스 혈청형 5는 비표적세포의 형질주입을 제한하는 것뿐 아니라 종양 내 형질주입을 향상시킬 수 있다.

다른 방법으로 아데노바이러스에 에스트로겐 음성 우세 수용체(Ad-DNER)를 붙이는 변이 보상 유전자 치료 전략은 에스트로겐 신호 경로를 교란시켜 근종의 크기 감소 효과를 볼 수 있다. 동물 생체 내 실험에서 재조합 Ad-DNER은 근종세포의 세포사를 유도하였는데 capspase-3, Bax/Bcl-2 비율을 증가시켜 세포사를 유도한다는 것을 확인하였다. 또한, 재조합 Ad-DNER 주사 후에 최대 80% 근종의 크기가 줄었으며 30여일 유지가 되었었다. 주목할 만한 점은 국소적으로 주입한 재조합 Ad-DNER은 단지 최소한의 용량은 간 및 자궁에서 파종이 된 것을 확인하였다. 이러한 치료 전략은 안전하며 육안적 혹은 현미경적 조직 손상을 유도하지 않았다.

근종의 유전자 치료를 최적화하기 위해서는 전이 유전자의 표현을 근종에만 국한시켜야 하는 것이 가장 중요하다. 근종에서의 선택적인 전이 유전자의 표현은 전사표적 혹은 형질도입으로 달성될 수 있다. 다행히도 주변과 경계를 가지는 근종은 유전자 벡터의 임상적인 도입에 쉽게 실행되어 질 수 있으며 정상적인 자궁 근층에는 영향을 최소화할 수 있다. 그러므로 근종에만 특이적으로 표현 가능한 벡터를 확인할 수 있는 연구가 근종의 유전자 치료에 핵심이 된다 하겠다. 앞에서 언급한 바이러스 벡터 중에 정상 간 및 자궁 근육층에는 최소한의 영향만 끼치며 근종에만 치료적인 표적이 되는 결과가 가장 좋은 벡터를 찾는 것이 목표가 되겠다. 특히 아데노바이러스의 여러 가지 변형 벡터들(Ad5-RGD, Ad5-CAV2, Ad5-SLPI)은 아데노바이러스 혈청형 벡터 5(Ad5)과 비교하여 근종에만 더 높게 전사활성이 보인 것을 확인하였다. 게다가 이런 변형 벡터들은 다른 장기나 간에서는 낮은 전사활성을 보였다. 최근에 보고한 연구로 Nair 등은 인간 근종세포의 생체 외 실험에서 아데노바이러스 변형 벡터중 하나인 Ad5-RGD에 헤르페스바이러스의 thymidine kinase (TK)와 거대세포바이러스로부터 유래된 human somatostatin receptor subtype 2 (SSTR)의 2가지의 전이 유전자를 부호화(encode)한 Ad-RGD-TK-SSTR를 Ad와 Ad-TK와 비교하는 연구를 진행하였다. Ad-RGD-

| 자궁근종

TK-SSTR는 근종 세포에서 다른 변형 아데노바이러스 벡터보다 높은 전사활성을 보인 것을 확인했으며 세포 주기와 관련된 단백질인 Cyclin D1, 성장과 관련된 증식세포핵항원(PCNA)의 발현은 다른 변형 벡터보다 감소시켰으며 세포자멸사와 관련된 단백질인 Bax의 표현은 증가시켰다. 그리고 Abdelaziz 등은 변형 바이러스 벡터인 Ad-RGD-TK-SSTR를 이용하여 생체 외 실험에서 근종 세포에서 실제 크기의 변화 및 근종의 성장과 관련된 인자들을 연구하였고 결과 또한 다른 비표적 아데노바이러스 벡터보다 유의한 근종 크기의 감소 및 성장과 관련된 PCNA, c-PARP의 표현 감소를 확인하였고 이러한 결과들은 향후 임상적 적용에 가능성을 보여주었다.

2) 유전자 치료 분류

현재까지의 분류는 필수적인 세포 산물의 생산을 증가시키는 것, 이상 유전자 발현을 억제, 면역반응을 조절, apoptosis 유발 등을 포함한다. 유전자 치료의 설계에 있어서 가장 중요한 요소는 표적 질환의 본질과 표적 세포의 생물학적 특성이다. 유전자 치료의 분류는 크게 3가지로 분류될 수 있다.

(1) 변이 보상(mutation compensation)

변이 보상은 종양형성에 원인이 되는 유전적 결함을 교정하는 것이다. 이런 유전적 치료를 교정 유전자 치료(correctional gene therapy)로 알려져 있으며 종양유전자의 억제, 종양억제유전자의 대체 혹은 활성화 그리고 종양의 발현이나 성장에 영향을 주는 성장인자의 과정에 개입하는 것에 초점을 맞춘다. 이런 전략의 예로서 종양억제유전자인 p53의 기능을 향상시키고 에스트로겐 음성 우세 수용체(dominant negative estrogen receptor, DNER)를 이용하여 야생형의 에스트로겐 수용체(ER)의 과발현을 억제하는 것 등이다.

(2) 분자 항암화학요법(molecular chemotherapy)

세포감축 유전자 요법(cytoreductive gene therapy) 혹은 자살 유전자 요법(suicide gene therapy)으로 알려져 있으며 직,간접적으로 세포를 죽이는 유전자의 이입에 관여한다. 이 치료법은 유전자 관련된 효소 전구약물(prodrug) 요법, 전구 세포자멸사(pro-apoptotic), 항 혈관신생(anti-angiogenic) 그리고 유전자 관련된 방사선동위원소(radioisotopic) 요법을 포함한다. 2가지 가장 널리 사용되는 유전자 관련 효소 전구약물 요법은 Herpes simplex virus thymidine kinase (HSVTK)에 ganciclovir병합 그리고 Escherichia coli bacterial cytosine deaminase에 5-fluorocytosine병합이다.

(3) 면역강화요법(immunopotentiation)

면역반응의 조절은 유전자 치료의 핵심으로 매력적이다. 면역 체계를 향상시켜 종양세포를 파괴하는 것을 포함한다. 면역부활요법은 항원표현세포(antigen presenting cell) 혹은 T-cell의 활동을 향상시키는 cytokine 유전자의 발현을 나타나게 하고 종양세포를 인식하거나 사멸시키는 능력을 촉진하는 B7-1 혹은 B7-2와 같은 보조자극인자의 표현을 활용하는 것을 말한다.

3. 미래의 자궁근종 치료에 대한 고찰

현재의 주요 근종의 치료 방법은 수술적 접근이며 비수술적 대안은 아직까지 효율적이지 않아서 수술을 원하지 않는, 특히 가임력을 보존하기 원하는 여성에서 새로운 치료 전략이 요구된다. 지난 수 년간 근종의 치료와 관련하여 많은 진전이 있었으며 근종의 성장과 발달에 영향을 미치는 요소들에 대한 분자생물학적, 유전적, 임상 연구들이 진행되고 있어 비수술적 치료에 대한 기대감을 높이고 있다.

　유전자 치료는 일정 기간 동안 높은 효율성을 바탕으로 표적 세포에 표적 유전자를 이동시키는 방법으로 성공적인 유전자 치료는 표적 기관 혹은 병변 부위에 효율적인 전이유전자의 이동 및 성공적인 형질도입으로 가능하게 된다. 또한 근종으로 전이 유전자를 이동시킨 이후에는 그 전이 유전자는 근종에만 국한되어 표현되어야 한다는 것이다. 근종에의 선택적 표현은 형질 도입 혹은 형질 전환을 통해 달성될 수 있으며 다행히도 근종은 국소화 및 주변과 경계가 분명하여 유전자의 표적화가 어렵지 않은 편이다. 이를 위해서 근종에서만 특이적인 프로모터/벡터가 필요하다. 근종에서는 특히 바이러스 벡터를 이용한 많은 연구들이 진해되고 있으며 그 중에서도 특히 재조합 변형 아데노바이러스 벡터를 이용하여 좋은 결과를 얻고 있다. 특히 아데노바이러스 변형 벡터중 하나인 Ad5-RGD에 헤르페스바이러스의 thymidine kinase (TK)와 거대세포바이러스로부터 유래된 human somatostatin receptor subtype 2 (SSTR)의 2가지의 전이 유전자를 부호화(encode)한 Ad-RGD-TK-SSTR는 세포자멸사를 유도하여 세포의 성장을 억제하고 세포외 기질의 표현을 억제하며 혈관 생성과 연관된 유전자의 표현을 감소시키는 등 다른 바이러스 벡터보다 근종의 성장 억제 및 크기 감소하는 효과가 우수하였다. 이러한 연구들은 유전자 치료로서 근종의 안전한, 비수술적 치료에 향후 잠재적인 표적이 될 수 있는 중요한 전 임상적(pre-clinical) 연구 결과가 되겠다. 유전자 치료는 이러한 세포자멸사을 유도하는 종양 파괴 인자(Tumor necrosis factor, TNF)와 종양 파괴 인자와 연관된 세포자멸사 유도하는 리간드(TNF-related apoptosis-inducing ligand, TRAIL)와 Bcl-2, Bax 군과 같은 세포자멸사 신호를 전달하는 세포 내외의 여러 경로를 바꿈으로써 근종을 조절할 수 있었다.

　비수술적 근종 치료제의 이상적인 방향은 수술적인 접근과 비교하여 얼마나 효과적인지, 특히 가임력을 보존하는 데 초점을 맞추어야 하겠으며 효과가 있다면 어떠한 경로로 투여되며 얼마나 자주 내원해야 하는지 등의 사회 경제적 비용 또한 고려되어야 하겠다. 성공적인 유전자 치료는 가임력을 보존하길 원하는 여성에서 좋은 치료적 대안이 될 수 있다. 이상적인 치료제의 개발을 위해서 근종의 병인 및 분자생물학적 이해에 대한 연구가 필요하며 이것이 임상으로 연결될 수 있는 플랫폼을 구축하는 것이 중요하다.

참고문헌

1. Abdelhady HG, Allen S, Davies MC, et al. Direct real-time molecular scale visualisation of the degradation of condensed DNA complexes exposed to DNase I. Nucleic Acids Res 2003;31:4001-5.

2. Al-Hendy A, Lee EJ, Wang HQ, et al. Gene therapy of uterine leiomyomas: adenovirus-mediated expression of dominant negative estrogenreceptor inhibits tumor growth in nude mice. Am J Obstet Gynecol 2004;191:1621-31.

3. Al-Hendy A, Salama S. Gene therapy and uterine leiomyoma: a review. Hum. Reprod Updat 2006;12:385-400.

4. Andre F and Mir LM. DNA electrotransfer: its principles and an updated review of its therapeutic applications. Gene Ther 11 (Suppl. 1) 2004;33-42.

5. Andree C, Swain WF, Page CP, et al. In vivo transfer and expression of a human epidermal growth factor gene accelerates wound repair. Proc Natl Acad Sci USA 91 1994;12188-92.

6. Archer DF, Stewart EA, Jain RI, et al., Elagolix for the management of heavy menstrual bleeding associated with uterine fibroids: results from a phase 2a proof-of-concept study. Fertil Steril 2017;108:152-600

7. Barron LG. and Szoka FC. The perplexing delivery mechanism of lipoplexes. In: Nonviral vectors for gene therapy 1999;229-66.

8. Benn SI, Whitsitt JS, Broadley KN, et al. Particle-mediated gene transfer with transforming growth factor-beta1 cDNAs enhances wound repair in rat skin. J Clin Invest 1996;98:894-902.

9. Bohlmann MK, Hoellen F, Hunold P, et al. High-Intensity Focused Ultrasound Ablation of Uterine Fibroids - Potential Impact on Fertility and Pregnancy Outcome Geburtshilfe Frauenheilkd 2014;74:139-45

10. Britz-Cunningham SH, Adelstein SJ. Molecular targeting with radionuclides: state of the science. J Nucl Med 2003;44:1945-61.

11. Cai KX, Tse LY, Leung C, et al. Suppression of lung tumor growth and metastasis in mice by adeno-associated virus-mediated expression of vasostatin. Clin Cancer Res 2008;14:939-49.

12. Carbonell JL, Acosta R, Perez Y, et al. Safety and effectiveness of different dosage of mifepristone for the treatment of uterine fibroids: a double-blind randomized clinical trial. Int J Womens Health 2013;5:115-24.

13. Check E. Second cancer case halts gene-therapy trials. Nature 2003;421:305.

14. Davidson JM, Krieg T, Eming SA. Particle-mediated gene therapy of wounds. Wound Repair Regen 2000;8:452-9.

15. Donnez J, Donnez O, Matule D, et al. Long-term medical management of uterine fibroids with ulipristal acetate. Fertil Steril 2016;105:165-73.

16. Döohring C, Angman L, Spagnoli G, et al. T-helper- and accessory-cell-independent cytotoxic responses to human tumor cells transfected with a B7 retroviral vector. Int J Cancer 1994;57:754-9

17. Dummer R, Yue FY, Pavlovic J, et al. Immune stimulatory potential of B7.1 and B7.2 retrovirally transduced melanoma cells: suppression by interleukin 10. Br J Cancer 1998;77:1413-9.

18. Elledge RM, Alfred DC. The p53 tumor suppressor gene in breast cancer. Breast Cancer Res Treat 1994;32:39-47.

19. Friedman AJ, Hoffman DI, Comite F, et al. Treatment of leiomyomata uteri with leuprolide acetate depot: a double-blind, placebo-controlled, multicenter study. The Leuprolide Study Group. Obstet Gynecol 1991;77:720.

20. Gallinat A and Leuken RP (1993) Addendum -current trends in therapy of myomata. In Gallinat A and Leuken RP (eds), Endo-

scopic Surgery in Gynecology. Demeter-Verlag, Berlin, pp. 69-71. Gallinat A and Leuken RP. Addendum-current trends in the therapy of myomata. Endoscopic surgery in gynecology. Berlin: Demeter-Verlag 1993;69-71.

21. Goldfarb HA. Nd:YAG laser laparoscopic coagulation of symptomatic myomas. J Reprod Med 1992;37:636-8.

22. Goldfarb HA. Laparoscopic coagulation of myoma (myolysis). Obstet Gynecol Clin North Am 1995;22:807-19

23. 23. Goodwin SC, Walker WJ. Uterine artery embolization for the treatment of uterine fibroids. Curr Opin Obstet Gynecol. 1998;10:315-20.

24. Greco O, Dachs GU. Gene directed enzyme/prodrug therapy of cancer: historical appraisal and future prospectives. J Cell Physiol 2001;187:22-36.

25. Griffiths A, ter Haar G, Rivens I, et al. High-intensity focused ultrasound in obstetrics and gynecology: the birth of a new era of noninvasive surgery? Ultraschall in Med 2012;33:8-15.

26. Hassan MH, Katoon N, Curiel DT, et al. Toward gene therapy of uterine fibroids: targeting modified adenovirus to human leiomyoma cells. Hum Reprod 2008;23:514-24.

27. Hassan MH, Salama SA, Arafa HM, et al. Adenovirus-mediated delivery of a dominant negative estrogen receptor gene in uterine leiomyoma cells abrogates estrogen- and progesterone-regulated gene expression. J Clin Endocrinol Metab 2007;92:3949-57.

28. Hassan MH, Salama SA, Zhang D D, et al. Gene therapy targeting leiomyoma: adenovirus mediated delivery of dominant negative estrogen receptor gene shrinks uterine tumors in Eker rat model. Fertil Steril 2010;93:239-50.

29. Hendrie PC, Russell DW. Gene targeting with viral vectors. Molec Ther 2005;12:9-17.

30. Hoffman PJ, Milliken DB, Gregg LC, et al. Molecular characterization of uterine fibroids and its implication for underlying mechanisms of pathogenesis. Fertil Steril 2004;82:639-49.

31. Hutchins FL Jr, Worthington-Kirsch R and Berkowitz RP. Selective uterine artery embolization as primary treatment for symptomatic leiomyomata uteri. J Am Assoc Gynecol Laparosc 1999;6:279-84.

32. Hutchins FL Jr, Worthington-Kirsch R, Berkowitz RP. Selective uterine artery embolization as primary treatment for symptomatic leiomyomata uteri. J Am Assoc Gynecol Laparosc 1999;6:279-84.

33. Kettel LM, Murphy AA, Morales AJ, et al. Clinical efficacy of the antiprogesterone RU486 in the treatment of endometriosis and uterine fibroids. Hum Reprod 1994;9:116-20.

34. Kulshrestha V, Kriplani A, Agarwal N, et al. Low dose mifepristone in medical management of uterine leiomyoma - an experience from a tertiary care hospital from north India. Indian J Med Res 2013;137:1154-62.

35. Mehier-Humbert S, Guy RH. Physical methods for gene transfer: improving the kinetics of gene delivery into cells. Adv Drug Deliv Rev 2005;57:733-53.

36. Mir LM, Moller PH, Andreee F, et al. Electric pulse-mediated gene delivery to various animal tissues. Adv Genet 2005;54:83-114.

37. Abdelaziz M, Sherif L, ElKhiary M, et al. Targeted Adenoviral Vector Demonstrates Enhanced Efficacy for In Vivo Gene Therapy of Uterine Leiomyoma. Reproductive Sciences 2016;23:464-74.

38. Nair S, Curiel DT, Rajaratnam V, et al. Targeting adenoviral vectors for enhanced gene therapy of uterine leiomyomas. Hum Reprod 2013;28:2398-406.

39. Nezhat C, Nezhat F, Silfen SL, et al. Laparoscopic myomectomy. Int J Fertil 1991;36:275-80.

40. Nieman LK, Blocker W, Nansel T, et al. Efficacy and tolerability of CDB-2914 treatment for symptomatic uterine fibroids: a randomized, double-blind, placebo-controlled, phase IIb study. Fertility and Sterility 2011;95:767-72.

41. Nishikawa M, Huang L. Nonviral vectors in the new millennium: delivery barriers in gene transfer. Hum Gene Ther 2001;12:861-70.

42. Niu H, Simari RD, Zimmermann EM, et al. Nonviral vector-mediated thymidine kinase gene transfer and ganciclovir treatment in leiomyoma cells. Obstet Gynecol 1998;91:735-40.

43. Othman EE, Salama S, Ismail N, et al. Toward gene therapy of endometriosis: adenovirus-mediated delivery of dominant negative estrogen receptor genes inhibits cell proliferation, reduces cytokine production, and induces apoptosis of endometriotic cells. Fertil Steril 2007;88:462-71.

44. Pack DW, Hoffman AS, Pun S, et al. Design and development of polymers for gene delivery. Nat Rev Drug Discov 2005;4:581-93.

45. Ravina JH, Bouret JM, Fried D, et al. Value of preoperative embolization of uterine fibroma: report of a multicenter series of 31 cases. Contracept Fertil Sex 1995;23:45-9.

46. Ravina JH, Ciracu-Vigneron NC, Aymard A, et al. Pregnancy after embolization of uterine myoma: report of 12 cases. Fertil Steril 2003;73:1241-3.

47. Rosenfeld ME, Curiel DT. Gene therapy strategies for novel cancer therapeutics. Curr Opin Oncol 1996;8:72-7.

48. Salama S, Kamel M, Christman G, et al. Gene therapy of uterine fibroids: adenovirus-mediated herpes simplex virus thymidine kinase/ganciclovir treatment inhibits growth of human and rat leiomyoma cells. Gynecol Obstet Investig 2007;63:61-70.

49. Schlaff WD, Zerhouni EA, Huth JA, et al. A placebo-controlled trial of a depot gonadotropin-releasing hormone analogue (leuprolide) in the treatment of uterine leiomyomata. Obstet Gynecol 1989;74:856.

50. Schutt B, Schultze Mosgau M-H, Draeger C, et al. Effect of the novel selective progesterone receptor modulator vilaprisan on ovarian activity in healthy women. J Clin Pharmacol 2018;58:228-39.

51. Seth P. Vector-mediated cancer gene therapy: an overview. Cancer Biol Ther 2005;4:512-7.

52. Shen Q, Hua Y, Jiang W, et al. Effects of mifepristone on uterine leiomyoma in premenopausal women: a meta-analysis. Fertil Steril 2013;100:1722-6.

53. Somia N and Verma IM Gene therapy: trials and tribulations. Nat Rev Genet 2000;1:91-9.

54. Tasciotti E, Zoppe M, Giacca M. Transcellular transfer of active HSV-1 thymidine kinase mediated by an 11 amino-acid peptide from HIV-1 Tat. Cancer Gene Ther 2003;10:64-74.

55. Taylor DK, Leppert PC. Treatment for Uterine Fibroids: Searching for Effective Drug Therapies. Drug Discov Today Ther Strateg 2012;9:41-9.

56. Tepper RI, Mule JJ. Experimental and clinical studies of cytokine gene-modified tumor cells. Hum Gene Ther 1994;5:153-64.

57. Trent RJA, Alexander IE. Clinical perspectives gene therapy: applications and progress towards the clinic. Int Med J 2004;34:621-5.

58. Tristan M, Orozco LJ, Steed A, et al. Mifepristone for uterine fibroids. Cochrane Database Syst Rev 2012;CD007687.

59. Vercellini P, Maddalena S, De Giorgi O, et al. Abdominal myomectomy for infertility: a comprehensive review. Hum Reprod 1998;13:873-9.

60. Verma IM and Weitzman MD. Gene therapy: twenty-first century medicine. Annu Rev Biochem 2005;74:711-38.

61. Vilos GA. Treatment options for uterine fibroids [abstract]. Can J Diagn 2000;17:55-9.

62. Wack S, Rejiba S, Parmentier C, et al. Telomerase transcriptional targeting of inducible Bax/TRAIL gene therapy improves gemcitabine treatment of pancreatic cancer. Molec Ther 2008;16:252-60.

63. Wagenfeld A, Bone W, Schwede W, et al. BAY 1002670: a novel, highly potent and selective progesterone receptor modulator for gynaecological therapies. Hum Reprod 2013;28:2253-64.

64. Walker CL and Stewart EA.Uterine fibroids: the elephant in the room. Science 2005;308:1589-92.

65. Wantanabe M, Nasu Y, Kashiwakura Y. Adeno-associated virus 2-mediated intratumoral prostate cancer gene therapy: long term maspin expression efficiently suppresses tumor growth. Hum Gene Ther 2005;16:699-710

66. Worgall SA. Realistic chance for gene therapy in the near future. Pediatr Nephrol 2005;20:118-24.

67. Yi Y, Hahm SH and Lee KH. Retroviral gene therapy: safety issues and possible solutions. Curr Gene Ther 2005;5:25-35.

자 궁 근 종
UTERINE LEIOMYOMA

Index

한국어

ㄱ »»»»»»»»»»»»»»»»»»

가성 메이그스 증후군 40
가족성자궁근종증후군 34
개복하 근종절제술 125
개복하 자궁근종절제술 128
경구 피임약 7
경막외무통 75
고강도 초음파 집속술 61,177,201
고주파 자궁근종용해술 173
골반통 51
관류MRI 182
근종나사 155
근종제거술 201
근층내근종 58, 59, 60

ㄴ »»»»»»»»»»»»»»»»»»

남성호르몬 17
농근종 73

ㄷ »»»»»»»»»»»»»»»»»»

다소자 178
단순 헤르페스 바이러스 207
단일공 복강경 수술 153

ㄹ »»»»»»»»»»»»»»»»»»

랄록시펜 17, 114

레보노르게스트렐 유리 자궁 내 장치 7, 109
레오바이러스 207
레트로바이러스 207
레티노산 24
로봇 수술 165
로봇 자궁근종 절제술 167
리아로졸 25

ㅁ »»»»»»»»»»»»»»»»»»

막 관통나선 20
매개체 205
메타 분석 59
면역강화요법 209
면역화학염색법 21
미세입자 포격 206
미세주입 205
미토콘드리아 206
미페프리스톤 18, 203

ㅂ »»»»»»»»»»»»»»»»»»

바소프레신 128, 129, 169
바이러스 벡터 206
발생률 3
방향화 효소 16
배뇨통 54
베레스바늘 131
벡터 204, 205
변이 보상 209
보조생식술 60
복강경 보조하 근종절제술 140

복강경하 근종 절제술 60

복강경하 자궁근종절제술 128

복강경하 전자궁절제술 127

복합 경구 피임제 108

분만진통 76

분만진통장애 72

분자 항암화학요법 209

불임 57

비관류용적 185

비관류용적비 185, 187

비만 5

비바이러스성 벡터 204, 205

비스테로이드소염제 75

비적응증 181

비정상 질출혈 52

비정상 태아위치 69

비타민 A 24

비타민 D 23

빈뇨 53

빌라프리잔 203

ㅅ »»»»»»»»»»»»»»»»»»

사이클린 25

사이클린 의존성 키나제 25

산후출혈 61, 73

상대적최고조영증강치 182

생리식염수 주입 하 초음파검사 99

생체열역학 공식 179

선택적 에스트로겐 수용체 조절자 17

선택적 프로게스테론 수용체 조절제 19, 62, 111

선택제왕절개수술 77

섬유아세포 증식인자 20, 22

성선자극호르몬방출호르몬 효능제 15, 110

세절술 139

세포감축 유전자 요법 209

세포성 평활근종 43

세포외 기질 21

세포자멸사 19

세포 주기 25

소장/대장 열손상 186

수용체 타이로신 키나제 20

수종변성 41

스테로이드 20

심부정맥혈전증 73

ㅇ »»»»»»»»»»»»»»»»»»

아데노바이러스 204, 207

아데노바이러스 연관 바이러스 207

아세트아미노펜 75

아소프리스닐 203

안드로스테네디온 17

알콜 6

에스트라디올-에스트로겐 수용체 복합체 16

에스트로겐 39

에스트로겐 수용체 15

에스트로겐 음성 우세 수용체 209

에스트론 17

역학 3

열씻김 현상 179

염전 69

예후 187

오나프리스톤 203

오피오이드 75

옥시토신 70

요로폐쇄 73

용적소작방식 184

용해술 174

울리프리스탈 아세테이트 112

원형질막 15

월경과다 51, 52, 57

월경통 51, 52

위상배열원리 178

유경근종 69

유병률 3

유산 69

유전자 205

유전자 총 206

유전자 치료 204

음향강도 178

이부프로펜 75

이차변성 68, 69

인도메타신 75

인산화 16

인슐린 성장인자-I 18

인슐린유사성장인자 20

임신 67

임신 중 합병증 68

ㅈ »»»»»»»»»»»»»»»»»

자궁감돈 54

자궁경 93, 142

자궁경부 58

자궁경하 근종절제술 60, 142

자궁근종 39, 57, 81

자궁근종변성 85

자궁근종융해술 201

자궁근종의 드문 영상소견 88

자궁근종절제술 75, 123

자궁꼬임 73

자궁내강 58

자궁내막 58

자궁내막 용종 99

자궁내막절제 148

자궁내번증 73

자궁동맥결찰술 135

자궁동맥색전술 61, 74, 187, 201

자궁선근종 94

자궁선근증 93

자궁육종 97

자궁 천공 145

자궁파열 76, 140

자기공명영상 84, 93

자살 유전자 요법 209

사언분만 76

장막하 근종 60

적극적 냉각 183, 186

적색변성 41, 69

적응증 181

전구 세포자멸사 209

전기천공법 206

전산화단층촬영 82

전이 205

전이성 근종 44

전이유전자 205

전자간증 72

전자궁절제술　123, 201

전치태반　72

점막하 근종　57, 58, 60

점막하자궁근종　69

점액성 변성　41

제왕절개수술　73, 76

제왕절개술　61

조기분만　61

조기양막파열　69

조기진통　69

조기치료결과예측모델　182

조산　69

종양유전자　209

중화항체　22

증상점수　187

증식세포핵 항원　18, 19, 21

지방평활근종　42

질식 근종절제술　145

질식 전자궁절제술　127

질탈출근종　75

ㅊ 》》》》》》》》》》》》》》》》》》》

착상　58

체외수정　59

초음파　81, 93

초음파영상유도　179

측분비 효과　23

치사열량　178

ㅋ 》》》》》》》》》》》》》》》》》》》

카페인　6

콕사키-아데노바이러스 수용체　207

콜라겐　24

ㅌ 》》》》》》》》》》》》》》》》》》》

타목시펜　17

타이로신 인산화　21

태반엽양 박리 자궁근종　43

태반유착　77

태반조기박리　69, 72

태아기형　71

태아발육장애　71

태아사망　72

태아성장지연　61

태아위치이상　71

텔라프리스톤　203

통증　75

트라닐라스트　24

ㅍ 》》》》》》》》》》》》》》》》》》》

파종혈관내응고　73

페록시솜증식체활성화수용체　14

펩타이드　21

평활근육종　45

평활근종증　101

폐경 후 호르몬 치료　7

표피생장인자　18, 20

푸마르산 수산화효소　40

프로게스테론 17, 39
프로게스틴 108
프로티오글리칸 24
피부화상 185
피브로넥틴 22
피하지방 열손상 185

ㅎ »»»»»»»»»»»»»»»»»»»»

합병증 185
합성 벡터 206
항원표현세포 210
핵산 205
헤테로다이머 24
혈관내피세포 성장인자 20
혈관수축인자 58
혈관수축제인 160

혈관평활근종 42
혈복강 73
혈소판유래성장인자 20
형질전환생장인자β 14
호모다이머 16
효소 전구약물 요법 209

번호

2-methoxyestradiol 22
2-메톡시에스트라디올 22
5-fluorocytosine 209
17β-HSD 16
17β-hydroxysteroid dehydrogenase 16
17β-에스트라디올 16
17β히드록시스테로이드 탈수효소 16

로마자

A »»»»»»»»»»»»»»»»»»

AAV   207

Abdelaziz   209

Acoustic intensity   178

Active cooling   183, 186

Ad-DNER   204

Adenomatoid tumor   94

Adenovirus   207

Agonist   60

AKT1   14

Al-Hendy   23

Alport 증후군   14, 40

Androgen   17

Androstendione   17

Antigen presenting cell   210

Arginine   208

Arici   22

Asoprisnil   19, 203

Aspartate   208

B »»»»»»»»»»»»»»»»»»

Baek   25

Barbarisi   16

Barbed suture   155

Bax   209

Bcl-2   19

Beam shaping   186

Bio-heat equation   179

Boettger-Tong   24

Borahay   22

Burrough   21

C »»»»»»»»»»»»»»»»»»

CAR   207

Caspase 3   19

Caspase3   17

CDK   25

Cdk2   17

Cdk4   17

Cell cycle   25

Cellular leiomyoma   43

Chegini   22

Cho   17

Ciglitizone   25

Closed-loop feedback control   180

COL4A5   40

COL4A6   40

Collagen   24

Collagen α1   21

Cotyledonoid dissecting leiomyoma   43

Cozasackie/Ad receptor   207

Culdolaparoscopy   146

Cyclin   25

Cyclin A   17

Cyclin Dependent Kinase   25

Cytoreductive gene therapy   209

D » » » » » » » » » » » » » » »

Di Lieto   22
DNA   25
DNER   209
Dominant negative estrogen receptor   209
Donnez   19
Dysuria   54

E » » » » » » » » » » » » » » »

E2   16
E2-ER complex   16
EGF   18, 20
Electroporation   206
Epidermal growth factor   16, 18
Epithelial growth factor   20
ERs   15
ERα   15
ERβ   15
Escherichia coli bacterial cytosine deaminase   209
Estrone   17
Extracellular matrix   21

F » » » » » » » » » » » » » » »

Familial uterine fibroid syndromes   34
Fayed   21
FDA   19
FGF   20, 22
Fibroblast growth factor   20
Fibronectin   22

Fiscella   18
Flavopiridol   26
Fumarase or fumarate hydratase   40
Fumarate hydratase   14
Fumarate hydratase deficiency   34

G » » » » » » » » » » » » » » »

Gamage   24
Ganciclovir   209
Gene gun   206
Gentry   21
Glycine   208
GnRHa   15
GnRH 길항제   187
GnRH 작용제   60
Gonadotropin-releasing hormone agonist   15
GPR30   15
G-protein coupled receptor 30   15
G 단백질 연결 수용체   15

H » » » » » » » » » » » » » » »

Halder   23
Heat sink phenomenon   179
Herpes simples virus   207
Heterodimer   24
HIFU   177
HIFU의 물리   177
High-Intensity focused ultrasound   61, 177
High-mobility group AT-hook 2   34
HMGA2   34, 40

Hoekstra 18

Homodimer 16

HOXA10 58

HOXA11 58

Human somatostatin receptor subtype 2 208

Hydropic degeneration 41

Hysterectomy 123

I » » » » » » » » » » » » » » » »

IGF-1 20

Immunopotentiation 209

Insulin growth factor-I 18

Insulin-like growth factor 20

Insulin receptor substrate-1 21

Integrin 26

IRS-1 21

Ishikawa 17

Islam 24

J » » » » » » » » » » » » » » » »

Jensen 15

Jeong 25

Junctional zone 95

K » » » » » » » » » » » » » » » »

Kasai 16

Kawaguchi 17

KLF11 18

L » » » » » » » » » » » » » » » »

Laparoscopic assisted myomectomy 140

Lee 21

Leiomyosarcoma 45

Lethal thermal dose 178

Levonoregestrel-releasing intrauterine system 7

Liang 21

Liarozole 25

Lipoleiomyoma 42

LNG-IUS 7

Lupron 26

M » » » » » » » » » » » » » » » »

Maekawa 16

Magnetic resonance imaging 93

MAPK 16

Maruo 18

Matthew 13

MED12 34

Mediator complex subunit 12 34

Medroxyprogesterone acetate 7

MERs 15

Metastasizing leiomyoma 44

Microinhjection 205

Mifepristone 18, 203

miRNA 34

Moitogen-activated protein kinase 16

Molecular chemotherapy 209

Morcellation 138

mPRα 18

mPRβ 18

mPRγ 18

MR-HIFU 179

MRI유도 HIFU 179

MRI-유도하 초음파치료 60

mTOR 14

Multi-element 178

Mutation compensation 209

Myoma screw 155

Myomectomy 123

Myxoid degeneration 41

N »»»»»»»»»»»»»»»»»»»

Nair 208

Nierth-Simpson 16

Niu 204

Non-perfused volume 185

Non-perfused volume ratio : NPV ratio 185

Non-viral vector 205

Nowak 21

NPV 185

Nucleus 205

O »»»»»»»»»»»»»»»»»»

Ohara 19

Onapristone 203

Ono 23

P »»»»»»»»»»»»»»»»»

P53 209

Paracrine effect 23

Particle bombardment 206

PCNA 18, 19, 21

PDGF 20

Peng 20

Peptide 21

Phase array principle 178

Phospatase and tensin homolog 15

Phosphatidylinositide 3-kinase 16

Phosphoinositide phospholipase Cγ 16

Phosphorylation 16

PI3K 16

Platelet-derived growth factor 20

PLCγ 16

Polyanionic molecule 206

PPAR 14

PR-A 18

PR-B 18

Pro-apoptotic 209

Proellex 19

Progesterone receptor gene polymorphism 34

PROGINS 34

Proliferating cell nuclear antigen 18, 19

Proteoglycan 24

Proteus 증후군 14

Pseudo-Meigs' syndrome 40

PTEN 15

R »»»»»»»»»»»»»»»»»»

RAD51B 40

Raloxifene 17

Red degeneration 41

Reed's 증후군 14

Relative peak enhancement 182

Ren 21

Reovirus 207

Retrovirus 207

Robotic surgery 165

Rodriguez 19

RPE 182

RTKs 20

S »»»»»»»»»»»»»»»»»»

Salama 22

Saline infusion sonography 93

Selective progesterone receptor modulator 62

SERMs 17

Simvastatin 22

Single-port access laparoscopy 153

Smooth muscle tumor of uncertain malignant
   potential 44

SPRM 19

SSTR 208

STUMP 44

Suicide gene therapy 209

Swartz 20

Symptom severity score 187

Synthetic vector 206

T »»»»»»»»»»»»»»»»»»

Tamoxifen 17

T-cell 210

Telapristone 203

TGF-β 14

Thymidine kinase 204, 208

TK 208

Tranilast 24

Transgene 205

Transmembrane helix 20

TUNEL 19

Tyrosine phosphorylation 21

U »»»»»»»»»»»»»»»»»»

UFS-QoL 187

Ulipristal acetate 19

Unopposed estrogen 7

US-HIFU 179

Uterine artery ligation 162

Uterine fibroid symptom and health-related
   quality of life 187

Uterine incarceration 54

V »»»»»»»»»»»»»»»»»»

V-akt murine thymoma viral oncogene
   homolog 1 14

Vascular endothelial growth factor 20

Vascular leiomyoma 42

Vasopressin 160

Vector 205
VEGF 20
Verres needle 131
Vilaprisan 203
Volumetric ablation technique 185

W »»»»»»»»»»»»»»»»

Wnt11 23
Wnt16 23
Wnt/β-Catenin 23

Wound retractor 157

X »»»»»»»»»»»»»»»»»

Xu 21

Y »»»»»»»»»»»»»»»»»

Yin 18
Yu 20